KU-396-505

ERWIN CHARGAFF

Warnungstafeln

Die Vergangenheit spricht zur Gegenwart

Rezension: H. v. Ditfurth,
Das Erbe des Neandertalers, S. 42 f.

KLETT-COTTA

Verlagsgemeinschaft Ernst Klett Verlag –
J. G. Cotta'sche Buchhandlung

Printed in Germany
Schutzumschlag: Klett-Cotta-Design
Gesetzt aus der 11/12 p Baskerville
Gedruckt auf säurefreiem und holzfreiem
Werkdruckpapier von Cartiere del Garda
Die Gesamtherstellung übernahm
Wilhelm Röck, Weinsberg
Zweite Auflage, 1988

CIP-Titelaufnahme der Deutschen Bibliothek

Chargaff, Erwin:
Warnungstafeln: d. Vergangenheit spricht
zur Gegenwart/Erwin Chargaff.
– 2. Aufl. – Stuttgart: Klett-Cotta, 1988
ISBN 3-608-95004-4

INHALT

Die Kapitel 2, 8, 9 und 10 waren bisher ungedruckt. Die andern Kapitel wurden meistens stark umgearbeitet. In ihrer früheren Form sind sie an folgenden Stellen erschienen: Kapitel 4, 5, 6 in der Zeitschrift »Scheidewege« (4/81, 1/81, 4/80); Kapitel 1 in Herder-Bücherei Initiative, Nr. 43 (»Die Schmarotzer breiten sich aus«); Kapitel 3 in der Zeitschrift »Transatlantik« (4/81); Kapitel 7 in Rowohlts »Literaturmagazin« Nr. 14/1981.

[1]

LUKIAN: DER SINN DES WISSENS

I

Von Lukian, der im zweiten Jahrhundert n. Chr. lebte, sind viele Werke erhalten. Dieser Syrer aus Samosata – erst als junger Mann lernte er sein ausgezeichnetes Griechisch – war ein witziger und spöttischer Beobachter des antoninischen Nachsommers, in dem das römische Reich damals lebte. Wenn man ihn liest, hört man manchmal im Geiste eine dazu passende Offenbach-Musik. Eine seiner lustigsten Szenen ist die βιῶν πρᾶσις, die »Auktion der Biographien« oder, wie es in Wielands wahrhaft kongenialer Übersetzung heißt, »Der Verkauf der philosophischen Sekten«. (1) In dieser mythologischen Harlekinade werden verschiedene berühmte Philosophen der Vergangenheit als Sklaven feilgeboten. Den Vorsitz führt Zeus, Hermes fungiert als Auktionator. Die Zuschlagspreise schwanken: Diogenes wird fast umsonst abgegeben, zehn Minen werden für Pythagoras bezahlt, Heraklit findet keinen Käufer, Sokrates hingegen bringt ein Vermögen ein. Fast am Ende der Versteigerung wird ein nicht benannter Peripatetiker angeboten – wahrscheinlich ist es Aristoteles –, und für ihn werden sogar zwanzig Minen ausgelegt, denn das Lob des geschickten Hermes macht Eindruck auf den Käufer.

Käufer: . . . Was soll er kosten?
Hermes: Zwanzig Minen.
Käufer: Das ist viel Geld!
Hermes: Ganz und gar nicht, mein lieber Mann; . . . du wirst keinen schlimmen Kauf tun. Überdies kann er dir aus dem Stegreife sagen, wie lang eine Mücke lebt, wie tief die Sonnenstrahlen ins Meer eindringen und was die

Austern für eine Seele haben.
Käufer: Zum Herakles, das muß ein grundgelehrter Mann sein!
Hermes: Was wirst du erst sagen, wenn du noch viel subtilere Dinge von ihm hören wirst, zum Exempel, was er über den Samen und die Zeugung sagt, und wie die Kinder im Mutterleibe gebildet werden, und daß der Mensch ein lachendes Tier, der Esel hingegen weder ein lachendes, noch zimmerndes, noch ruderndes ist.
Käufer: Das sind in der Tat wichtige und ersprießliche Wissenschaften! So ist er freilich schon seine zwanzig Minen wert!

Dem Lukian kamen so viel subtile Kenntnis und Disjunktionskraft sichtlich komisch vor, und auch, daß der Käufer willens war, so viel Geld auszugeben, um diesen zweibeinigen Brockhaus mitzunehmen. Aber 1700 Jahre später zitiert Jacob Burckhardt die groteske Stelle über die Seele der Austern, und ermahnend ruft er den sich noch immer ins verweste Fäustchen lachenden Lukian zur Ordnung: »Er (Lukian) ahnt nicht, daß dies für die Wissenschaft allerdings Gegenstände sind.« (2) Aber sollen sie es sein? Ist alles Wissen gleichwertig? Ersticken wir nicht gerade jetzt an dem Überangebot von Informationen über die Seele der Austern? Vielleicht unterschätzte, trotz aller Klarsichtigkeit, sogar der große Burckhardt die Kraft der Woge, der er selbst angehörte, und ahnte nicht, wie bald die sich ansammelnde Wucht des Wissens den allgemeinen Schiffbruch hervorrufen sollte. Es hat lange gebraucht, bevor man erkannte, daß der Übergenuß selbst von Nektar und Ambrosia in einem blutigen Erbrechen enden muß; oder – um in der Kindergartenatmosphäre zu bleiben, in der meine Worte angesiedelt sind – daß das Kind so lange zum Brunnen geht, bis es ertrinkt.

Ich muß mich nämlich wirklich dafür entschuldigen, daß ich hier wie ein Primitiver schreibe, ein Aschanti in der Akademie. Tiefe und daher dicke Bücher sind über das

Wissen und die Wissenschaften geschrieben worden. Es gibt sogar eigene Wissenschaften, die sich damit befassen: Epistemologie, Wissenschaftslehre, Wissenschaftssoziologie. Jede Laus auf dem Panzer unsrer Welt hat bereits ihr eigenes Archiv. Jederzeit stehen lautlose Computer bereit, ihre Zitterschriften auf informationsfreudige Schirme zu werfen. Und doch habe ich aus winzigen oder jedenfalls wenig umfangreichen Büchern mehr gelernt: Max Weber (3), Husserl (4), Wittgenstein (5). Die Verwissenschaftlichung unseres Wissens hat es unzugänglich, undurchdringlich gemacht. Ehe ich mich durch das Gestrüpp metaphysischer Vollbärte durchgekämpft habe, bin ich erlahmt. Kaum glaubt der Leser, er habe eine halbwegs verständliche Aussage erhascht, so verschwindet sie schon in Wolken trübsten Jargons; was ihn angähnt, ist die Öde erhabener Fachlichkeit. Sie schreiben nur für ihresgleichen, und ihresgleichen will man gar nicht kennenlernen. So bleibt einem nur der eigene Kopf, wie schwach er auch sein mag.

II

In den »Tag- und Nachtbüchern«, einem tiefen und tieftraurigen Buch, das, ich fürchte, nicht genug bekanntgeworden ist, schreibt Theodor Haecker (S. 60):

> Die »Wissenschaft« braucht notwendig eine positive, historisch gewachsene, »zufällige« Sprache auf einer allgemein verständlichen Ebene. Nicht so die »Weisheit«. Sie hat eine viel innerlichere, tiefere »Sprache« von geheimnisvollem Wesen, zu dem auch das Schweigen gehört. Was aber soll die Wissenschaft mit dem Schweigen? Sie soll reden im eindeutigsten Sinn des Wortes. Mehr als die Hälfte der Weisheit aber ist das Schweigen.

Es ist also das Schweigen zwischen Worten, das Intervall,

das ein Teil der Weisheit ist. Das redende Wissen, die Wissenschaft, handelt vom Geltenden, die oft schweigende Weisheit vom Gültigen. Da es viel mehr von jenem als von diesem gibt, wird in unserer Zeit viel, viel zuviel geredet. Ja, es besteht sogar die Gefahr, daß das Geltende des Gültigen Tod ist. Jedenfalls hängen, etymologisch betrachtet, Wissen, Wissenschaft, Weisheit, aber auch Witz, eng zusammen – sie beziehen sich auf was man erkannt, gesehen hat –, während das Weissagen von anderswo herkommt.

Jede Sprache hat jedoch ihre besonderen Zusammenhänge und Entsprechungen. Ich will das an zwei kurzen Beispielen aus der Luther-Übersetzung des Neuen Testaments zeigen, in denen er beide Male das Wort »wissen« verwendet. In Joh. 4, 25 heißt es: »Spricht das Weib zu jm/Ich *weis*/das Messias kompt«, und in 1 Kor. 13, 9: »Denn unser *wissen* ist stückwerck/und unser Weissagen ist stückwerck.« Hier folgen nun dieselben Stellen aus dem griechischen Urtext, der Vulgata, der Authorized Version und der Bible de Jérusalem. Joh. 4, 25: »λέγει αὐτῷ ἡ γυνὴ ·οἶδα ὅτι Μεσσίας ἔρχεται, . . .« – »Dicit ei mulier: Scio quia Messias venit« – »The woman saith unto him, I *know* that Messias cometh« – »La femme lui dit: Je *sais* que le Messie doit venir«. – 1 Kor. 13, 9: »ἐκ μέρους γὰρ γινώσκομεν καὶ ἐκ μέρους προφητεύομεν . . .« – »Ex parte enim *cognoscismus*, et ex parte prophetamus« – »For we *know* in part, and we prophesy in part« – »Car imparfaite est notre *science*, imparfaite aussi notre prophétie«.

Mir scheint, daß es Sprachen gibt, die unterscheiden zwischen dem Wissen an sich und dem, das man durch Erkenntnis erworben hat; zwischen dem Wissen, dessen Antonym das Nichtwissen ist, und demjenigen, als dessen Gegenwort das Nichtsichersein sich empfiehlt. Auch glaube ich, daß es ein Wissen gibt, mit dem man geboren ist, ein anderes, das man erwirbt, und noch viele weiteren Arten, z. B. ein Wissen, das man oft und gerne gegen ein neues austauscht; wobei ich nicht so sehr an verblichene Telephonnummern denke wie an naturwissenschaftliche Tatsachen, deren Faktizität heutzutage oft wackelnder ist als Kinderzähnchen. Die wichtigste Unterscheidung ist jedoch die zwischen dem Wissen, das der einzelne besitzt, und dem Wissen, das irgendwo herumliegt und sich sehnsüchtig nach einem umsieht, der kommt und es aufhebt. Alle Wissensspeicher zum Teufel wünschend kann ich nur sagen: *Der einzige Sinn des Wissens liegt im Gewußtwerden.*

III

Betrachten wir die folgenden einander so ähnlichen Sätze, die dennoch zwei ganz verschiedene Arten von Wissen ausdrücken: 1) Ich weiß, daß mein Erlöser lebet; 2) ich weiß, wo mein Erlöser lebet. Im ersten Satz der Ausdruck einer unumstößlichen Gewißheit, von der man vielleicht schon vor der Geburt ergriffen worden ist; im zweiten, die Angabe einer Adresse, die möglicherweise nicht einmal stimmt. Die Aussage des Verbums wurde also durch den von ihm abhängigen Nebensatz völlig verändert. »Wissen, daß . . .« gehört einer anderen Rangordnung an als »wissen, wo . . .« oder »wissen, ob . . .« usw. Meiner Meinung nach sind unsere Wissenschaften die Verwalter jener zweiten Kategorie von Wissen; sie sagen »ob«, »wie«, »wo«, »warum«; nur selten »daß«, und auch dann sollte ein Verfallsdatum angegeben werden. Das kommt daher, daß die Induktion nichts ist, wenn sie nicht ehrlich ist; und je öfter sie sich irrt, desto öfter muß sie ehrlich sein. In unserer Zeit werden Naturgesetze häufiger zurückgerufen als Fordwagen.

Es gibt einen alten Scherz, der manchmal Schleiermacher zugeschrieben wird und manchmal Hermann Kurz: »Eifersucht ist eine Leidenschaft, die mit Eifer sucht, was Leiden schafft.« (6) Wollte man dieses hübsche Wort variieren und etwa sagen: »Wissenschaft ist, was Wissen schafft«, so machte man sich einer sträflichen Vereinfachung schuldig, denn das Wissen, das die Wissenschaften zu erzeugen fähig sind, ist sicherlich nur ein kleiner Teil des möglichen, ja des vorhandenen Wissens. Dennoch hat sich die Ansicht verbreitet, daß die Wissenschaften die Verwalter des Wissens der Menschheit sind; gewiß wäre ohne sie das menschliche Gedächtnis viel ärmer, denn das meiste dessen, was wir Wissen nennen, ist kein vererblicher Besitz. So schreibt denn Kant: »Wenn auch die Philosophie bloß als *Weisheitslehre* (was auch ihre eigentliche Bedeutung ist) vorgestellt wird, so kann sie doch auch als Lehre des *Wissens* nicht übergegangen werden . . .« (7) Und an anderer Stelle:

> Mit einem Worte: Wissenschaft (kritisch gesucht und methodisch eingeleitet) ist die enge Pforte, die zur *Weisheitslehre* führt, wenn auch unter dieser nicht bloß verstanden wird, was man *thun*, sondern was *Lehrern* zur Richtschnur dienen soll, um den Weg zur Weisheit, den jedermann gehen soll, gut und kenntlich zu bahnen und andere vor Irrwegen zu sicheren; eine Wissenschaft, deren Aufbewahrerin jederzeit die Philosophie bleiben muß, an deren subtiler Untersuchung das Publicum keinen Antheil, wohl aber an den *Lehren* zu nehmen hat, die ihm nach einer solchen Bearbeitung allererst recht hell einleuchten können.* (8)

Auch für Hegel ist der Primat der Wissenschaften evident, nämlich, »daß das Wissen nur als Wissenschaft oder als *System* wirklich ist und dargestellt werden kann . . .«. (9) Und die Obhut, unter der die Philosophie die Wissenschaften, das Lehren, das Lernen nahm, hat erst in der Gegenwart mit dem Rückzug und dem Verschwinden der Philosophie nachgelassen. Fichtes »Bestimmung des Gelehrten« und

* Hier finden wir wahrscheinlich eine frühe elitäre Aufforderung an das *profanum volgus* draußen zu bleiben und die Wissenschafter stumm zu verehren. Die Arroganz sollte später noch ganz anders werden, denn die damals nur abweisend erhobene Hand wurde dann zwecks Empfangs großer Geldmengen gebieterisch ausgestreckt.

»Wissenschaftslehre«, Schellings »Studium Generale« waren nur der Beginn eines sich durch das ganze 19. Jahrhundert fortsetzenden Stromes. Am leichtesten zugänglich sind vielleicht die großartigen Vorlesungen, die Kardinal Newman in den fünfziger Jahren des vergangenen Jahrhunderts hielt und die ihre endgültige Form in seinem 1873 erschienenen Buch »The Idea of a University« fanden. (10)

IV

Vor kurzem las ich von einem amerikanischen College, dessen neue Bibliothek überhaupt keine Bücher enthält, nur Telephonanschlüsse, mit deren Hilfe irgendein Computer angezapft werden kann. Die Funktion der Bibliothekare einer solchen Anstalt müßte sich demnach darauf beschränken, den lerneifrigen Studenten beizubringen, wie man »library« buchstabiert, und ihnen vielleicht auch hie und da mit einem Schraubenzieher auszuhelfen. Da dachte ich mir: da sieht man, wohin das schöne, das edle Ideal der Einheit von Lehre und Forschung uns gebracht hat. Forschung ist also, was in den Computer hineingeht, und Lehre, was man aus ihm herausnimmt. »Nostradamus' eigne Hand« hat längst das Schreiben verlernt, und auch Faust diktiert nur mehr auf Tonband, wenn auch der heiße Draht zu Mephistopheles sicherlich nicht unterbrochen ist.

Und ich dachte mir auch, an was für einem Wendepunkt der Geschichte es uns verhängt ist, unser Leben zu verbringen. Die Habgier, die Neugier, die Blutgier haben alle andern Eigenschaften, die den Menschen vom Tier unterscheiden, verdrängt. So ist denn Wissen ein allzu wertvoller Besitz, als daß man es noch in der altherkömmlichen Form aufbewahren könnte. Viel besser ist es auf einem Kieselsäuresplitter aufgehoben. Man drückt auf einen Knopf, und schon weiß man alles, was über das Seelenleben der Muscheln bekannt ist. Man drückt auf einen andern, und schon können die Früchte eigener Arbeit den gesammelten Besitz vermehren.

Es ist möglich, daß wir dem Ende dessen beiwohnen, was man Wissenschaften zu nennen pflegte; eine Tätigkeit, die einmal in Menschengehirnen begann, in Menschenherzen getragen wurde. Es war ein langsames Ende – einhundert Jahre oder mehr –, und es gibt viele Symptome, mit deren Hilfe der Ablauf des Verfalls verfolgt werden kann, z. B. das Verblassen des Begriffs »Gelehrter« und seine Ersetzung durch die Berufsbezeichnung »Wissenschaftler«. Dabei ist das »l« in Wissenschaftler besonders wichtig: es drückt die geist- und erbarmungslose Geschäftigkeit aus (wie in »Gschaftlhuber«). Während niemand daran denken würde, einen, der Freundschaft pflegt, als »Freundschaftler« zu bezeichnen – er heißt »Freund« –, nennt man den der Wissenschaft Ergebenen gewiß nicht einen »Wissenden«; und man weiß warum. Eigentlich braucht er nur die Hähne zu kennen, aus denen das Wissen fließt.

Übrigens ist die etymologische oder lexikalische Verwandtschaft von »Wissen« und »Wissenschaft« nur in einigen germanischen Sprachen, wie auch im Lateinischen, offenkundig. Im Französischen oder Englischen ist es weit von »savoir« oder »knowledge« zu »science«, ganz abgesehen davon, daß dieses Wort im englischen Gebrauch fast ausschließlich für die Naturwissenschaften steht. Das Deutsche betont auch die nahe Verwandtschaft von »Wissen« mit »Gewissen«, »Bewußtsein«, »Gewißheit«, was z. B. auf »conscience«, »consciousness« oder »certainty« nicht zutrifft.

V

Im zweiten Abschnitt dieses Aufsatzes habe ich unterschieden zwischen dem Wissen, das der einzelne besitzt, und dem, das in gespeicherter Form angeblich verfügbar ist. Das

Wissen des einzelnen ist natürlich schwer zu greifen und zu begreifen, denn es setzt sich aus unzähligen Bestandteilen zusammen, manche völlig getrennt voneinander, andere zusammenfließend wie Tropfen in einem Strom. Auch ist es gleichsam in zahlreichen Schichten unseres Geistes beheimatet, von denen nicht alle dem Gedächtnis zugänglich sind. Es ist natürlich verboten, sich in das eigene Selbst zu versenken, anstatt sich aus der riesigen Fachliteratur zu verproviantieren; aber wenn ich das doch tue, muß ich sagen, daß ich viel mehr weiß – oder besser, gewußt habe –, als die Erfahrung und das Lernen mir zugetragen haben. Den großen alten Lehrsatz in allen Ehren: *nihil est in intellectu, quod non prius fuerit in sensu* – aber vielleicht geht hier die Rede nicht vom Intellekt.

Gewiß besteht das Erfahrungswissen nicht nur daraus, was man in aller Form, also aus Büchern oder in der Schule gelernt hat. Die Volksweisheit lehrt uns, daß man aus Schaden klug wird und daß das gebrannte Kind das Feuer scheut. Die erste Behauptung ist jedenfalls experimentell widerlegt, denn angesichts des Schadens, der den Menschen in meiner Zeit zugefügt worden ist, müßten sie überklug geworden sein, und das sind sie wahrlich nicht. Für die zweite Feststellung fehlen die experimentellen Unterlagen. Es kann aber nur eine Frage der Zeit sein, bis eine öffentliche Körperschaft, sagen wir, das »National Institute of Child Health and Human Development«, größere Geldmittel zur Verfügung stellt, so daß ein Team aus Pädiatern, Dermatologen, Kinderpsychologen und Napalm-Experten die einschlägigen Forschungen ausführen kann. Wie bei den meisten Forschungen läßt sich das Resultat voraussagen: manche gebrannten Kinder werden das Feuer scheuen, andere nicht. Aber es wird eindrucksvolle Kurven geben.

Manche werden vielleicht sagen, daß wir unser Wissen schöpfen nicht nur aus manchem, was mit uns geschehen ist, sondern auch daraus, was uns widerfahren wird. Ich habe Dunnes seltsames Buch (11) nicht wirklich verstanden, aber ich kenne Leute, auf die es einen tiefen Eindruck gemacht hat. Da er sich weitgehend auf Träume stützt, kann ich dazu nur bemerken, daß wissenschaftliche Traumforschung – Oneirologie, oder wie das Ding sonst heißt – mir nicht als die geeignete Art erscheint, um mit Träumen umzugehen. Zwar sind es schon fast 70 Jahre her, seit ich das »Ägyptische Traumbüchl« in der Hand gehabt habe, und etwa 55, seit ich das von Dr. Freud durchblätterte, aber ich habe jenes als das tiefere Werk in Erinnerung.

Die Handlung des Wissens – wenn man von einer Handlung sprechen darf – kann nicht falsch oder richtig, wahr oder unwahr sein, wohl aber der Inhalt. Was ein wahrhaft Gläubiger weiß, weiß er stärker, als die Beweiskraft jeder möglichen Widerlegung zu sein vermag. Ich habe davon schon bei einem früheren Anlaß gesprochen. (12) Ein solcher Mensch ist also des Inhalts seines Wissens gewiß. Aber es gibt da seltsame Paradoxe. Auf ein prächtiges Beispiel habe ich schon früher hingewiesen (13), möchte es aber trotzdem auch hier anführen. In den letzten zwei Jahren seines Lebens hat Ludwig Wittgenstein viel über den Begriff der Gewißheit nachgedacht (14) und darüber, wie man wissen könne, daß etwas gewiß wahr sei. Hier ist eine seiner Bemerkungen (Nr. 106):

> Ein Erwachsener hätte einem Kind erzählt, er wäre auf dem Mond gewesen. Das Kind erzählt mir das, und ich sage, es sei nur ein Scherz gewesen; niemand sei auf dem Mond gewesen; der Mond sei weit, weit von uns entfernt, und man könne nicht hinaufsteigen oder hinfliegen. – Wenn nun das Kind darauf beharrte: es gebe vielleicht doch eine Art, wie man hinkommen könne, und sie sei mir nur nicht bekannt, etc. – was könnte ich erwidern? Was könnte ich Erwachsenen eines Volksstammes erwidern, die glauben, Leute kämen manchmal auf den Mond (vielleicht deuten sie ihre Träume so), und die allerdings zugeben, man könnte nicht mit gewöhnlichen Mitteln

> hinaufsteigen oder hinfliegen? – Ein Kind wird aber für gewöhnlich nicht an so einem Glauben festhalten und bald von dem überzeugt werden, was wir ihm im Ernst sagen.

War also hier der Philosoph und nicht das Kind das Opfer eines Fehlglaubens? Jener schreibt jedoch in Nr. 286 seiner Notizen:

> Woran wir glauben, hängt von dem ab, was wir lernen. Wir alle glauben, es sei unmöglich, auf den Mond zu kommen; aber es könnte Leute geben, die glauben, es sei möglich und geschehe manchmal. Wir sagen: diese wissen Vieles nicht, was wir wissen. Und sie mögen ihrer Sache noch so sicher sein – sie sind im Irrtum, und wir wissen es.

Was soll ich daraus schließen? Vielleicht, daß nur das grundlose Wissen ein sicheres Wissen ist, daß aber induktives Wissen immer wackelt und schwankt, denn – zumindest bis zur Entdeckung der Atomspaltung – hätte man doch gesagt, daß die Zukunft länger ist als die Vergangenheit; und wer weiß, was noch alles geschehen wird?

VI

Viele einzelne bilden ein Volk, und viele Völker bewohnen die Erde. Gibt es ein allgemeines Wissen und ist dieses die Summe des Wissens der einzelnen Menschen? Die zweite Frage ist sicherlich zu verneinen: was der eine oder andere weiß, hat gewöhnlich überhaupt keine Möglichkeit, in das Wissen der Welt einzufließen. Nur eine ganz besondere Art von Wissen vermag das, das redende und schreibende Wissen, und nur unter besonderen Umständen. In einer Zeit allgemeinster Entfremdung, des Menschen vom Menschen, des Menschen von der Gesamtheit, ja des einzelnen von sich selbst; in einer Zeit, in der der individuelle Geschmack fast verschwunden ist, in der die Unsicherheit des Urteils nach der Diktatur der Mode ruft; in einer Zeit, der durch die hermetische Verschlüsselung aller Künste auch dieser Trost, dieser große Trost verloren gegangen ist; in so einer Zeit, sage ich, ist es nicht verwunderlich, daß der Abstand zwischen dem, was ein Mensch weiß oder wissen kann, und dem Wissen der Menschheit unendlich groß geworden ist.

Wir stehen nämlich einer Seltsamkeit gegenüber. Wenn ich die sogenannte Öffentlichkeit betrachte, wie sie sich in den Zeitungen, im Rundfunk und Fernsehen abspiegelt, in den erfolgreichen Büchern, Filmen, Theaterstücken, aber auch im täglichen Leben, in den Verkehrsmitteln, in den Schulen etc., komme ich zu dem Schluß, daß wir in einem der ignorantesten Zeitalter leben, in einer verrohten und vulgären Zeit. Vielleicht gibt die alles durchdringende Reklame am treffendsten den Ton an, mit ihrer niedrigen Zutraulichkeit, ihrer schielenden Schlauheit, ihrer liebedienerischen Zudringlichkeit. Sie hat die Menschen gegen den Schmerz der Lüge anästhesiert. Besonders Amerika ist von der kommerziellen Korybantik eines Werbetaumels, der nichts als Schund zu verkaufen hat, völlig betäubt worden. Wenn ich jedoch andererseits die Anzeigen der Verlagshäuser betrachte, die Inhaltsverzeichnisse der Zeitschriften, die Ankündigungen von Vorträgen, die Programme von Konzerten, die Ausstellungen der Museen; oder wenn ich die Rezensionen in einigen Heften des »Times Literary Supplement« durchsehe, bekomme ich den Eindruck einer höchst raffinierten Kultur oder einer aufs subtilste verfeinerten Wissenschaftlichkeit. Allerdings sind die Titel meistens großartiger als der Inhalt, aber auch das gehört zur Wissenschaftlichkeit.

Was die verschiedenen Wissenschaften* und ihre Publika-

* Bei einer früheren Gelegenheit (Anm. (12), S. 51) habe ich einiges über die reinen Wissenschaften gesagt.

tionen angeht, so wird der Laie – und wer ist es nicht, außer höchstens auf einem winzigen Spezialgebiet? – kaum über die Titel hinauskommen. Das mag in früheren Zeiten auch nicht anders gewesen sein: ein Bäckermeister aus Padua wird die Lektüre von Galileis »Il Saggiatore« bald aufgegeben haben, und W. v. Humboldts »Über die Verschiedenheiten des menschlichen Sprachbaues« wird außerhalb des schmalen Philologenkontingents auch nicht viele Leser gefunden haben. Und doch ist da ein Unterschied, der wert ist betont zu werden. Hier ist der Anfang des zweiten Abschnittes der Humboldt-Schrift:

> Ich nehme hier den geistigen Process der Sprache in seiner weitesten Ausdehnung, nicht bloß in der Beziehung derselben auf die Rede und den Vorrath ihrer Wortelemente, als ihr unmittelbares Erzeugnis, sondern auch in der Beziehung auf ihren Einfluß auf das Denk- und Empfindungsvermögen.

Und hier ist der Beginn des zweiten Kapitels eines zeitgenössischen (1971) Lehrbuchs der Linguistik:

> Linguistic analysis proceeds in the manner of other empirical sciences by making abstractions, at different levels, of elements having the status of constants and of categories expressing the relations between the elements, to which the continuous flux of the phenomena comprising its subject-matter can be referred, and by means of which the phenomena may be explained and accounted for.

Ich weiß nicht, ob andere Leser so empfindlich sind wie ich für den Tonfall eines Textes oder für das, was ich vor einigen Jahren die Tonfalle genannt habe, die ein Text eröffnet. Mir jedenfalls würde es scheinen, daß in den 150 Jahren, die zwischen den beiden Zitaten verstrichen sind, etwas sehr Bedeutungsvolles geschehen ist, nämlich die Entstehung des

Fachmanns, des Spezialisten, des Experten.* Gewiß wirkten in einer gewissen Weise auch ein assyrischer Astrologe oder ein römischer Haruspex als Experten. Dennoch denke ich, daß der im vergangenen Jahrhundert entfesselte Vorgang etwas Einmaliges ist: eine vielfache Abkapselung der Forschung von der übrigen Welt; die Bildung zahlreicher, einander unverständlichen Fachsprachen, die unter anderem dazu dienen, jede Kritik der Wissenschaften zu tabuieren, diese vor Berührung durch Laienhände zu beschirmen. Dabei brauche ich nicht hinzuzufügen, daß, hätte ich entsprechende Beispiele aus den experimentellen Naturwissenschaften gewählt, der Unterschied noch viel krasser gewesen wäre, denn hier ist die Begriffs- und Sprachmauer jetzt völlig unübersteigbar. Das ist nicht die Schuld des einzelnen Naturforschers. Ich habe selbst Hunderte von wissenschaftlichen Arbeiten geschrieben und weiß, daß es nicht anders gemacht werden kann: wer seinen engsten Fachkollegen verständlich bleiben will, kann keine normale Sprache schreiben. Da die Sprache ein Produkt ist, das auf den Erzeuger zurückwirkt, kommt er bald in die Gefahr, unfähig zu sein, normale Gedanken zu denken.

VII

Wenn ich irgendwo lese, daß »unser« Wissen enorm ist, so frage ich mich zuerst, ob das nicht in allen Zeiten behauptet worden ist, denn das dumme Sich-auf-den-Bauch-Klopfen ist ja eine ewige menschliche Eigenschaft. Ich glaube jedoch nicht, daß das der Fall war. Die Arkebusen und Rammböcke, und was immer es noch vorher gab, mögen von einer primitiven Technik Gebrauch gemacht haben, aber Wissenschaft war nicht viel dahinter. Als Leonardo da Vinci als

* Hier möchte ich darauf hinweisen, was ich schon früher über den Begriff des Fachmanns gesagt habe. (15)

junger Mann seine Kriegskünste dem Ludovico Sforza anbot, fühlte er sich gewiß nicht als Wissenschafter im heutigen Sinn. Natürlich gab es immer eine Art von Handwerkswissen, allgemein und doch personalisiert, wovon der eine oder andere besonders viel verstand. Aber das Wissen war viel eher ein Können, eine Kunst, was es ja heutzutage meistens nicht mehr ist.

Das Wissen, das schon Bacon in den »Meditationes sacrae« lobte – das berüchtigte *nam et ipsa scientia potestas est* –, ist jedoch dem unsern, wie es in den verschiedenen Wissenschaften zusammengefaßt ist, sehr ähnlich. Denn es war vor etwa vierhundert Jahren, als es begann, als das Wissen auszog, die Natur zu unterjochen. Wenn man jetzt von »unserem« Wissen spricht, meint man den ungeheuren in den Wissenschaften aufgehäuften Wissensstoff. Nur scheint da eine umgekehrte Relation zu herrschen: *je mehr »wir« wissen, um so weniger weiß der einzelne Mensch.*

Diese Art von Wissen, enorm wie es auch ist, ist der Menschheit völlig entfremdet. Es ist vorhanden, aber es ist schwer zu sagen, wo es ist. Die gewöhnliche Antwort wird sein: in Büchern, in Zeitschriften und jetzt auch in Datenbanken oder ähnlichen Magazinen. Der einzelne Forscher muß es demnach verstehen, das von ihm gebrauchte Wissen in seinen verschiedenen Verstecken aufzustöbern; und er muß das sehr rasch tun, denn die Wissenschaft ist ein Moloch, der sich nur vom frischesten Blut ernährt. Vor kurzem las ich in einer Rezension eines neuen Buches über Byzanz den Vorwurf, der Verfasser habe, wie aus der Bibliographie hervorgehe, die Literatur der letzten zehn Jahre außer acht gelassen. Und da dachte ich mir: schließlich gibt es Byzanz nicht mehr seit fast 550 Jahren. Was können die paar Jahre Forschung schon ausmachen? Dann aber tadelte ich mich selbst wegen dieser kindischen Frage. Wußte ich denn nicht, daß die Wissenschaften sich nur durch den Kult des Allerneuesten am Leben erhalten können? Natürlich könnten die Wissenschaften selbst auch ohne die übertriebene Novitätenverehrung überleben, nicht aber ihre Vertreter, die Wissensproduzenten.

Mit dieser Bezeichnung greife ich in ein Wespennest, bin aber durch meine eigene langjährige Praxis als Wissensproduzent gegen Stiche immun. Wann diese neue Gesellschaftsklasse entstanden ist, kann ich nicht mit Bestimmtheit sagen. Mit dem Auftauchen des Begriffs »Fachmann« in den sechziger Jahren des vorigen Jahrhunderts mag ihr Beginn vermutet werden, ihr rapides Wachstum setzte aber erst mit dem zweiten Weltkrieg ein. Jetzt sind sie eine ausgesprochene Klasse, die ihre eigenen Gremien und Interessenvertretungen hat, in manchen Ländern sehr wirksame politische und ökonomische Lobbies unterhält und einen weit über ihren Bestand hinausreichenden Einfluß ausübt. Demgemäß gibt es jetzt auch schon Soziologen, die sich auf diesen Stand spezialisiert haben. Die Wissensproduzenten sind durch ihren Beruf darauf angewiesen, immer etwas Neues zu erzeugen. Es geht mit ihnen wie mit der Textilbranche: handelte es sich nur darum, die Blößen der Menschen zu bedecken, so wäre das ein schlechtes Geschäft; immer neue Kleider für die alten Gliedmaßen ist das Gebot der Mode.

VIII

»Zwar weiß ich viel, doch möcht' ich alles wissen.« Alles? Auf so eine Idee konnte nur Fausts Wagner kommen, und auch er bloß darum, weil dieses Alles in seinem beschränkten Kopf zu seiner natürlichen Kleinheit schrumpfen mußte. Jetzt hätte man ihm selbstverständlich zu Weihnachten ein Abonnement auf den »Scientific American« schenken können, und wenn nicht aus dem Text, so hätte er aus den Annoncen Belehrung geschöpft. Allerdings ist mir der Wissensdurst in Form eines hektischen Neuigkeitendranges immer verdächtig erschienen. Selbst Faust endet klein, als frühkapitalistischer Entrepreneur.

Hätte der Famulus seinerzeit seinen Kopf mit allem Wissen angefüllt, so hätte er es längst wieder loswerden müssen, denn diese Art von Wissen verändert sich mit den Generationen. Alle dreißig Jahre, und jetzt vielleicht alle fünf, wird es ausgetauscht; Fabrikanten wissen, wie unerschwinglich der Lagerraum geworden ist. Das gilt besonders für die Naturwissenschaften und macht ihre Erlernung zu einem ein ganzes Menschenleben ausfüllenden Vorgang; zu einem sehr enervierenden Unternehmen, denn Gedächtniskünstler haben wenig Gelegenheit, feste Gedanken zu denken. Daß man nie auslernt, trifft auf jeden zu, der auszog, um das Lernen zu erlernen. Nie vorher aber war es ein so hoffnungsloses tantalisches Unterfangen. Das Rauschgold der exakten Wissenschaften schmilzt in der Sonne des nächsten Tages. »Wie gewonnen, so zerronnen«, oder besser, »wie gewoben, so zerstoben«, denn unzählige Töchter besitzt Penelope, und was die Mutter gewoben hat, trennen sie immer wieder auf, um die Fäden in neuen und reichern Mustern zu verwenden. Eigentlich sind es immer die alten Fäden.

Daß es so viel mehr Weberinnen gibt als Webstühle, das war im Zeitenplan vielleicht nicht vorgesehen. Warum die Klasse der Wissensproduzenten, der Erzeuger immer neuer Wissensmassen, gerade in unserer Zeit entstanden ist, kann ich nicht sagen. Früher gab es Gelehrte, und es waren wenige. Was aber jetzt deren Platz eingenommen hat, ist etwas ganz anderes: ein Gedränge von Fabrikanten, Vertretern und Verkäufern wissenschaftlicher Kurz- und Schnittwaren hat den wenigen Verbrauchern den Zutritt versperrt, da es ihnen genügt, wenn sie untereinander Handel treiben. Bücher über Joyce werden von Joyce-Experten für Joyce-Experten geschrieben, und Molekularbiologen sehen sogar auf andere Biologen verächtlich hinunter. Es ist schon möglich: Forscher sind der Senf der Erde, aber zuviel Senf verdirbt die schönste Bratwurst.

Was die Naturforschung anbetrifft, so ist der parasitäre Charakter ihrer Entwicklung offenkundig, besonders in den

Vereinigten Staaten. In einem auf nutzbringendes Handeln vereideten Land mußte der von den Naturwissenschaften laut vorgetragene Anspruch, sie seien das Nützlichste auf der Welt, einen tiefen und bleibenden Eindruck machen. Die seit den vierziger Jahren aufgeschossenen öffentlichen Körperschaften streuten ihnen Milliarden von Dollars auf den Weg und versuchten, »des Harms zu vergessen«, was sich aber nicht als leicht erwies. Die durch die von der Forschung vorangetriebene Industrie verursachten Schäden ließen sich ebensowenig vergessen, wie die Machtlosigkeit der Forschung vor deren Behebung oder Milderung. Die allenthalben entstandenen Klötze von Krebsinstituten und die von ihnen verschlungenen Geldmengen mag man als Opfergabe an eine zornige Gottheit betrachten, aber andern Nutzen haben sie kaum gebracht. Es scheint, daß die Geißeln der Menschheit von den zu ihrer Bekämpfung aufgebrachten Geldmitteln kaum sanfter gemacht worden sind. Da diese eine ganze umfangreiche Klasse erhalten, kann eine Reform nur von einem Ikonoklasmus erhofft werden, den heraufzubeschwören ich selbst zögere.

Da es sich herausgestellt hat, daß der Nutzen oft lange auf sich warten läßt, mußte man sich nach einem andern Schlagwort umsehen, und das lautet *Neues Wissen.* (Wobei die Nützlichkeit nur mehr *sub rosa* eingeschlossen ist.) Es ist die Neuheit, die verlocken soll, denn wir wissen ja alle, neue Naturgesetze sind besser als alte. So enthielt denn auch das amerikanische Budget für das Jahr 1981 einen stark vergrößerten Posten zwecks Suche nach neuem Wissen. Die Produzenten wissenschaftlicher Neuheiten freuten sich. Endlich konnte der Kaiser es sich leisten, neue Kleider zu kaufen.

IX

Ist dies das Wissen, welches die Schlange versprochen hat? Vielleicht. Aber die Schlange war ja ein dummer Teufel.

Man braucht nicht das manische Mißtrauen eines Strindberg zu teilen, um zu erkennen, daß das mit Staatsgeld und Forscherschweiß erkaufte Wissen von der Natur nicht das einzige und meistens nicht das wahre ist. Auch Dostojewski gehört in die Reihe der fiebrigen Warner. In den »Teufeln« schreibt er: »Also sind selbst die Gesetze des Planeten eine Lüge und ein teuflisches Vaudeville.« Es ist aber eines, zu dessen Musik unsere Welt sehr lange getanzt hat, und jetzt ist es schon fast ein Veitstanz.

Es sollte nicht um das Wissen, das nützt, gehen, sondern um das Wissen, das hilft. Die Lebensdauer der Mücken, das Seelenleben der Austern – auch diese Art von Wissen, solang sie in einem menschlichen Tempo gefördert wurde und die Menschheit nicht von Wichtigerem abhielt, kann kaum viel Schaden gestiftet haben. Man registriert das Zeug ein für alle Male, und damit Schluß. Aber die Zerfaserung einer Scheinnatur, hat sie einmal angefangen, kann überhaupt kein Ende finden. Sich dem zu widmen, müßte unbezahlten Freiwilligen überlassen sein. Sicherlich hätte Lukian, und wahrscheinlich auch Burckhardt, sich keinen Begriff davon machen können, was jetzt vor sich geht. Die heutigen Naturwissenschaften sind gewiß der teuerste Zuschauersport, den es je gegeben hat, und dabei haben sie fast keine Zuschauer. Die Teilchenphysik, die sogenannte biomedizinische Forschung, die Molekularbiologie – um nur einige Branchen zu nennen – verbrauchen riesenhafte Summen, die jedes Volk besser verwenden könnte.

Der Sinn des Wissens ist das Erkennen, und es gibt viel zu erkennen in der Welt, in die der Mensch geworfen ist. Mit Erkennen meine ich die tiefste Form des Verstehens, deren wir fähig sind; das Wissen, das uns hilft zu wachsen. Der etymologisch so leichte Weg vom Wissen zur Weisheit wird in Wirklichkeit nur selten eingeschlagen, denn es gibt keine Landkarten und kein Vademekum. Auch haben wir aus dem Wissen der Menschheit ein Labyrinth gemacht, aus dem es nur einen Ausweg zu geben scheint; und der führt ganz anderswohin als zur Weisheit. Zu wissen, was den Kreisel dreht oder was die Zentrifuge treibt; zu wissen, daß wir selbst auf geordneten Bahnen getrieben werden in einem Weltall, das zu schänden wir gerade jetzt uns anschicken; zu wissen, wie die Pflanze die Farbe macht und der Mensch sein Blut, so daß wir es jetzt sogar künstlich nachmachen können; zu wissen Wasnichtalles und noch mehr, ist ja recht hübsch, aber weiser ist die Menschheit wahrlich nicht geworden. Natürlich können wir viel mehr Fragen beantworten, als Pythagoras je hätte stellen wollen; aber was die alten Weisen wirklich fragten, ist noch immer unbeantwortet. Dafür können wir eine Menge erklären, und manches davon ist wirklich subtil. »Was ich erklären kann, dessen Herr bin ich«, schrieb Theodor Haecker in den »Tag- und Nachtbüchern«. Vielleicht wollte aber Pythagoras gar nicht Herr dieser Erde sein.

Es liegt im Wesen des Parasiten, daß er mit dem von ihm ausgenützten Wirt auf Gedeih und Verderb verbunden ist. Treibt er es zu übel, dann geht auch er zugrunde, es sei denn, daß er rechtzeitig übersiedelt.* Am besten allerdings ist es, wenn es dem Parasiten gelingt, sich zu einem Organ einer vielfältigen Gemeinschaft umzumodeln. Dafür gibt es Beispiele in der Biologie; aber es ist eine die Weisheit von Jahrmillionen erfordernde Entwicklung. In der menschlichen Gesellschaft geht das schneller: Ich weiß nicht, wie lange es gedauert hat, bis die alten Ägypter ohne ihre Priesterschaft nicht mehr leben konnten. Ich habe den Eindruck, daß wir in den letzten Jahrzehnten einem ähnlichen Vorgang beigewohnt haben: die zu einem Riesenorganismus schwellende Naturforschung ist im Begriffe, ein angeblich lebenswichtiges Organ der Gesellschaft zu werden. Wenn

* Die eigentlich an den Haaren herbeigezogene, plötzliche Verkündigung der »friedlichen Nutzung der Atomenergie« – *Atoms for Peace* – ist vielleicht ein Beispiel für einen solchen Kunstgriff. Was wäre sonst aus den von Arbeitslosigkeit bedrohten Physikern und Ingenieuren geworden?

das gelingt – und vielleicht ist es schon gelungen –, dann helfen nur überaus schmerzhafte Operationen.

Wer die Art von Wissens- und Wissenschaftskritik unternimmt, die ich hier versucht habe, gerät leider in eine sehr schlechte Gesellschaft. Es ist mir nicht klar, warum das so ist; aber in der jüngsten Geschichte wurde die Verteidigung der Menschlichkeit größtenteils von Unmenschen unternommen. Wenn meine milde Threnodie mich in eine solche unerwünschte Nachbarschaft gebracht hat, so kann ich nichts anderes tun, als mich entschuldigen.

Daß die Büchse der Pandora sich gerade in unserer Zeit entleert hat, uns mit einer Überfülle unerwünschten Wissens überschüttend, ist für mich offenkundig. Vielleicht sollte das Adjektiv »unerwünscht« durch »verboten« oder »verhängnisvoll« ersetzt werden. Wäre das Atom nicht gespalten worden, wie viel glücklicher wäre unsere Welt! Gewiß, noch immer wäre sie das alte Jammertal geblieben; jetzt aber ist ein jeder sein eigener Damokles. Die Industrialisierung der Wissensförderung – ich rede von den Naturwissenschaften – hat den Menschen viel mehr Elend als Segen gebracht. Dabei zählen die paar neuen Medikamente ebensowenig wie die sinnlose Befähigung des einzelnen, seine Dummheit unendlich viel schneller rund um den Erdball zu tragen, als Weisere es früher tun konnten. Sie hätten es auch gar nicht wollen.

Der Schund besitzt eine viel stärkere Überzeugungskraft als das Gute, so daß die Menschen überzeugt sind, daß sie ohne dieses viel eher auskommen können als ohne jenen. Das jetzt auf dem laufenden Band erzeugte Wissen ist meistens Schundwissen; es hat das Wissenswerte ausgetrieben und die Menschen vergessen lassen, was Wissen bedeutet. Es wird die Schande unserer Zeit sein, daß die uralte delphische Aufforderung, sich selbst zu erkennen, jetzt mit der Erkenntnis beantwortet wird, der Mensch sei nichts als seine Desoxyribonukleinsäure. Denn bald wird er es wirklich sein.

Anmerkungen

(1) Lukian, Werke in drei Bänden (Aufbau-Verlag, Berlin und Weimar, 1974), 1. Bd., S. 211.

(2) J. Burckhardt, Griechische Kulturgeschichte (Deutscher Taschenbuch Verlag, 1977), 3. Bd., S. 391.

(3) M. Weber, Wissenschaft als Beruf, 6. Auflage (Duncker & Humblot, Berlin, 1975).

(4) E. Husserl, Die Krisis der europäischen Wissenschaften und die transzendentale Phänomenologie (Felix Meiner Verlag, Hamburg, 1977).

(5) L. Wittgenstein, Über Gewißheit (Suhrkamp Verlag, Frankfurt am Main, 1970).

(6) G. Büchmann, Geflügelte Worte (Deutscher Taschenbuch Verlag, 1967), S. 459.

(7) I. Kant, Verkündigung des nahen Abschlusses eines Tractats zum ewigen Frieden in der Philosophie, in Kants Werke, Akademie-Textausgabe (de Gruyter, Berlin, 1968), 8. Bd., S. 421.

(8) I. Kant, Kritik der praktischen Vernunft, *ibid.*, 5. Bd., S. 163.

(9) G. W. F. Hegel, Phänomenologie des Geistes, Werke in zwanzig Bänden (Suhrkamp Verlag, Frankfurt am Main, 1970), 3. Bd., S. 27.

(10) J. H. Newman, The Idea of a University (Longmans, Green and Co., New York, London, Toronto, 1947).

(11) J. W. Dunne, An Experiment with Time (Faber and Faber, London, 1948).

(12) E. Chargaff, Unbegreifliches Geheimnis (Klett-Cotta, Stuttgart, 1980), S. 40ff.

(13) E. Chargaff, Voices in the Labyrinth – Second Dialogue: Ouroboros, Perspectives in Biology and Medicine (1975), *18*, 269.

(14) Vgl. Anmerkung (5)

(15) E. Chargaff, Ein kurzer Besuch bei Bouvard und Pécuchet oder Der Laie als Fachmann, Scheidewege (1978), 8, 460. – Jetzt auch in dem in Anm. 12 angeführten Buch, S. 97.

[2]

KANT: SCHLECHTE AUSSICHTEN FÜR EINEN NEWTON DES GRASHALMS

I

Manchem, der über unsere Zeit nachdenkt und den Einfluß erwägt, den die Naturforschung und die von ihr angetriebene Technik auf das Leben und die Vorstellungen der Menschen ausüben, mag das Gefühl gekommen sein, daß die Physik zu dick, die Chemie zu scharf und die Biologie zu dreist geworden seien. So wird er zum Beispiel den Eindruck haben, daß zuviel Biologie die Ehrfurcht vor dem Leben vertrieben hat, obwohl die Mörder, denen man in New York alltäglich begegnet, sich um solche Motive wenig scheren. Daß frühere Epochen dem Lebendigen größeren Respekt entgegenbrachten – vielleicht gerade weil sie ihren Ärzten weniger zu verdienen gaben –, erscheint zweifellos. Wenn der Mensch bloß ein Reagenzglas ist für die Säfte und Kräfte, die ihn naturgesetzlich vorantreiben, so ist der Tod nur ein vorzeitig abgebrochenes chemisches Experiment. Das nächste Mal wird es besser gehen, denn verbesserungsfähige Wiederholbarkeit liegt im Wesen eines wissenschaftlichen Versuchs. Der Statistik ist alles egal; stirbt ein Mensch, so wird er einfach in die andere Kolonne übertragen.

Natürlich war es nicht immer so, obwohl die ersten Versuche, den Grund der Erscheinungsformen des Lebendigen auf die von den exakten Wissenschaften beschriebenen Kräfte und Fähigkeiten zu reduzieren, nicht viel jünger sind als jene selbst. Immer war der Drang groß gewesen, alles auf den kleinsten gemeinsamen Nenner zu bringen, sogar wenn dieser sich als Null erwies. Früher gab es jedoch unter anderem auch Philosophen, und die hatten sich noch nicht an den Quarks, den schwarzen Löchern, der Doppelhelix oder dem

Neodarwinismus zu Tode geschlürft. So schreibt Kant in § 75 der »Kritik der Urtheilskraft« (1):

> Es ist nämlich ganz gewiss, dass wir die organisierten Wesen und deren innere Möglichkeit nach bloß mechanischen Principien der Natur nicht einmal zureichend kennen lernen, viel weniger uns erklären können; und zwar so gewiss, dass man dreist sagen kann: es ist für Menschen ungereimt, auch nur einen solchen Anschlag zu fassen, oder zu hoffen, daß noch etwa dereinst ein Newton aufstehen könne, der auch nur die Erzeugung eines Grashalms nach Naturgesetzen, die keine Absicht geordnet hat, begreiflich machen werde; sondern man muss diese Einsicht den Menschen schlechterdings absprechen.

Diese Überlegungen Kants nimmt Schopenhauer wieder auf, wenn er im ersten Band von »Die Welt als Wille und Vorstellung« schreibt (2):

> Mit Recht sagt daher Kant, es sei ungereimt, auf einen Neuton des Grashalms zu hoffen, d. h. auf Denjenigen, der den Grashalm zurückführte auf Erscheinungen physischer und chemischer Kräfte, deren zufälliges Konkrement, also ein bloßes Naturspiel, er mithin wäre, in welchem keine eigenthümliche Idee erschiene, d. h. der Wille sich nicht auf einer höhern und besondern Stufe unmittelbar offenbarte; sondern eben nur so, wie in den Erscheinungen der unorganischen Natur, und zufällig in dieser Form.

Unterdessen sind wir allerdings mit derartigen Newtons oder Neutons geradezu überschüttet worden. Wenn irgend etwas, so sollte allerdings das letzte Wort meines Schopenhauer-Zitats die Unverlegenen in Verlegenheit bringen. »Form« ist, was sie nicht erklären können, geschweige denn verstehen. Im Reiche des Lebens gibt es keine zufälligen Formen.

Die Form des Matterhorns mag zufällig sein; aber das Herz, die Niere, das Kaninchen?*

An einer andern Stelle seines Hauptwerks übernimmt und verstärkt Schopenhauer Kants vorher zitierte Behauptung (3):

> Denn in jedem Ding in der Natur ist etwas, davon kein Grund je angegeben werden kann, keine Erklärung möglich, keine Ursache weiter zu suchen ist: es ist die specifische Art seines Wirkens, d. h. eben die Art seines Daseyns, sein Wesen.

Jemand, der geneigt ist, diese Sätze ernst zu nehmen, wird sofort dem teils höhnischen, teils mitleidigen Einwand begegnen, dies möge in Kants oder Schopenhauers Zeiten richtig gewesen sein, gelte aber ganz und gar nicht für die Gegenwart – um Schopenhauer zu ärgern, würde man vielleicht von der Jetztzeit sprechen –, denn die Naturwissenschaften hätten ungezählte riesenhafte Revolutionen hinter sich und die Schranken, die für die alten Philosophen noch bestanden haben mögen, seien von einander jagenden Durchbrüchen derart durchlöchert worden, daß man die Konturen des auf der andern Seite Befindlichen bereits auszunehmen begönne. Die ersten drei Minuten der Schöpfung seien gut beschreibbar, vielleicht bis auf die ersten paar Mikrosekunden; aber was könne da schon viel geschehen sein? Wer dem Schöpfer in den Topf guckt, kommt mit einem schönen Preis zurück; und was viele Esel sich immer zu wissen gewünscht haben, das wissen sie jetzt.

* Ich kann nur hoffen, daß »morphological engineering« noch einige Zeit auf sich warten läßt, denn sonst würde die Konfektions- oder die Bestattungsindustrie unverzüglich auf die Produktion geometrisch einfacherer Lebewesen dringen.

II

Nun habe ich immer behauptet, daß die Naturwissenschaften der wahren Philosophie weder nützen noch schaden können, weil ihre Tätigkeiten sich auf ganz verschiedenen Ebenen abspielen, und ich bin deswegen oft zur Ordnung gerufen worden von jener Art von Philosophen, die sich vorsorglich bereits mit Mickey-Mouse-Modellen von elektrischen Taschenrechnern ausgestattet haben. Ein Philosoph ist nicht unbedingt ein Philomath; und insbesondere jene Sorte von Wissen, die sich so häufig und so explosiv verändern kann wie das naturforschende Wissen unserer Tage, muß der Weisheit abträglich sein, es sei denn, daß der Weise sich mit einem Panzer souverän undurchdringlicher Indifferenz versehen hat. Beim Worte »weise« lachen jedoch die Hühner, die sich gerade anschicken, würfelförmige Eier zu legen.

Wahrscheinlich wären weder Kant noch Schopenhauer damit einverstanden gewesen, was ich hier geschrieben habe, denn sie waren völlig auf der Höhe ihrer Zeiten, aber es waren andere Zeiten.* Auch besaßen sie im höchsten Grade die von mir angerufene Hülse der Undurchdringlichkeit. Außerdem kann man bei der Durchsicht von Kants Schriften bemerken, daß für ihn die Naturforschung sich wesentlich auf Mathematik, Astronomie und Mechanik beschränkte. Schopenhauer allerdings, zwei Generationen später, sah sich einer viel weiter entwickelten Naturforschung gegenüber, obwohl sogar damals die Zersplitterung des Naturbildes, die Entstehung unzähliger einander unzugänglichen Spezialgebiete, noch nicht eingetreten war. Er starb ein Jahr nach dem Erscheinen von Darwins »Origin of Species«, und der zweite Lehrsatz der Thermodynamik war gerade im Entstehen.

---

* In seiner schönen Würdigung von Kants Denk- und Lehrstil, die er in die Sechste Sammlung der »Humanitätsbriefe« aufnahm, betont Herder besonders die Universalität von Kants Wissen und Interessen (4).

Die Empfänglichkeit Schopenhauers für die Errungenschaften der Naturforschung geht aus vielen Stellen seiner Schriften hervor, zugleich aber auch seine echt philosophische Abneigung dagegen, sich von den Entdeckungen des Tages aus dem Konzept bringen zu lassen. Häufig kommt er auf seinen Versuch zurück, die verschiedenen Naturwissenschaften zu klassifizieren; eine Einteilung, die mit einigen Korrekturen und einem wichtigen Zusatz noch jetzt zu Recht besteht. So schreibt er z. B. im ersten Band von »Welt als Wille und Vorstellung« (5):

> Blicken wir endlich auf das weite, in viele Felder geteilte Gebiet der Naturwissenschaft, so können wir zuvörderst zwei Hauptabtheilungen derselben unterscheiden. Sie ist entweder Beschreibung von Gestalten, welche ich *Morphologie*, oder Erklärung der Veränderungen, welche ich *Aetiologie* nenne.

Als Beispiele für die ersten führt er die Botanik und die Zoologie an, für die zweiten die Physik, Chemie und Physiologie. Dann erörtert er die Begriffe Naturkraft und Naturgesetz und fährt fort:

> Demzufolge wäre auch die vollkommenste ätiologische Erklärung der gesammten Natur eigentlich nie mehr, als ein Verzeichniss der unerklärlichen Kräfte, und eine sichere Angabe der Regel, nach welcher die Erscheinungen derselben in Zeit und Raum eintreten, sich succediren, einander Platz machen: aber das innere Wesen der also erscheinenden Kräfte müßte sie, weil das Gesetz dem sie folgt nicht dahin führt, stets unerklärt lassen, und bei der Erscheinung und deren Ordnung stehn bleiben. Sie wäre insofern dem Durchschnitt eines Marmors zu vergleichen, welcher vielerlei Adern neben einander zeigt, nicht aber den Lauf jener Adern im Innern des Marmors bis zu jener Fläche erkennen läßt. Oder wenn ich mir ein

scherzhaftes Gleichnis, weil es frappanter ist, erlauben darf, – bei der vollendeten Aetiologie der ganzen Natur müßte dem philosophischen Forscher doch immer so zu Muthe seyn, wie Jemanden, der, er wüßte gar nicht wie, in eine ihm gänzlich unbekannte Gesellschaft gerathen wäre, von deren Mitgliedern, der Reihe nach, ihm immer eines das andere als seinen Freund und Vetter präsentirte und so hinlänglich bekannt machte: er selbst aber hätte unterdessen, indem er jedesmal sich über den Präsentirten zu freuen versicherte, stets die Frage auf den Lippen: »Aber wie Teufel komme ich denn zu der ganzen Gesellschaft?«

Wenn der Jemand in diesem Gleichnis noch dazu ein Philosoph ist, darf er nicht erstaunt sein, wenn er die berühmte Frage aus Molières »Fourberies de Scapin« gefragt wird: »Que diable allait-il faire dans cette galère?« Denn ich denke, mehr als für irgendwen andern gilt es für den Philosophen: »Qui mange des sciences naturelles en meurt.«

III

Wenn ich Schopenhauer recht verstehe, entsprechen seine morphologischen und ätiologischen Wissenschaften dem, was ich schon früher, wahrscheinlich ganz unoriginell, als die reinen Beschreibungs- und die Erklärungswissenschaften unterschieden habe. Jene sind heutzutage stark im Rückgang, denn fast alle Wissenschaften sind geschwätzig geworden und darauf aus, alles zu erklären. Die Frage »Was ist?« ist unmodern geworden und durch die Frage »Wie ist es?« oder »Warum ist es?« ersetzt worden. Dabei besitzen wissenschaftliche Erklärungen eine recht geringe Überlebensfähigkeit und tragen sich, in manchen Gebieten, schneller ab als Schuhe.*

* Ein besonders trauriges Beispiel bietet die Krebsforschung. Angesichts der vielen haltlosen oder zusammengeschwindelten Durchbrüche wäre es an der Zeit, ein Moratorium der Scham zu deklarieren, einen Fünfjahresplan völligen Schweigens.

Eine dritte Kategorie der Naturwissenschaften, welche die anderen zu verschlingen droht, konnte Schopenhauer nicht kennen, nämlich die Veränderungswissenschaften. Während selbst die Erklärungswissenschaften im Grunde deskriptiv sind, wenn auch dynamisch deskriptiv, unternehmen es jene neuen Zweige, die Natur zu verbessern, oder was sie so nennen. Wenn sie sich auch manchmal als Technik, also als angewandte Wissenschaft, deklarieren, darf man sich nicht täuschen lassen: Gentechnologie, »genetic engineering« sind Fächer der reinen Forschung, die das zuwegebringen wollen, was die Natur unterlassen hat. Wenn wir uns den von Kant heraufbeschworenen Newton des Grashalms vorstellen können, also einen molekular-biologischen Newton, so wird er ganz andere Absichten verfolgen, als Kant sich hätte träumen lassen können. Zuvörderst wird er selbstverständlich die Zusammensetzung und die Eigenschaften aller den Grashalm bildenden Substanzen auf die in der Desoxyribonukleinsäure des Samens verschlüsselte biologische Information zurückführen. Dann wird er darangehen, durch die Manipulation dieser DNS ein besseres Gras, was immer das heißen mag, zu erzeugen. Ist ihm das zur Zufriedenheit seiner Geldgeber und der Herausgeber wissenschaftlicher Zeitschriften gelungen, wird er sich jedoch hierauf unverzüglich der Verbesserung des Menschen zuwenden. Am Ende wird es sich vielleicht herausstellen, daß er kein Newton war – dieser arbeitete ja nicht an der Verbesserung des Weltalls –, sondern ein dummer Kerl.

In einem frühern Buch habe ich eine Veränderungswissenschaft, die Gentechnologie, besprochen (6), und auch in diesem handelt das Kapitel Hamann über diesen Fragenkomplex. Hier will ich mich darauf beschränken zu betonen, daß der Auftrag an die Naturwissenschaft, die Natur zu verändern, eine neue Tendenz, ein prometheisches Ansinnen der Gegenwart darstellt. Vom ersten Staudamm bis zur Züchtung eines Menschen mit wünschenswerten Eigenschaften scheint es ein Riesenschritt; aber seit dem zweiten Weltkrieg haben die Naturwissenschaften Siebenhunderttausendmeilenstiefel angezogen, und man kann nicht ermessen, was noch alles kommen wird. Unter dem Vorwand, sie seien Fortsetzer der Vergangenheit, schicken sich manche an, die Henker der Zukunft zu werden. Daß ich den verhängnisvollen Richtungswechsel in den Zielen der Forschung auf das Erscheinen Amerikas auf der Szene zurückführe, ist wahrscheinlich einer persönlichen Besessenheit zuzuschreiben, sozusagen meinem *King Charles' head.* (Ich hoffe, daß manche sich noch an Mr. Dick aus »David Copperfield« erinnern.)

Natürlich weiß ich, daß Schuld und Verdienst, Glück und Unglück in der Weltgeschichte nur vom Zeitpunkt der Beobachtung abhängen, und daß, wenn es nicht so gekommen wäre, es auf andere Weise auch so gekommen wäre. Auch in der Chemie beschleunigt der Katalysator bloß, was auch ohne ihn geschehen kann oder wird; aber in seiner Anwesenheit muß es geschehen. So kann ich mich des Eindrucks nicht erwehren, daß ohne die enorme Aufpulverung der Forschung in den Vereinigten Staaten in den vierziger bis sechziger Jahren der Fortschritt, wenn es einer ist, viel langsamer gewesen wäre. Ich bin wahrscheinlich einer der wenigen, die bedächtige Langsamkeit vorziehen: ich glaube nämlich, daß das Paradies, in das man nicht schnell genug gelangen kann, sich meistens als Hölle erweist.

IV

Jeden Tag in der Frühe höre ich mir die Rundfunkneuigkeiten an, um meine tägliche Ration von Mord und Pestilenz und Lüge schon am Morgen zu fassen. Da es in New York schwer ist, die Katastrophenklößchen ohne Reklamesauce serviert zu bekommen, muß ich das tägliche Werbegeschwätz mit anhören. Dieses dient schon seit längerer Zeit dem Verkauf einer populären Zeitschrift, die naturwissenschaftliche Neuigkeiten in bunt vulgärer Form verschleißt.

Auf diese Weise wird mir täglich ein angeblicher Leser dieser Zeitschrift vorgestellt, meistens ein Mann oder eine Frau der Wissenschaft, deren banale Leistungen, brechmittelartig beschrieben, mich zum Abonnement ermuntern sollen, und immer heißt es am Ende, er oder sie gehören zu jenen »who make the future happen«.

Nun gehört die Zukunft zu den wenigen Dingen, die auch ohne das Zutun der Naturwissenschaften eintreffen, und vielleicht wäre sie dann sogar eine schönere, eine reinere, eine freudigere Zukunft. Ich weiß es nicht. Jedenfalls haben die Doktoren, die ihre Namen der Werbeagentur vermietet haben, wenig zur Versüßung meiner eigenen Zukunft beigetragen. Aber hinter dem abscheulichen Reklamegebell verbirgt sich ein Anspruch, den ernstzunehmen ich durchaus willens bin. Die Zukunft beiseite lassend, muß ich zugeben, daß unsere Gegenwart von der Naturforschung und ihren Folgen mehr geprägt ist als irgendeine vorhergehende Epoche. Da jedoch die Weltgeschichte ein unwiederholbares Experiment ist – ein Experiment, dessen Resultate nicht, gemäß der frohen Botschaft des Dr. Popper, als falsch bewiesen werden können –, kann ich mir nicht ausmalen, wie unsere Welt ausgesehen hätte, wenn die Erfindung der Dampfmaschine, des Elektromotors usw. sich um hundert Jahre verspätet hätte.

Hängt alles zusammen in unsrer Welt? Konnte das Penicillin erst entdeckt werden, weil es schon Benzinmotoren gab; konnte Picasso nur malen, weil es schon Flugzeuge gab? Die Unwiderstehlichkeit des Existenten macht derartige Fragen sinnlos, denn die furchtbare Last der Vergangenheit kann kaum durch winzige Korrekturen vermindert werden. Wo sonst kann die Menschheit denn einkehren als in ihrer Zukunft? Nur eines kann der einzelne tun: er kann ausrufen »Bleibt einen Augenblick stehn und überlegt es euch!«. Das markiert ihn natürlich als Narren, denn wer kann ihm schon folgen? Er muß wissen, daß des einzelnen Stimme nur zum einzelnen dringen kann, und davon gibt es nie genug.

Dennoch habe ich vor einigen Jahren gerade das getan, nämlich eine solche Warnung auszusprechen. Man weiß ja nie. Wenn etwas aus dem Himmel auf mich fällt, ist es meistens Taubendreck. Aber einmal könnte es etwas Bessres sein; und so mögen auch meine Worte einmal diejenigen erreichen, für die sie geschrieben waren, ohne daß ich mich dessen versah. Bevor ich meine Überlegungen über den Segen des Stehnbleibenkönnens niederschreibe, möchte ich jedoch den Hintergrund zurückrufen, auf dem sie sich abgespielt haben.

V

Es gibt sicherlich gläubige Christen, und auch Juden und Moslems, denen jede Art von Naturforschung als widerlich, ja sogar als sakrilegisch erscheint. Wie viele es sind, weiß ich nicht; noch auch denke ich, daß sich ihre Abneigung auf alle Arten der Forschung erstreckt, denn das Nachdenken über die Offenbarung und das Gesetz, ja sogar alle Formen der Meditation, können auch als Forschen gelten, wenn damit nicht nur die Enthüllung neuer, sondern auch die Wiederentdeckung alter Wahrheiten gemeint ist. In diesem Sinne waren die Kirchenväter sicherlich nicht weniger Forscher als die Talmudexegeten oder die Philosophen. Diese Art von Forschern, im Gegensatz zu den Erforschern des Lebendigen, brauchten sich auch nicht getroffen zu fühlen von der Aufforderung der Bibel, sich die Erde untertan zu machen und zu herrschen »uber Fisch im Meer und uber Vogel unter dem Himel und uber alles Thier das auff Erden kreucht«.

Ob diese Ermächtigung sich auf die sichtbare Welt beschränkt und Infusorien, Bakterien, nicht zu reden von ionisierender Strahlung, ausnimmt, kann nicht gesagt werden. Die Möglichkeit, daß Adam bald eine Firma zwecks Züchtung verbesserter Menschen gründen werde, scheint Gott nicht in Betracht gezogen zu haben. Alles in allem war es ein sehr lose aufgesetzter Kontrakt. Von dem einen Vertragspartner weiß ich nichts zu berichten, der andre hat sich zweifellos schön entwickelt.

Im Zuge dieser Entwicklung sind zuerst die Technik, dann die Naturwissenschaften entstanden. Beide haben, wie wir alle wissen, in der Gegenwart ihren Höhepunkt erreicht. Besser geht es nicht. Trotzdem, oder gerade deswegen, ist die Kritik an der Technik jetzt besonders laut geworden, und auch die Naturforschung, wie sie heutzutage geübt wird, ist vor scheelen Blicken nicht bewahrt geblieben. Da weise Männer sich jedoch in die Falten ihrer Zeit zu schmiegen verstehen, trägt jede Kritik an der modernen Naturforschung und ihren Folgen ein Element der Verschämtheit: man möchte nicht als kleinlicher Nörgler dastehen. Auch ist doch die Vernunft der wahre Schutz und Schirm der Menschheit, und gibt es eine strahlendere Anwendung derselben als die Forschung?

In früheren Zeiten war man weniger rücksichtsvoll. So konnte Friedrich Hebbel, der in seiner Jugend auch die größten Reisen zu Fuß unternommen hatte, später, als er 1844 in Paris lebte, am 17. Mai in sein Tagebuch schreiben (7):

> Ich muß mich zerstreuen, machte deshalb eine Visite und ging dann in die Industrieausstellung. Da empfand ich denn so recht die Grenzen meines Ichs. Alle diese Dinge sind mir nicht allein gleichgültig, sie sind mir widerwärtig. Je mehr sie sich der Kunst nähern, um so mehr ekeln sie mich an. Es ist ganz dasselbe Gefühl im Künstler, das man als Mensch hat, wenn man den Affen sieht.

Daß das ein unschönes Gefühl ist, wie es ein schlechter Mensch vor einem armen Verwandten empfindet, konnte Hebbel, fünfzehn Jahre vor Darwin, nicht wissen. Auch die Vorstellung, man müsse ein Künstler sein, um die industrielle Revolution mit Mißbehagen zu betrachten, ist eher eine Biedermeiervorstellung, ein geistiges Samtbarett. Dabei war Hebbel keineswegs ein Nazarener.

VI

Der Newton des Grashalms? Kant hatte sich ein bescheidenes Lebewesen ausgesucht, denn das war lange vor der Entdeckung der Mikroorganismen. Er hätte aber ebensogut vom Newton des Immanuel Kant sprechen können. Es gibt nur *ein* Leben, es sei denn, man wolle zwischen Steuerzahlern und andern Lebewesen unterscheiden. Alle sind sie geeint durch die Tatsache des Todes.* Ein frommer Mann hätte vielleicht gesagt, daß im Herzen Gottes ein Grashalm ebenso bewahrt sei wie ein Mensch, denn er liebe die Kinder des dritten Tages nicht weniger als die des sechsten.

Das entscheidende Wort, mit dem Kant in seinem anfangs zitierten langen Satz das berühmte »Ignorabimus« des Du Bois-Reymond vorwegzunehmen scheint, ist die Bezeichnung des Halms als eines organisierten Wesens. Organisation ist in der Biologie ein viel gebrauchtes und viel mißbrauchtes Wort. Es kennzeichnet in dieser Wissenschaft eine der Grenzen, an die jede Naturforschung schließlich und endlich zu stoßen droht.** Die eine Grenze würde ich im allgemeinen als Unbegreiflichkeit bezeichnen, die andere als Banalität. Diese zweite ist eigentlich eine ästhetische Grenze oder eine Rentabilitätsschranke: auf dieser Seite kann man stets noch weiter arbeiten, es kommt aber immer weniger heraus. Die Grenze der Unbegreiflichkeit nehme ich jedoch ernst. Sie mag durch unsere eigene Organisation gesetzt sein: ohne seinen Kopf kann selbst ein Molekularbiologe nicht denken, und im besten Falle ist es ein menschlicher Kopf.

---

* Im ersten Kapitel meines bereits angeführten Buches (6) habe ich davon gesprochen.

** Ich habe die Grenzen der Wissenschaften schon früher besprochen (6).

Vielleicht werden dereinst Computer, über das menschliche Auffassungsvermögen hinauswachsend, das Wesen des Lebendigen begreifen, d. i., wenn sie nicht, wie es meistens der Fall zu sein scheint, »außer Betrieb« sind; aber wir werden ihre Sprache nicht verstehen.

Die »dreiste« Voraussage Kants bedeutet nicht, daß er ein Vitalist war. Er hatte von dem von ihm hochgeschätzten Hume eine tüchtige Dosis von Skepsis geerbt und legte sich eigentlich nicht fest auf die Art von ordnendem Geist, den er aus dem Weltenplan herauslas. Allerdings ließ er unter all den Gottesbeweisen, dem kosmologischen, dem ontologischen, dem teleologischen, am ehesten noch den letzten gelten, allerdings mit der Einschränkung, daß eine zweckvolle Bauart bloß auf einen Baumeister, nicht auf einen Schöpfer hinweise.

Ähnlich steht es mit dem in alten Zeiten so viel strapazierten Gleichnis von der Uhr, die einen Uhrmacher erfordere. Voltaire hat ihm einen besonders platten Ausdruck verliehen:

> L'univers m'embarrasse, et je ne puis songer,
> Que cette horloge existe et n'ait pas d'horloger.*

Selbst ein vom Weltall in Verlegenheit Versetzter mußte wissen, daß auch der Uhrmacher nicht die Substanzen, aus denen die Rädchen, die Federn usw. bestehen, erschaffen haben kann; abgesehen davon, daß viele Uhren falsch gehen und also ihren Zweck verfehlen. Sogar vor der Erfindung der Quarzuhren war das kein geeignetes Gleichnis.

Was erwarten die Forscher vom Lebendigen? Daß sie es verstehen? Daß sie es erzeugen? Oder erscheint ihnen der Übergang vom Sublimen zum Erlogenen nur als ein kurzer

* Eine komische Vorstellung: Voltaire empfindet ein gewisses Mißbehagen vor dem Universum, weil er es verdächtigt, vielleicht doch eine Schöpfung zu sein. Und dabei war er so ein gescheiter Mann! Der berüchtigte Ausruf der Margaret Fuller »I accept the universe!« war nicht viel dümmer.

Schritt? Was die Entstehung des Lebens auf Erden angeht, deren Entschleierung sofort von einem geeigneten Wiederholungsexperiment gefolgt sein müßte, haben letzthin die führenden Köpfe – oft sind es nur anführende Köpfe – anscheinend die Hoffnung verloren, der von ihnen zubereitete Urschleim werde ihnen bald »Papa!« zurufen, und haben sich einer eher trottelhaften Form der Panspermie zugewendet, einer neu aufgewärmten ehrwürdigen Hypothese, die schon manche Bärte des neunzehnten Jahrhunderts ins Wallen gebracht hat. Irgendwelche Keime seien irgendwo im Weltall entstanden oder seien sogar gleichaltrig mit diesem – es müssen weiß Gott recht hitzefeste Keime gewesen sein! –, und dann seien sie auf irgendeine Weise (Lichtdruck? Raumschiff?) zur Erde gelangt. Das weitere findet sich von selbst. Da der Kosmos bekanntlich in Brooklyn aufhört, wird auf diese Weise die unangenehme Pflicht, sinnlose Hypothesen über die Entstehung des Lebens aufzustellen, auf die Molekularbiologen des Aldebaran abgewälzt. Die Vorstellung, wie Charles Darwin am Pier steht, um das Päckchen Bakterien aus dem Weltraum entgegenzunehmen und deren weitere Evolution zu überwachen, entbehrt nicht einer gewissen grotesken Komik.

Was tut man nicht alles, um dem Buch Genesis zu entgehen! Was dieser Blödsinn mit dem Geheimnis des Lebens zu tun haben soll, ist mir nicht klar, außer daß er die Biopraktiker ernährt. Phantasmagorie und Mechanistik sind ein wenig kompatibles Paar; es wäre besser, ein jedes ginge seinen eigenen Weg.

Natürlich haben weder Kant noch Schopenhauer sich zu der Frage verstiegen, wie ein Grashalm entstanden sei. Sie gingen viel weniger weit: sie leugneten die Möglichkeit, ihn durch bloße Reduktion auf physische und chemische Kräfte auch nur kennen zu lernen. Wenn man will, kann man ihre Zurückhaltung mit der Ehrfurcht vor dem Leben erklären oder mit einer echt philosophischen Mäßigung, nämlich, nicht mehr zu sagen, als man sagen darf. Seit man angefangen hat, die Wissenden für ihr Wissen zu entlohnen, haben die Naturwissenschaften leider die Fähigkeit verloren, zu sagen »Wir wissen nicht«.

VII

Als ich mich vor vielen, vielen Jahren dem Studium der Biochemie zuwandte, tat ich das, wie man das meiste im Leben tut, ohne viel Überlegung. Ich habe das schon früher beschrieben (8). Rückblickend würde ich sagen, daß, was mich an der Chemie des Lebendigen anzog, die damals in diesem Gebiet herrschende Dunkelheit war. Ich muß schon von Jugend an eine Neigung besessen haben – war sie ein Leiden, war sie ein Segen? –, die mich dorthin drängte, wo noch viel zu erhellen war. Zu Unrecht erschien mir damals die Biologie als die unversehrbarste aller Wissenschaften. Natürlich gab es auch andere Gründe für meine Berufswahl, aber der Wunsch, mich im Schattenkreis des unbegreiflichen Geheimnisses aufhalten zu dürfen, war sicherlich der wichtigste. Ich war gewiß, daß dort viel Stoff zum Betrachten und Nachdenken zu finden sein werde. Ich hatte nie die Begierde, mehr zu tun als den Schleier zu sehen, nicht ihn zu lüften.

Unterdessen – ich brauche es nicht zu wiederholen – hat sich die Szene überaus verändert. Manches, was damals dunkel war, ist hinreichend beleuchtet worden, so daß sogar die Lehrbücher es kaum mehr erwähnen. Anderes badet geradezu in einem bengalischen Licht, und doch kann ich das Gefühl nicht abschütteln, daß es ein falsches, ein verfälschendes Licht ist, welches das »bio« in Biochemie noch mehr als zuvor ins Dunkel getrieben hat. Wenn man früher wußte, daß man wenig wußte, übertreibt man jetzt den Stand des Wissens, indem man die Sphäre der Erkenntnis bis zum Platzen aufbläst. Die sogenannten Triumphe der Biochemie haben viele Folgen gehabt, von denen ich nur drei erwähnen will.

1) Als selbständige Wissenschaft ist die Biochemie vom Schauplatz vertrieben worden und im Begriffe zu verschwinden, da sie gerade wegen ihrer Nützlichkeit von fast allen biologischen Disziplinen als Teil ihrer selbst rekrutiert worden ist.

2) Der enorme Anstieg in der Zahl der Forscher hat eine hektische Produktion neuer Fakten zur Folge gehabt, meistens höchst trivialer Fakten, die das Gehirn des einzelnen nicht mehr überdenken und daher nur in oberflächlicher Form verwenden kann.

3) Die Verquickung von reiner Forschung und kommerzieller Anwendung ihrer Ergebnisse ist gerade daran, einen Stand zu erreichen, da der Dienst an der Wahrheit und der Dienst am Kunden miteinander kollidieren müssen. Die völlige Kommerzialisierung der Forschung wird ungeahnte Folgen haben; weit über jene Entwicklungen hinaus, die den Ruin der Medizin bereits bewirkt haben.

Natürlich habe ich darüber nachgedacht, wie die Mißstände, wenn nicht behoben, so doch gemildert werden können. Leider war das Ergebnis dieser Denktätigkeit gering. Jede Veränderung des gegenwärtigen und noch dazu nie klar ausgesprochenen Auftrags an die Wissenschaften erfordert eine riesenhafte Umwälzung der gesellschaftlichen Bedingungen; eine Umwälzung, deren Inhalt und Richtung ich nicht einmal klar beschreiben kann. Dazu müßte es ein Aufwachen, ein Aufwecken sein, das sich weit über die politischen und ökonomischen Zustände auch auf die Gemüts- und Bewußtseinshaltung der Menschheit erstreckte; mit anderen Worten, eine Umwälzung, die einer religiösen Erhebung vergleichbar wäre. Angesichts meiner höchst uncharismatischen Beschaffenheit kann ich nicht mehr darüber sagen.

So habe ich mir auch bescheidenere Gedanken über den jetzigen Zustand gemacht, und diese haben mich naturgemäß zu einigen Vorstellungen über eine mögliche Rückkehr zur »Kleinen Wissenschaft« geführt, also eine Rückkehr zu den Bedingungen, wie sie in den Wissenschaften bis etwa zur Mitte unsres Jahrhunderts herrschten. Diese keineswegs welterschütternden Ideen habe ich in einem englischen Aufsatz ausführlich beschrieben (9). Sie sollen hauptsächlich dem »Stehenbleiben« dienen, also eigentlich dem Schwersten auf der Welt. Dabei denke ich an Pascals schönen Gedanken (10): »... j'ait dit souvent que tout le malheur des hommes vient d'une seule chose, qui est de ne savoir pas demeurer en repos dans une chambre.«

VIII

Die Aufforderung stehenzubleiben, anzuhalten im rasenden Lauf, wenn auch nur für ein kurzes Atemholen, erweckt allgemeine Heiterkeit. Wer kann sich das leisten? Läuft nicht der Feind, die Konkurrenz, der böse Mann um die Ecke, laufen sie nicht alle wie wild? Der Wucherer und der Bankier, der Giftmischer und der chemische Fabrikant, der Mörder und der General: sie sind alle im selben atemlos rennenden Haufen. Auch Papageno und Monostatos fehlen nicht: »Es ist der Teufel sicherlich!«. Es bedarf keiner großen Phantasie, um darin eine zeitgemäße Erneuerung der makabren Totentänze des Mittelalters zu sehen; nur daß es jetzt nicht der Tod ist, der den Bischof holt, sondern ein anderer Bischof usw.

Da ich des Glaubens bin, daß der Wunsch stehenzubleiben nur einem Sonderling kommen konnte, einem Außenseiter, war ich überrascht, ihn bei einem großen Dichter der Vergangenheit zu finden. Es scheint, daß gegen Anfang des vorigen Jahrhunderts Goethe den Entschluß gefaßt hatte, ein großes Lehrgedicht nach Art des Lukrez zu schreiben. Davon ist, neben einigen kurzen Bruchstücken, nur eine längere Stelle überliefert, die 1820 unter dem Titel 'Αϑροισμός (griechisch für »Die Anhäufung«) veröffentlicht wurde, aber in den gesammelten Gedichten als »Metamorphose der

Tiere« zu finden ist (11). Ich zitiere hier die Schlußverse des Gedichts:

> Freue dich, höchstes Geschöpf der Natur, du fühlest dich fähig,
> Ihr den höchsten Gedanken, zu dem sie schaffend sich aufschwang,
> Nachzudenken. Hier stehe nun still und wende die Blicke
> Rückwärts, prüfe, vergleiche, und nimm vom Munde der Muse,
> Daß du schauest, nicht schwärmst, die liebliche volle Gewißheit.

Die liebliche volle Gewißheit, zu der sich das höchste Geschöpf der Natur leider jetzt bekennt, ist, daß von »hoch« keine Rede sein kann, denn es ist nur eine Stufe der Evolution, die vom *homo erectus* gerade vor kurzem zum *homo sapiens* geführt hat. Andere Arten, vielleicht in noch eifrigerer Entwicklung begriffen, streben ebenfalls in die Höhe: wieder eine Art von Wettlauf, und wie das alles enden wird, weiß der Teufel oder die Entropie oder bestenfalls Teilhard de Chardin. Goethe aber fordert den Menschen auf, stillzustehen, rückwärts zu blicken, zu prüfen und zu vergleichen. Wer könnte sich jetzt soviel Zeit nehmen? Für Goethe war Forschung etwas, was festlich begangen wurde, eine Feier der Naturbeobachtung, der Naturverehrung. Er pries die Harmonie des Weltalls, dessen Gedanken lebendig geworden waren. Die Phantasie, über die Goethe nachdachte, war auch die Phantasie, die einen Goethe erdacht hatte.

Im selben Gedicht kommt auch die folgende Stelle vor:

> Dieser schöne Begriff von Macht und Schranken, von Willkür
> Und Gesetz, von Freiheit und Maß, von beweglicher Ordnung,
> Vorzug und Mangel erfreue dich hoch, die heilige Muse

Bringt harmonisch ihn dir, mit sanftem Zwange belehrend.

Ich kenne keine schönere Darstellung der Leibnizischen *harmonia praestabilita*. Die in diesem Gedicht ausgesprochene Dialektik der Harmonie ist ein Beispiel dafür, wie das noch unzerfaserte Lebendige einem tiefsinnigen Geist erschien. Tatsächlich kann ich mir das Leben nicht vorstellen ohne eine Art von *Rubato*. (Das ist nicht die einzige musikalische Metapher, die einem, der über das Leben nachdenkt, einfällt.) Ein von der Wissenschaft konstruiertes Lebewesen würde an seiner Gesetzesfreudigkeit, seiner übertriebenen Regelmäßigkeit zugrunde gehen.

Goethe war ein junger Mann, als Lavoisier mit der Phlogistonhypothese Schluß machte, er überlebte Humphry Davy; man kann sagen, daß er dem Beginn der modernen Chemie beigewohnt hat, wie überhaupt den ersten Triumphen der induktiv arbeitenden Naturwissenschaften. Man kann nicht einmal behaupten, daß er ein ausschließlich deduktiver Geist war. Wie in vielem anderen überbrückt er auch hier eine Scheide. Aber er war sicherlich einer der letzten großen Amateure der Naturforschung, im eigentlichen Sinne dieser jetzt so beleidigend gewordenen Bezeichnung. Allein daß er sich zutraute, Anatomie, Optik, Mineralogie und noch einiges andere zugleich zu betreiben, disqualifiziert ihn als Fachmann, als Angehörigen einer Zunft, die es weit von sich gewiesen hätte, den »West-östlichen Divan« geschrieben zu haben.

IX

Im letzten Kapitel des schon mehrfach angeführten Buches (6) habe ich versucht, eine Typologie des Naturforschers zu entwickeln, indem ich zwischen Kartesianern und Platonikern unterschied. Wollte man ihn überhaupt als Naturforscher anerkennen, so wäre Goethe sicherlich zu den Platonikern zu rechnen. Dabei machte er von einer geistigen Gabe Gebrauch, die eher dem Propheten oder dem Dichter angehört: der Intuition. Diese Fähigkeit ist schwer zu vereinen mit der streng experimentellen Arbeitsweise unsrer Naturforschung, ja manche Fächer schließen sie fast satzungsgemäß aus. Mit Intuition sprengt man sich in der Chemie in die Luft. Trotzdem darf man die Rolle, die meistens nicht eingestandene Rolle der Intuition selbst in unsern Naturwissenschaften nicht unterschätzen. Allerdings kann ihre Aufgabe nur vorbereitend sein: die Anwendung experimentell nicht beweisbarer, intuitiv erfühlter Tatsachen stempelt den Forscher zum Aufschneider oder Schwindler.* Jetzt, da die Forschung im Begriff ist, vom Kommerz geschluckt zu werden, wird das vielleicht anders werden. Sind Spekulationen mit dem Informationsschatz der Menschen tadelnswerter als andere Börsenspekulationen?

Das unfreundliche Bild, das ich in meinen Schriften von vielen Fächern der Naturforschung, nicht von allen, in ihrem gegenwärtigen Zustand zeichne, wird viele Ausübenden mit Unglauben oder sogar mit Abscheu erfüllen. Es ist wahr: ein Forscher, der sich innerhalb der Naturwissenschaften aufhält, eine Anstellung hat und seine tägliche Arbeit verrichtet, braucht von den Übelständen nicht viel zu bemerken. Er geht in der Früh ins Laboratorium und kommt abends nach Haus. Nichts liegt ihm ferner, als ein Newton sein zu wollen. Er sitzt innen und hat nur selten Anlaß hinauszublicken. Er wird es deshalb wahrscheinlich nicht einmal zur Kenntnis nehmen, wie sehr die Oberfläche der Wissenschaft, mit der er vertraut ist, verschieden ist von derjenigen, die der Laie

---

* Es ist vielleicht nicht allgemein bekannt, wie viele Fälle aufgelegten Schwindels, besonders in den biologischen Wissenschaften, während der letzten paar Jahre aufgedeckt worden sind: auch das ein Beispiel für die Wirkung der immer rasender werdenden wissenschaftlichen Wirbeltänze. Dabei ist es wahrscheinlich nur die Spitze eines riesigen stinkenden Eisbergs.

sieht. Betrachten wir zwei Wissenschaftszweige als Beispiele für viele andere.

Die Krebsforschung blüht auf der ganzen Welt. In den meisten Ländern gibt es riesige Krebsforschungsinstitute mit Hunderten von meistens hochqualifizierten Forschern. Die Regierungen fast aller Völker und viele privaten Stiftungen geben Unsummen aus für die Krebsforschung, und unter diesem Vorwand wird ein großer Teil aller biologischen Forschung unterstützt. Gute wissenschaftliche Arbeit wird verrichtet, ob es sich nun um die Entwicklung neuer Medikamente und Behandlungsmethoden handelt, um die Charakterisierung von Enzymen, um die Aufklärung von Immunreaktionen, um die Struktur der DNS, eines Virus und um unzähliges andere. Dabei ist viel herausgekommen, dicke Arbeiten, schöne Preise und Medaillen. Das ist nun die eine Seite; auf der andern jedoch, wo die Kranken sterben, ist fast nichts herausgekommen.

Oder die Nationalökonomie. Eine große Wissenschaft: scharfsinnige, einander allerdings ausschließende Theorien, dicke Bücher, Riesentabellen, überzeugende schöne Kurven, letzthin sogar Nobelpreise. Das ist nun die eine Seite, aber auf der andern, wo auch ich mich aufhalte, herrscht Heulen und Zähneklappern. Wer alt genug geworden ist, hat Gelegenheit gehabt, unter der Führung fast aller Strömungen dieser Wissenschaft vielfach zu verarmen.

Das sind allerdings Wissenschaften für und daher gegen den Menschen. Die Astronomie hat es leichter, denn zumindest auf diese Entfernung sind die Sterne berechenbarer.

X

Der Newton des Grashalms? Vielleicht sollte man so ein Ungetüm nicht herbeiwünschen, denn bis vor kurzem waren die Wiesen den Menschen näher als das Firmament. Beim gegenwärtigen Stand der Dinge würde er bald ein Giftgrasfabrikant werden. Dennoch werden die meisten sagen, daß wir, je mehr wir wissen, umso besser für die Zukunft gewappnet sind. Nun kann man sich für die Zukunft überhaupt nicht wappnen, es ist immer die falsche Rüstung, und was das Wissen angeht, so gibt es verschiedene Arten von Wissen, und nicht alle sind heilsam.* Vielleicht hätte die Bevölkerung von Hiroshima auf eine himmlische Umfrage geantwortet, daß sie gerne auf jede Art von Kenntnis der theoretischen und experimentellen Physik verzichten würde, wenn sie nur ihr armes kleines Leben unbestrahlt und unverbrannt ein Weilchen länger leben dürfte.

Weder Kant noch Schopenhauer, noch überhaupt ein Denker des 18. oder 19. Jahrhunderts, hätten die Entwicklung der Naturwissenschaften vorhersagen können, die sie zur bedrohlichsten Macht über die Zukunft der Menschheit erhoben hat. Nur die großen Mythen der Urzeit, die Propheten Israels, die Apokalypse des Johannes haben Platz auch für solche strahlend illuminierte Finsternis, wie sie über uns hereingebrochen ist. Eher haben einzelne Dichter geahnt, was da kommen wird.

Die Menschen der Vorzeit lebten viel mehr von gestern auf heute als von heute auf morgen. Das Gewesensein war, was sie kannten, um das Seinwerden kümmerte sich die Vorsehung. Die Menschheit ruhte in der Hand der Ewigkeit, welche die eigentliche Negation der Zukunft ist. Selbst die großen Kathedralen erhoben sich in die Ewigkeit, nicht in die Zukunft. Was hätte einer der großen Scholastiker, bei denen das schöne Wort *aeternitas* so häufig vorkommt, zu unsern Fünfjahresplänen oder 50-Jahrprojektionen gesagt? Vielleicht, daß es meistens anders kommt, als man denkt. Für die Untersuchungen über die Entstehung des Lebens hätten sie wahrscheinlich mehr Verachtung als Spott gezeigt, den »Urknall« aber, bis auf den dummen Namen, nicht unbe-

---

* In den Notizen der Simone Weil finde ich die folgende Bemerkung (12): »Connaître n'a aucun intérêt, hors la connaissance du bien.«

dingt abgelehnt. Dazu zwei Zitate aus Thomas von Aquin (13): »Schöpfung geschieht in einem einzigen Augenblick: sobald etwas geschaffen wird, ist es schon geschaffen, wie was erleuchtet wird, auch schon hell ist.« – »Die Erschaffung der Welt aber hängt von keiner anderen Ursache ab als allein vom Willen Gottes. Darum kann, was auf den Anbeginn der Welt Bezug hat, nicht durch Beweisgründe erwiesen werden.«

Uns aber hat die Induktion dazu verurteilt, nichts anzuerkennen, was nicht durch Beweisgründe erwiesen ist. Das hat auch seine guten Seiten, indem es das Geschwätz, das sonst überborden würde, kanalisiert. Dennoch ist es ein bißchen zuviel des Schlechten geworden. Ich fürchte das Ersatzleben, die der Surrogattenpaarung, wenn ich so sagen darf, entsprungene Lebensprothese. Seit der Teufel 1492 sein Büro aus China nach Europa verlegte, ist es nie so zugegangen. (Im Kapitel HAMANN sage ich mehr darüber.) Auf die Episode »der Forscher als Lebensschöpfer« folgt die Episode »der Forscher als Mörder«.

Wie ich schon früher gesagt habe, würde der Newton des Grashalms nicht bei diesem stehenbleiben. Das ist es, wovor ich Angst habe, und warum ich für eine Abkühlung der überhitzten Forschungstätigkeit eintrete. Denn alles, was jetzt unternommen wird, spritzt einen blutigen Schleim auf das Leben der Menschen. Raumforschung so gut wie Bakteriologie, Genetik so gut wie Energieforschung, Psychologie so gut wie Mathematik: alles dient der Vorbereitung des dümmsten aller Vernichtungskriege. Die einzelnen Wissenschafter, gerade dabei, ihre kleinen Kreise mit dünnen Wasserfarben auszumalen, können sich keinen Begriff von Schuld und Verantwortung machen; sie sind so unschuldig, wie Eva es einst war.

Es ist schade, daß in der heutigen Forschung so viel Scharfsinn von so wenig Tiefsinn begleitet ist, so viel Fleiß von so wenig Einsicht. Ich bin überzeugt davon, daß die Erforschung des Lebendigen an eine Schranke gestoßen ist, deren Umgehung, Überschreitung oder Zerstörung fürchterliche Folgen haben wird. Totalitäten kann nur die Phantasie erfassen; eine Fähigkeit, die unsrer Zeit verloren gegangen ist. Ebenso wie die Ewigkeit nicht eine Summe von Zeitabschnitten ist – *tota simul*, ganz auf einmal, nennt sie der heilige Thomas von Aquino –, so ist das Lebendige nicht eine Summe von mechanischen und chemischen Teilchen. Beide, Ewigkeit und Leben, kann nur die Einbildungskraft begreifen, nicht die Vernunft.

»Weder Bestie noch Engel«, diese Beschreibung des Menschen mag zu Pascals Zeit zutreffender gewesen sein als jetzt, aber ich fürchte, es war der Anfang der Statistik, eines der wohlbekannten Verteilungsdiagramme mit dem Maximum in der Mitte. Unterdessen hat jedoch die Verlorenheit des Menschen in einer von den Bestien für die Engel errichteten Welt stark zugenommen. Wer in einer Stadt wie New York lebt, weiß, wie das Paradies auf Erden aussieht. Delphine werden schon dressiert, um Scheußlichkeiten auszuführen. Wenn der Newton des Grashalms erschienen ist, werden die Blumen auf uns schießen.

Anmerkungen

(1) Kants Werke, Akademie-Textausgabe (de Gruyter, Berlin 1968) Bd. 5, S. 400.
(2) A. Schopenhauer, Sämtliche Werke, Hrsg. A. Hübscher (Brockhaus, Leipzig, 1938) Bd. 2, S. 170.
(3) Wie in (2), Bd. 2, S. 147f.
(4) J. G. Herder, Briefe zur Beförderung der Humanität (Aufbau-Verlag, Berlin und Weimar, 1971) Bd. 1, S. 412f.
(5) Wie in (2), Bd. 2, S. 114ff.
(6) E. Chargaff, Unbegreifliches Geheimnis (Klett-Cotta, Stuttgart, 1980).
(7) F. Hebbel, Tagebücher, Hrsg. Krumm und Quenzel (Hesse & Becker, Leipzig, o.J.) Bd. 2, S. 140.
(8) E. Chargaff, Das Feuer des Heraklit (Klett-Cotta, Stuttgart, 1979).
(9) E. Chargaff, In Praise of Smallness – How Can We Return to Small Science, Perspectives Biol. Med., *23*, 370 (1980).
(10) Pensées, Nr. 136, in B. Pascal, Œuvres complètes, Hrsg. Lafuma (Seuil, Paris, 1963) S. 516.
(11) J. W. v. Goethe, Poetische Werke, Berliner Ausgabe (Aufbau-Verlag, Berlin und Weimar, 1965) Bd. 1, S. 546f.
(12) Simone Weil, Cahiers (nouvelle édition) (Plon, Paris, 1975) Bd. 3, S. 188.
(13) Beide Zitate aus J. Pieper, Thomas-Brevier (Kösel, München, 1956) S. 248, 250.

[3]

HAMANN: DIE BLENDUNG DER NATUR

I

Johann Georg Hamann: der Balken mitten im Auge der Aufklärung, den sie nicht gewahr sein konnte, denn ihre Aufmerksamkeit war ganz auf die Splitter in den Augen der konventionellen Gläubigkeit gerichtet. Ich glaube nicht, daß irgend jemand ihn wirklich verstanden hat, manche wie Hegel, weil sie ihn nicht verstehen wollten, andere wie ich, weil sie ihn nicht verstehen konnten. Eine gute Kenntnis des Hebräischen, Griechischen, Lateinischen, Französischen, Englischen, Italienischen usw. hilft wenig, ebensowenig wie die Vertrautheit mit den Literaturen dieser Sprachen, denn die verschmitzten Fußnoten, Mottos und Einsprengsel beginnen erst richtig zu irisieren, wenn man sie ganz verstanden hat, weil man erst dann erkennt, daß die Beziehung zu dem, was sie zu illustrieren vorgeben, oft so hermetisch-ironisch ist, daß man besser daran ist, alle diese Danaergeschenke einfach zu ignorieren. Auch dann bleibt nämlich genug zurück.

So zum Beispiel die folgende Stelle, unter deren Schutz ich diese Zeilen zu stellen wünsche, obwohl das Kapitel bald eine Richtung einschlagen wird, der aus Interessen- und Verständnislosigkeit nicht folgen zu können, Hamann sich glücklich geschätzt hatte.

> Seht! die große und kleine Masore der Weltweisheit hat den Text der Natur, gleich einer Sündfluth, überschwemmt. Musten nicht alle ihre Schönheiten und Reichthümer zu Wasser werden? . . . Ihr macht die Natur blind, damit sie nämlich eure Wegweiserin seyn soll! oder ihr habt euch selbst vielmehr durch den Epikurismum die

Augen ausgestochen, damit man euch ja für Propheten halten möge, welche Eingebung und Auslegung aus ihren fünf Fingern saugen. – Ihr wollt herrschen über die Natur, und bindet euch selbst Hände und Füße durch den Stoicismus, um desto rührender über des Schicksals diamantene Fesseln in euren vermischten Gedichten fistulieren zu können.

Diese Sätze stehen in Hamanns kleiner Schrift »Aesthetica in nuce«, die, 1762 erschienen, mit Ästhetik in ihrer üblichen Bedeutung nicht mehr zu tun hat, als man von Hamann erwarten würde. (1)

Als ehemaligem kleinen Masoreten jener Weisheiten, welche die Weltweisheit, die Hamann im Auge zu haben scheint, ersetzt haben, ging mir diese Stelle nahe, denn ich mußte mich fragen: hat die Wissenschaft wirklich die Natur geblendet, um sie erforschen zu können, oder – was für ein gewaltiges, allen Denkprozessen ins Gesicht schlagendes Oder! – oder mußte die Wissenschaft sich selbst blind machen, bevor sie an die Arbeit gehen konnte? Wenn man den Eindruck hat, daß die Natur einem ins Gesicht blickt oder bei der Arbeit zuschaut, darf man nicht Naturforscher, und jedenfalls nicht Biologe werden. Sie täte einem sonst zu leid.* Daß aber der Entschluß, Naturforscher zu werden, eine Verengung, Verstümmelung oder Beschneidung des dem Menschen angeborenen Naturgefühls manchmal zur Voraussetzung und oft zur Folge hat, war mir schon lange evident gewesen.

Es ist natürlich nicht ungefährlich, einen alten Denker als Kronzeugen anzurufen gegen eine Richtung, welche die Wissenschaft unserer Tage eingeschlagen hat. Dennoch möchte ich sagen, daß es so etwas gibt wie eine umgekehrte

* Es ist wahr, Vivisektionisten, die ihren Beruf verfehlt haben, befassen sich gerne mit Gentechnologie, denn Bakterien, bevor man sie umbringt, sehen einen nicht mit treuherzigen Augen an.

Vogelperspektive: aus der fernen Distanz der Vergangenheit läßt sich unsere Gegenwart mit klareren Augen erblicken. Als ich vor einigen Jahren die den Nukleinsäuren zugeschriebene genetische Rolle bei der Erhaltung erblicher Charaktere überdachte, kam ich zu dem Geständnis, daß ich es nicht für möglich gehalten hätte, daß die Natur blind ist und Braille liest. Die jetzt herrschenden Vorstellungen von der Übertragung der sogenannten genetischen Informationen mit ihrem Erfordernis einer stummblinden Automatik, sie waren es auch, die mich aufhorchen machten, als ich Hamanns Worten von der Blendung der Natur begegnete. Ob wir die Natur blind gemacht haben oder ob wir es selbst sind, hat er nicht entscheiden wollen.

Tatsächlich, würde ich sagen, ist beides geschehen, und Hamann hat recht gehabt, der Entscheidung aus dem Weg zu gehen. Könnte ich mich mit einem unserer Urväter unterhalten, sagen wir, mit einem Neandertaler – eigentlich ist mir das oft widerfahren, nur trug er einen grauen Flanellanzug und die Keule bloß im Herzen –, so würde ich bald erfahren, wie feindlich, wie unüberwindlich grauenhaft das, was ich jetzt Natur nenne, ihm erscheinen mußte. Lange, lange bevor eine liebliche Rokokonatur, mit ihren lyrischen Stalaktiten und Bosketten, zur fröhlichen Meierei einlud, mußte ein Leben gehackt werden aus Wald und Fels. Wieviel Zeit mußte vergehen, bevor Kulturen, wie die der nordamerikanischen Indianer oder der Eskimos, sich sachte in die Natur zu schmiegen lernten! Diesen Feind konnten sie sicherlich nicht blenden, noch wäre es möglich gewesen, vor ihm die Augen zu schließen.

Man könnte fast meinen, daß, was jetzt Natur heißt, erst von den Naturwissenschaften erfunden worden ist, obwohl das nicht so war, als diese begannen. Was man jetzt Natur nennt, ist hauptsächlich ein Betätigungsfeld für eine bestimmte Berufsklasse, worin sie sich während der Arbeitszeit aufhält; für sie ist Natur, was Geld für den Bankier oder Mehl für den Bäcker. Hätte Lukrez, der Träumer von der

Natur der Dinge, diese in unsern Annalen wiedererkannt?

Von Blenden, würde man sagen, oder von Blindsein kann also keine Rede sein. Und doch habe ich den Eindruck, daß beides erfolgen mußte, bevor gewisse Themenkreise, die jetzt im Mittelpunkt der Forschung sind, sich abzeichnen konnten. Ein solches Thema habe ich mir zur Betrachtung ausgewählt, nämlich die gezielte Veränderung der Erbeigenschaften des Menschen. Vielleicht ist es noch nicht soweit; aber dann muß man den Tag loben, bevor es Abend geworden ist.

II

Ohne Menschen geht es nicht, sagen die Menschen und klopfen sich auf den Bauch vor Zufriedenheit. Wem sie das versichern, ist nicht ganz klar, denn, sagen wir, die Ameisen oder die Marienkäfer könnten ganz gut ohne Menschen auskommen, ganz zu schweigen von den Granitklötzen der Berge und den Föhren im Wind. Als die Menschen begannen, sich als die Krone der Schöpfung zu betrachten, war das nur ein Zeichen, daß diese an Karies litt. In dem Maße, wie er die Erde ruiniert, fühlt sich jedoch der Mensch zu immer Höherem berufen, und die Evolution, soweit es sie überhaupt gibt, geht ihm zu langsam. Da kann nur die Technik helfen, dieser pandorische Katalysator alles Machbaren, und wenn es bei den Menschen hapert, wird sie nicht vor ihnen stehenbleiben, sondern zusehen, was sich da machen läßt. Ich muß mich entschuldigen, daß ich ein bißchen zu sehr beim Anfang anfange. Nachher wird es schneller gehen.

Was ist der Mensch? Eines Schattens Traum, antwortet Pindar in einem seiner pythischen Lieder. So auch ähnlich bei Hiob und an vielen anderen Stellen der Bibel. Nachher ist natürlich allerhand geschehen, und jetzt, 2500 oder 3000 Jahre später, kommt der Dr. Lederberg, gegenwärtig Präsident der Rockefeller-Universität in New York, und weiß mehr: »Jetzt können wir den Menschen definieren. Zumindest genotypisch betrachtet, ist er 180 cm einer bestimmten Anordnung von Molekülen, die aus Atomen von Kohlenstoff, Wasserstoff, Sauerstoff, Stickstoff und Phosphor bestehen – die Länge einer dicht zusammengerollten DNS im Zellkern . . .« (2)

Unterdessen sind nämlich, neben vielem andern, die biologischen Wissenschaften erfunden worden, und diese haben den Menschen in das Tierreich verwiesen, wo er hingehört; die Dichtung hingegen, die aus dem Inneren erschütterte Betrachtung der Welt, hat sich beträchtlich abgekühlt. Noch immer gräbt der philosophische Maulwurf Höhlen dumpfer Erinnerungen; aber der Mensch? Einst erschien er dem Sophokles so: »Ungeheuer ist viel. Doch nichts / Ungeheurer, als der Mensch.« (Das ungewohnte Komma stammt von Hölderlin.) Das Adjektiv, das Sophokles hier verwendet, das griechische δεινός, bedeutet auch »gewaltig« oder »wundervoll«. Leider paßt es besser auf den Wagenlenker von Delphi als auf die traurigen Geschöpfe, die, zusammen mit mir traurigem Geschöpf, täglich die New Yorker Subway bevölkern. Jetzt aber wissen wir so viel mehr und ahnen so viel weniger. Die Ruhelosigkeit, die Gejagtheit, die Getriebenheit der Menschen unserer Zeit mag auch von der untragbaren Last – der Last des Wissens ohne Vergessen – kommen, die ihnen aufgeladen worden ist. Es ist, als säße die ganze Menschheit in der Haut eines Kridatars, ängstlich hoffend, daß der Brief nicht kommt mit der Morgenpost. Ein bedeutender Dichter unserer Tage, der sich verpflichtet sah, die Tradition der großen metaphysischen Lyrik des 17. Jahrhunderts fortzusetzen, T. S. Eliot, hat es ausgedrückt (3):

Where is the Life we have lost in living?
Where is the wisdom we have lost in knowledge?
Where is the knowledge we have lost in information?
The cycles of Heaven in twenty centuries
Bring us farther from GOD and nearer to the Dust.

Weisheit, Wissen: fast sind wir schon bei unseren Wissenschaften angelangt, besonders wenn wir noch die »Information«, also die Gesamtheit neuen Wissens, dazurechnen. Zu Zeiten meines Vaters und gar meines Großvaters wären jene als die Areale reiner Freiheit erschienen, als das Gelände, wo ein würdiges, unbedrücktes Leben noch möglich war. Aber das ist lange her.

Jedenfalls sind es jetzt die Wissenschaften und insbesondere die Naturwissenschaften, die das Bild der Menschen von sich selbst und von der Welt prägen. Von den dreieinviertel Millionen Jahren, die, so sagt man mir, zwischen Australopithecus und dem Dr. Lederberg verflossen sind, kann ich Gottseidank nur wenige überblicken und weiß infolgedessen nicht, ob man nicht schon damals aus dem Munde manches weisen Halbaffen hätte hören können: »Der Pithekanthropus ist nichts als . . . usw.« Zur Zeit des Königs David oder des Aischylos hatte man immerhin eine andere, zugleich höhere und bescheidenere Meinung vom Menschen. Auf die eigentlich recht müßige Frage, ob wir wirklich nichts sind als unsere Desoxyribonukleinsäure, komme ich noch zurück. Wie es zu einer solchen Frage überhaupt kommen konnte, das muß man die Wissenschaften fragen, diese wahren Erbsündenböcke der Menschheit. Dabei tun sie, könnte man sagen, auch nichts anderes, als was jedes Kind tut, nämlich viele Fragen zu stellen. Allerdings ist es jetzt bei manchen Wissenschaften so weit gekommen, daß sie zuerst die Antworten haben, zu denen sie dann die passenden Fragen erfinden müssen. Das ist aber vielleicht ein Vorgang, der jede menschliche Tätigkeit kennzeichnet, sobald sie gesellschaftlich festgelegt und in die Gesellschaft eingebaut ist. Möglicherweise ist das Bedürfnis, dem die Wissenschaften einmal entsprachen, längst vergangen; aber jetzt sind sie da und wollen gedeihen.

III

Daß jeder Mensch viel zu wünschen übrig läßt, muß schon bald nach der Menschwerdung offenkundig gewesen sein, aber da waltete noch die Natur in ihrer weisen Grausamkeit: wer nicht lebensfähig war, ging rasch zugrunde. Der ungeschickte Jäger, der sich mit dem Pfeil in den eigenen Fuß schoß, anstatt das Wild zu treffen, blieb sicher nicht lange am Leben, es sei denn, er konnte sich der kommerziellen Erzeugung von Pfeil und Bogen widmen. Ob die Hühner auf dem Misthaufen, als es das noch gab, sich über die Qualität ihrer Eier unterhielten, weiß ich nicht – das ist eher den Engländern vorbehalten –; aber sobald es bei den Menschen zur Bildung von Familien und größeren Gemeinschaften kam, muß es klar geworden sein, daß nicht alle Kinder und auch nicht alle Erwachsenen einander glichen. Manche waren krank, manche beschädigt. Da war auch das Rettende nah; und Vertreter der zweitältesten Profession, der Medizin, werden mit Rat und Zauber nicht gekargt haben. Nach den Erfolgen unserer gegenwärtigen Medizin zu schließen, werden die Schamanen auch keine besonderen Wunder bewirkt haben, obwohl ihr wahrscheinlich völlig deduktives Denken sie vor dem Ärgsten bewahrt haben mag. Ihre Klientel wird hingegen weniger skeptisch gewesen sein, als es jetzt der Fall ist, und das ist für Heilerfolge bekanntlich sehr wichtig.

Es herrschte nämlich, was man dummerweise als »dumpfen« Glauben bezeichnet. Warum der Glaube an die ewigen, in vielen Formen einander ähnelnden Mythen der Menschheit dumpfer sein soll als der gegenwärtige Glaube an die Macht der Wissenschaft, ist mir nicht klar. Wenn die Neandertaler alle ihre Energiequellen so schnell wie möglich erschöpft hätten, im festen Glauben, daß ihre Zauberpriester unfehlbar neue Formen der Energie entdecken würden, denn dazu seien sie ja da, so würde ich das Adjektiv »dumpf« oder »stumpf« gelten lassen. Das gilt aber eher für unsere Zeit, da ein wahrhaft metaphysischer Schauder ganz Kalifornien erfaßte, als das Benzin für einige Tage knapp wurde. Auch wäre es gewiß nicht leicht gewesen, in der Zeit des Perikles dem »National Institute of Thaumaturgy«, wenn man sich so etwas vorstellen kann, derart riesige Geldsummen zu entlocken, wie sie heute jeden Tag für die sogenannte Krebsforschung hinausgeworfen werden. Tatsächlich bestehen keine Anzeichen dafür, daß die Menschen in historischer Zeit gescheiter geworden sind; es erscheint mir sogar möglich, das Gegenteil wahrscheinlich zu machen. Man braucht nur unsere Universitätslehrbücher mit den Traktaten des Aristoteles zu vergleichen, um zu sehen, wieviel mehr damals dem Geiste zugemutet werden konnte.

Aber in einem waren die Menschen bis vor etwa vier- oder fünfhundert Jahren sicherlich anders: sie waren weniger überheblich. Ich kann mir nicht vorstellen, daß es vor der Renaissance einen solchen Ausspruch gegeben haben kann wie die folgenden Worte des Marsilio Ficino: »Wer kann leugnen, daß der Mensch fast denselben Genius besitzt wie der Schöpfer des Himmels? Und wer kann leugnen, daß der Mensch irgendwie auch den Himmel machen könnte, besäße er nur die Werkzeuge und das himmlische Material?« Als ich diese bemerkenswerten Worte vor einigen Jahren in einem englischen Aufsatz zitierte, setzte ich hinzu, daß mir das Wort »irgendwie« besonders gefalle, daß aber in diesen Sätzen mit ihrem »Können wir machen!«-Geist die kommende arrogante Überflüssigkeit und Überschüssigkeit, so charakteristisch für unsere Zeit, angedeutet sei, denn wer brauche einen zweiten Himmel? Vielleicht die NASA, denn dann könnte es mit zwei Weltraumfähren gleichzeitig schiefgehen.

Noch etwas anderes drückt sich in diesen keineswegs alleinstehenden Worten aus, und das ist die feste Überzeugung, der Anspruch, daß die Welt für das Forschen des Menschen unumschränkt verfügbar ist; »no holds barred«, wie man auf englisch sagt. Dazu paßt zum Beispiel der vor einigen Jahren ernsthaft gemachte Vorschlag eines Geologen, man solle anläßlich der Mondlandung eine kleine Atombombe auf dem Mond detonieren lassen, nur um zu sehen, was geschehe. Dabei haben die Menschen vergessen, daß die an Noah ergangene Verheißung der Bibel (1. Mose 9) den seinerzeitigen großen Fluch nur zum kleinen Teil zurückgenommen hat.

Die wünschenswerte Vervollkommnung des Menschen ist jedoch ein alter Gegenstand. Man mag über seine Perfektibilität Zweifel gehabt haben, man versuchte es aber immer wieder. Es ging um seine Moral, bei den Griechen auch um seine körperliche Schönheit. *Kalokagathos* war ein altes Ideal, dem man allerdings nur durch gutes Zureden und eifriges Turnen, und später auch durch Predigen nahezukommen wußte. Viel hat man wahrscheinlich nicht ausgerichtet; aber zumindest in ihren Heiligen hat die Kirche Vorbilder geschaffen, die durch viele Jahrhunderte geleuchtet haben. Damit ist es natürlich auch schon längst zu Ende. Als St. Antonius von Padua die Fische in so überzeugender Weise vor den sieben Todsünden warnte, hatte er allerdings nur einen vorübergehenden Erfolg, wahrscheinlich jedoch einen größeren, als wenn er vor Menschen gepredigt hätte.

IV

Feste Vorstellungen von einem idealen Menschenbild führen zu einem Katalog sittlicher Eigenschaften, sei er nun religiös oder philosophisch begründet; und so ist etwas dem Dekalog Entsprechendes Bestandteil fast aller Religionen, ebenso wie die Ethik ein alter Zweig der Philosophie ist. Das Bild vom Menschen, von seinem Wert und seiner Würde, ist aber auf schlechte Tage gekommen, und wo ich lebe, ist die Ethik jetzt eher eine Unterabteilung der Kosmetik: Es gibt »ethicists« oder »ethicians«, so wie es »beauticians« oder »morticians«, Kadaverkosmetiker, gibt. Auch andere Methoden der Menschenverbesserung, z. B. die Strafgesetzbücher der Völker, haben kaum größere Erfolge zu verzeichnen. Die barbarischen Strafen des alten England haben zwar indirekt viel gute Literatur erzeugt, aber keine guten Menschen.

Die Menschen sind aber nicht nur moralisch voneinander verschieden, sondern auch in ihren körperlichen Eigenschaften. Als in vorsintflutlichen Zeiten zum ersten Mal der Ruf erscholl »Ganz der Papa!«, hatte die Tante eine wichtige Entdeckung gemacht. Es gibt Familienähnlichkeiten: gewisse, oft nicht definierbare Eigenschaften sind vererblich. Manchmal ist es die Nase oder der Mund, die Haarfarbe, die Kopfform, die Statur, manchmal leider auch eine Krankheit oder ein Defekt. Bezüglich der Vererbung geistiger Eigenschaften ist Vorsicht am Platz. Sie mag, im Gegensatz zu einer überkommenen Knollennase, oft gesellschaftlich oder ökonomisch bedingt sein. Schließlich ist der Reichtum auch erblich, doch kaum durch einen genetischen Mechanismus. Selbst bei so berühmten Beispielen wie den Euler und Bernoulli, den Scarlatti, Couperin, Bach, Holbein, Cranach, Breughel oder Bellini ist es nicht leicht, das Element der Familientradition, des Handwerklichen, von dem der Begabung zu unterscheiden. Auffallenderweise gibt es meines Wissens in der Literatur nur wenige Fälle, und diese von geringem Rang: Crébillon, Dumas und ähnliche, oder etwa die Gebrüder Goncourt oder Mann. Vielleicht aber kommt der Unterschied zwischen Literatur und den anderen Künsten davon, daß es keine Museen und Schallplatten für Dichter gibt.

Das bringt mich zu den Haustieren. Auch hier müssen erbliche Charakteristika früh beobachtet worden sein, wie auch hervorstechende Fähigkeiten, deren Vererblichkeit gewiß erst später erkannt wurde: daß eine Kuh mehr Milch gibt als eine andere, daß eine Getreidesorte wetterbeständiger ist. Sicherlich hat, lange bevor sie als Wissenschaft existierte, die Genetik eine wichtige Rolle in der Tier- und Pflanzenzüchtung gespielt. Überhaupt sind die angewandten

Wissenschaften ihren reinen Gegenstücken oft lange vorausgegangen.

Die anfangs zitierte molekularbiologische Definition des Menschen eröffnet manche reizenden Perspektiven. Bevor ich ihnen gerecht werden kann, muß ich jedoch zuerst einiges in Erinnerung bringen.

V

Die von mir soeben erwähnte Wissenschaft von der Vererbung, die Genetik, ist eine verhältnismäßig sehr junge Wissenschaft, kaum achtzig Jahre alt. Tatsächlich ist Gregor Mendels Arbeit über Erbsenhybriden, die weithin als der Grundstein dieser Wissenschaft gilt, bereits 1866 an einem verborgenen Orte erschienen; sie wurde jedoch erst nach ihrer Wiederentdeckung um 1900 wirksam. Die Bezeichnung »Gen« für jede der für eine bestimmte körperliche Eigenschaft verantwortlichen Erbeinheiten, deren Übertragung auf die Nachkommenschaft die Erhaltung der Tier-, Pflanzen- oder Mikrobenarten gewährleistet, kam etwas später. Da zu jener Zeit der Zusammenfluß von Biologie und Chemie noch nicht stattgefunden hatte und keine der beiden Wissenschaften weit genug gekommen war, um ins einzelne zu gehen, machte man sich wenig Gedanken über die materielle Natur der Gene; sie waren eine Art von permanentem Gedächtnis, das in den Fortpflanzungszellen gespeichert war. Daß die Gene sich in den Gameten befinden mußten, war offenkundig, und bald wußte man auch, daß ihr Aufenthaltsort – jetzt würde man sagen, ihr hauptsächlicher Aufenthaltsort – in den Chromosomen des Zellkerns lag. Etwas später, als die Biochemie sich selbständig zu machen begann, hätte man wahrscheinlich gehört, daß die Gene möglicherweise aus Eiweiß bestünden, denn die Proteine waren die einzigen Gewebsbestandteile, deren große Vielfalt erkannt zu werden anfing und denen man daher Spezifizität zutrauen konnte.

Schon in den ersten genetischen Forschungen spielten Wahrscheinlichkeitsrechnung und Statistik eine wichtige Rolle. Es ist kaum ein Zufall, daß etwa gleichzeitig mit den Arbeiten Mendels anthropometrische Untersuchungen, etwa des Belgiers Adolphe Quetelet, zur Formulierung des *homme moyen*, des durchschnittlichen Menschen, führten, denn Abweichungen von wissenschaftlich erwiesenen Normen sollten bald eine verhängnisvolle Rolle spielen. Allenthalben tauchten Gaußsche Verteilungsdiagramme auf. Wer sich außerhalb des Maximums befand, konnte sich auf das unerbittliche genetische Schicksal berufen, aber es half ihm nichts. Bald sollten Entartungsformen der Genetik die Rolle der Moiren der griechischen Mythologie übernehmen. Und nicht wenige höchst qualifizierte Genetiker, Rassenforscher, Bevölkerungsspezialisten heulten wie die Hunde der Hölle. Dieses Geheul klingt noch in meinen alten Ohren, und gerade jetzt beginne ich es wieder zu hören in meiner nächsten Umgebung, soziobiologisch veredelt, streng wissenschaftlich, man denkt nur an Ameisen.

Daß so manche schöne wissenschaftliche Harmonie zu einer Musik diabolischer Sphären entarten kann, ist leider schon lange offenkundig. Nirgendswo ist das vielleicht so klar wie in der Rassenforschung, diesem seltsamen Konflux von Linguistik, Genetik, Anatomie, Statistik, Nationalökonomie, Soziologie, Massenpathologie und was nicht alles. Dieses berauschende Hexengebräu gärt unter dem Boden jeder wissenschaftlichen Zivilisation; und jetzt, wo es im Begriffe ist, sich sozusagen zu »molekularisieren«, ist es gefährlicher als je. Ich komme noch darauf zurück.

Unsere wissenschaftstrunkene Zeit steht unter dem Eindruck der scheinbaren Grausamkeit eines unerbittlichen genetischen Rouletts. Dieser Mann ist mit 94 gestorben: »er hat gute Gene geerbt«, jene Frau mit 24: »sie war für den Krebs programmiert« oder »es war eine somatische Mutation«. Was liegt näher, als die Molekularmechaniker zuzuziehen? Ihr Gegenstück in der Reparaturwerkstatt trifft es ja auch. Nur geben sich Automobilbesitzer meistens nicht mit der Erklärung des Defekts zufrieden, sondern wollen ihn behoben haben. Da der Mensch noch immer besser als Mensch funktioniert denn als Kraftwagen, gibt es da noch vorläufig Schwierigkeiten.

Außerdem bringen uns die Wissenschaften zwar eine Menge Information, aber sehr wenig Erkenntnis. Wir verstehen nicht einmal die Schwerkraft – außer als *virtus attractiva*, um Molières Bachelierus zu variieren –, geschweige denn Leben und Tod. Vielleicht hatte der Vierundneunzigjährige einen besonders wirksamen Schutzengel, vielleicht starb die Vierundzwanzigjährige, weil der himmlische Chor eine zweite Soloaltistin benötigte. Vielleicht sind das auch dumme Fragen, denn es ist möglich, daß wir die richtige Antwort, würde sie uns zuteil, gar nicht verstehen könnten.

VI

Ein Füchslein hat von seinen Fuchseltern viel eher das Füchsische geerbt, als ein Kind eines Nobelpreisträgers das Nobelpreisische. Trotzdem gibt es, höre ich, irgendwo in Kalifornien eine Spermabank, in der die tiefgefrorenen Samenspenden von Nobelpreisträgern zwecks eventueller Befruchtung williger Gänse aufbewahrt werden. Ob etwas dabei schon herausgekommen ist, weiß ich nicht; jedenfalls müssen ja 25 oder 30 Jahre vergehen, bevor es zur Preisverleihung an den Sprößling kommen kann, und soviel Zeit habe ich nicht. Es gibt zwar zwei Beispiele für Nobelpreisfamilien, obwohl die Kinder noch auf die altmodische Art gezeugt waren: einmal Vater und Sohn zusammen, einmal Mutter und Tochter getrennt (in welchem Fall sogar der Schwiegersohn etwas geerbt haben muß, ein genetisches Unikum) – aber in beiden Fällen handelte es sich wahrscheinlich um das, was die Wiener Fleischhauer eine »Zuwag« nannten, wenn man zum Fleisch auch noch Knochen kaufen mußte. Wenn die Nobelpreisträger, die das ihnen Zweitteuerste der Gefriertruhe überließen, ihre eigenen Kinder betrachten, werden sie wahrscheinlich bemerken, daß die Äpfelchen sehr weit vom erhabenen Stamm gefallen sind. Da es jedoch in der Genetik fast ebensoviel Ausreden gibt wie in der Psychoanalyse, reden sich die enttäuschten Väter auf eine »Regression« aus. Jedenfalls denke ich nicht, daß es ein Gen für den Nobelpreis gibt, wohl aber für die Bluterkrankheit.

In den ersten Jahren unseres Jahrhunderts hat nämlich der große englische Arzt Sir Archibald Garrod eine ganze Reihe von Krankheiten, hauptsächlich Anomalien des Stoffwechsels, als durch Vererbung übertragen erkannt. Es handelt sich um solche Leiden wie Alkaptonurie, Zystinurie, Albinismus usw. Dabei geht es um das Fehlen eines metabolisch notwendigen Enzyms oder, im Falle der Hämophilie, um die fehlerhafte oder überhaupt nicht stattfindende Synthese eines im überaus komplizierten Blutgerinnungsablauf unerlässlichen Proteins. Garrods Buch »Inborn Errors of Metabolism« (1909) ist einer der klassischen wissenschaftlichen Traktate unserer Zeit.

Während für das Verständnis gewisser durch einen Vererbungsvorgang übertragbaren Krankheiten die junge Wissenschaft der Genetik mit Recht zu Rate gezogen wurde, geschah das mit viel weniger Recht im Falle einer schon seit langem schwelenden Bewegung, der Eugenik. (Der Duden übersetzt dieses Fremdwort mit »Erbpflege, Förderung des Erbgutes«; in früheren, heroischeren Zeiten hätte man wahrscheinlich von »Rassenhygiene« gesprochen, einem Wort also, dessen beißender Brandgeruch mir noch in der Nase sitzt.) Die Bezeichnung »Eugenik« – eines jener verdächtigen Portedrapeau-Wörter, wie »Armageddon«, »Holocaust« etc. – wird gewöhnlich dem englischen Anthropologen Francis Galton, einem Vetter Darwins, zugeschrieben. Tatsächlich war das die Zeit, als eine unter dem wahrscheinlich ungewollten Einfluß Darwins einsetzende, ungeheure Verdummungsaktion die Naturwissenschaften zu mißbrauchen begann, und diese ließen sich gerne mißbrauchen, zu politischen, philosophischen, sozialen Zwecken, die dem ursprünglichen Ziel der Wissenschaften völlig ungemäß waren. Seltsamerweise gerieten die Leute in einen wahren Freudentaumel, als sie erfuhren, daß sie vom Affen abstammen. Bisher hatten sie geglaubt, daß nur Gott sie erschaffen hatte. Sogar Nietzsche war anfangs ganz wild vor Begeisterung, mäßigte sich aber bald.

Schon im ersten Viertel des vorigen Jahrhunderts hatte der unangenehme Malthus auf Grund der originellen Beobachtung, daß im England seiner Zeit nicht nur der Reichtum, sondern auch die Armut erblich war, den ebenso originellen Einfall gehabt, man könne durch Einschränkung der Fortpflanzung von Erben der Armut den allgemeinen Wohlstand befördern.*

So ist also vielleicht der alte Thomas Malthus der Urvater der Eugenik, denn diese war eigentlich immer ein Feldzug gegen die Armen der Welt. Wenn einer minderwertig erscheint, weil er arm ist, ist es nur ein Lemurensprung zu dem Schluß, daß er arm ist, weil er minderwertig ist. Und wir Wissenschafter sind alle für den Höchstwert. Wie ein unendlicher Henkerstrick hat sich dieses verhängnisvolle Erbgut der Eugenik bis in die gegenwärtigen Bestrebungen der Molekularbiologie und Genetik erhalten.

VII

Bevor wir jedoch in diese neueste aller Neuzeiten eintreten, muß noch eine wichtige Entdeckung erwähnt werden, nämlich die Erkenntnis, daß die Gene aller Lebewesen einer

---

* Man wird mit Recht einwenden, daß ich mich hier einer Übervereinfachung schuldig mache; es gibt aber viele Dinge auf der Welt, die man nur durch Übervereinfachung überleben kann.

bestimmten chemischen Substanzgruppe angehören, und zwar der Klasse der Nukleinsäuren. In unserer symbolomanischen Zeit – alles steht für etwas anderes, und nichts ist wirklich – hat sich um diese dem Chemiker eigentlich recht nüchtern erscheinende Gruppe von Verbindungen eine Art von Räuberromantik geschlungen, »blutrot die Segel, schwarz der Mast«.

Das den Nukleinsäuren zugrundeliegende organisch-chemische Bauprinzip ist einfach: sie sind durch Phosphatbrükken zusammengehaltene, lange Ketten von Nukleotiden. Jedes Nukleotid besteht aus einer Pentose, d.i. einem von fünf Kohlenstoffatomen gebildeten Zucker, der einerseits mit einer Phosphorsäuregruppe verbunden ist und andererseits mit einem Stickstoffderivat, und zwar entweder einem Purin oder einem Pyrimidin. Je nach der Art von Zucker unterscheidet man zwischen Desoxyribonukleinsäuren (DNS) und Ribonukleinsäuren (RNS). Jeder der beiden Nukleinsäuretypen enthält vier verschiedene Stickstoffverbindungen, zwei Purin- und zwei Pyrimidinmoleküle. Die Purine, Adenin und Guanin, sind beiden Arten gemeinsam, ebenso wie eines der Pyrimidine, Cytosin. Das andere Pyrimidin hingegen ist Thymin in DNS, Uracil in RNS. Das war mehr oder weniger alles, was man vor vierzig Jahren wußte, und hätte ein Chemiker damals diese so primitiv aussehenden Substanzen betrachtet, er hätte es nicht für möglich gehalten, daß sie den Schlüssel zur Geheimschrift der Vererbung enthielten.

Bald darauf begann jedoch die große Umwälzung, als im Jahre 1944 der Nachweis gelang, daß zumindest in einem Mikroorganismus, dem Pneumococcus, die Vorschriften zur Erhaltung der erblichen Eigenschaften der Zelle in der DNS der betreffenden Zelle enthalten waren. Den wenigen, die diese damals nicht viel beachteten Entdeckungen ernst nahmen, mußte es klar sein, daß die Gene aus DNS bestünden.

Dem Außenstehenden muß es erscheinen, daß die Naturwissenschaften ein glatter Riesenstrom sind, der in seinem breiten, vorausgegebenen, wenn auch biegungsreichen Bett majestätisch einherrollt. Wer drinnen steht, erkennt, daß die Glätte täuscht, denn eine Unzahl plötzlich aufspringender Wirbel und Strudel gräbt sich immer wieder ein sich in seiner Richtung fortwährend veränderndes Bett. Die erhaben scheinende Klarheit der Induktion erweist sich als zusammengesetzt aus den wildesten Sprüngen, traumhaften Spekulationen, nicht voraussagbaren Hinterhältigkeiten. Erst der historisierende Rückblick erzeugt die trügerische Spiegelglätte. Mit der Zeit wird auch dieser Spiegel trüb, und eine neue, von anderen Moden bewegte Gegenwart erklärt dieses und jenes zwar nicht als falsch, aber als nicht mehr interessant. Daher erscheint die Geschichte der Naturforschung als ein Katalog von Friedhöfen, mit Grabsteinen von unterschiedlicher Qualität.

Selbstverständlich will ich die Sprünge hier nicht mitmachen und beschränke mich auf eine fast schlagwortartige Aufzählung. Ich sollte aber vorher betonen, welch riesenhafte Verallgemeinerung in der Behauptung enthalten ist, daß die Gene aller Lebewesen ausschließlich aus DNS bestehen. Sie beruht auf dem Glauben, daß es in der Natur nur dann Regeln geben kann, wenn es keine Ausnahmen von ihnen gibt. Dabei ist es der Zufall, der als Vater des determinierten Schicksals gilt, denn ihm wird die Erschaffung der Regeln zugeschrieben. Die von Einstein stammende Versicherung, Gott spiele nicht Würfel, scheint dem zu widersprechen, aber ich denke, es wäre besser, Gott aus dem hirn- und herzlosen Geschäft der heutigen Naturforschung draußenzulassen. Außerdem besteht kein Grund, seine Allmacht zu schmälern: warum sollte er nicht würfeln, wenn er Lust hat?

Ohne die Überzeugung von der Einheit der lebenden Natur wäre biologische Forschung, wie sie jetzt betrieben wird, unmöglich. Natürlich ist nur ein winziger Bruchteil der existierenden Arten daraufhin angesehen worden, ob sie DNS enthalten und ob diese die ihr zugeschriebenen genetischen Aufgaben wirklich erfüllt. Da jedoch die Einheit des Lebendigen nur eines seiner hauptsächlichen Merkmale ist –

das andere ist die Vielfalt seiner Erscheinungsformen –, sind Überraschungen nicht ausgeschlossen. Allerdings hat die Fähigkeit des Staunens stark abgenommen.

VIII

Wenn man, wie es bei der DNS der Lebewesen der Fall ist, es mit Riesenketten zu tun hat, in denen vier verschiedene Bestandteile, die Nukleotide, hunderttausendmal oder noch öfter aneinandergereiht sind, erhält man eine unfaßlich große Zahl von Kombinationen. (Ich rate davon ab, es mit einem der so handlichen Taschenrechner zu versuchen, denn angesichts einer solchen Monsterzahl wie 25000! wird er seinen empfindlichen, blinkend-schillernden Geist längst aufgegeben haben.) Man steht hier nicht mehr einem der Fassungskraft eines Chemikers zugänglichen Molekül gegenüber, sondern, wie ich es schon vor Jahren betont habe, einer riesenhaften Landschaft, in der an verschiedenen Orten gleichzeitig vielerlei geschehen kann. (4) Der einzelne mag irgendwo an einer Stelle herumhacken und graben, die ganze Forschung hat aber irgendwie ihren Sinn verloren.

Lange jedoch, bevor es soweit kam, und bald nach der Entdeckung, daß DNS die Substanz der Gene ist, konnte gezeigt werden, daß die DNS einer gegebenen Spezies sich in ihrer Zusammensetzung, d.h. in den Proportionen und daher in der Sequenz ihrer vier Nukleotidbestandteile, von den aus anderen Arten bereiteten DNS-Präparaten charakteristisch unterscheidet. Es mußte demnach eine Unzahl verschiedener Nukleinsäuren geben, aber allen war eine Eigenschaft gemeinsam: ihre Zusammensetzung schien einem unerwarteten und seltsamen Komplementäritätsprinzip unterworfen. Es handelt sich hier um die sogenannte Basenpaarung oder Basenkupplung, die sich in mancher Hinsicht als ein die Lebensvorgänge bestimmendes Prinzip herausstellen sollte.

Wenn mir jemand berichtete, er habe beobachtet, daß in jedem Autobus die Zahl der Passagiere mit blauen Baretten der der Träger gelber Jockeikappen gleich sei und daß er auch immer ebenso viele graue Handschuhe wie braune Schuhe zähle, so würde mir sofort der neue Außenminister der USA einfallen, denn dieser, als er noch Handlanger des Präsidenten Nixon war, hatte zur Erklärung der berühmten Lücken in den Watergate-Transkripten sich auf *sinister forces* (»dunkle Mächte«) berufen, die dafür verantwortlich seien. Wie dem auch sei und ohne direkte Bezugnahme auf die Hölle, in allen DNS-Proben sieht es so aus: der Gehalt an Adenin gleicht dem an Thymin, der Gehalt an Guanin ist dem an Cytosin gleich, die Summe der Purine (Adenin und Guanin) entspricht der der Pyrimidine (Thymin und Cytosin). Es gibt noch eine vierte, sich aus diesen drei Beziehungen ergebende, sehr wichtige Regelmäßigkeit, aber ihre Schilderung würde zuviel Platz beanspruchen.

Aus diesen Beobachtungen und aus einigen Ergebnissen der Röntgenstrukturanalyse erwuchs das bekannte Strukturmodell der DNS, die Doppelhelix, in der zwei verschwisterte DNS-Stränge durch Basenpaarung zusammengehalten werden. Auch die durch verschiedene Enzyme bewirkte Vervielfältigung der DNS beruht auf demselben Prinzip: der eine Strang bildet die Matrize für den Gegenstrang; die in der spezifischen Nukleotidsequenz verschlüsselte »biologische Information« bleibt erhalten, sei es als »Positiv«, sei es als »Negativ«.

IX

Information kann aber nicht Selbstzweck sein, sie muß instruieren. Das ist die Aufgabe, die den Ribonukleinsäuren zuerkannt wird. Auch sie werden an Abschnitten eines als Matrize dienenden DNS-Stranges durch eine Reihe von Enzymen auf Grund der Basenpaarung hergestellt und bewirken dann mittels eines recht komplizierten Mechanismus die durch ihre Nukleotidsequenz vorgeschriebene Synthese eines bestimmten Proteins, dessen Eigenart durch eine spezifische Anordnung der Aminosäurebestandteile gewährleistet ist.

Was ist also eigentlich die in der DNS enthaltene Information, und wie spiegelt sie sich in der Bauart des schließlichen Endprodukts, des Eiweißmoleküls? Die Frage kann einfacher gestellt werden: auf welche Weise wird die spezifische Reihenfolge von Nukleotiden in der DNS in die spezifische Reihenfolge von Aminosäuren im Protein übersetzt? Die Übersetzung erfolgt mit Hilfe des »genetischen Codes«, der jeder Aminosäure – und es gibt deren zwanzig – ein »Wort« oder mehrere zuerkennt, von denen jedes aus einer Gruppe von drei Nukleotiden besteht. Das würde heißen, daß der Auftrag zur Synthese eines bestimmten Proteins, das, sagen wir, aus 200 Aminosäuren besteht, von einem bestimmten, 600 Nukleotide langen Abschnitt der DNS kommen muß. Dieser Abschnitt wäre demnach das zur Bildung jenes Proteins erforderliche Gen; solange er in der DNS einer Zelle unverändert vorkommt, ist diese zur Synthese des von ihm spezifizierten Enzyms oder Hormons fähig. Da es Genprodukte von sehr verschiedener Molekulargröße gibt, müssen die sie bestimmenden Gene in der DNS auch verschiedene Längen aufweisen.

Zusammenfassend würde man also annehmen, daß eine bestimmte kontinuierliche Sequenz in der DNS sich schließlich und endlich in einem bestimmten Eiweißmolekül ausdrückt. Mehr oder weniger scheint das auf Bakterien zuzutreffen und auch auf die verschiedenen halblebendigen Gebilde – sie leben nur im Lebendigen –, wie die Viren, Phagen, Plasmide usw. Als wäre das nicht kompliziert genug – dabei habe ich das ganze Arsenal der beteiligten Ribonukleinsäuren gar nicht erwähnt: die Botschafter, die Überträger und manches andere –, scheint die Lage in den Lebewesen, die sich gerne als höhere bezeichnen, noch viel verwikkelter: der in einem Gen enthaltene Text ist oft nicht kontinuierlich, sondern er ist unterbrochen durch mehrere, manchmal sehr lange Texteinschübe von anderer oder keiner Bedeutung. Da Gott die laut schreienden Bataillone am meisten zu lieben scheint, hat er ihnen bereits die notwendigen Entdeckungen zugespielt, die es gestatten, dieser Schwierigkeit Herr zu werden, welche die ganze Vorstellung vom Gen in Frage zu stellen drohte. Die Molekularkabbala, die hier ins Spiel gebracht wird, will ich gar nicht schildern, denn auf diesem Gebiet haben die lautesten Entdeckungen die kürzeste Lebenszeit.

Auch wenn man annimmt, daß die Erbmasse nur aus DNS zusammengesetzt ist, kann der in ihr enthaltene Text, ob nun fortlaufend oder unterbrochen, sich nicht lediglich auf die Anweisungen zur Bildung zahlreicher verschiedener Proteine beschränken. Zum Beispiel muß es Interpunktionszeichen geben, die dem die Transkription bewerkstelligenden Enzym anzeigen, wo es beginnen und wo es enden soll. Es müßte aber in dieser DNS noch so viele andere Zeichen und Wunder geben, daß den, der es alles durchdenken will, die Verzweiflung ankommt. Wer aber ist in der Lage alles durchzudenken?

X

Das wichtigste Utensil des Spezialforschers ist nämlich jetzt die Scheuklappe. Maulwurfartig und blind, außer für das Eine, gräbt ein jeder seinen Schacht. Treffen sich zwei Schächte, so tauschen die Forscher einen Händedruck und gehen gemeinsam die Belohnung abholen. Meistens schneiden sich jedoch die Gräben erst in der Unendlichkeit, und wenn es zu viele geworden sind, bricht der Hügel ein. Viele Naturwissenschaften sind jetzt an diesem Punkt angelangt, werden aber künstlich am Leben gehalten, nicht weil man noch mehr Schächte braucht, sondern weil es Maulwürfe gibt, die essen wollen. Die hauptsächliche Funktion der Wissenschaften ist jetzt die Erhaltung der Wissenschafter. Als Adam grub und Eva spann, sah es natürlich anders aus.

Die Molekularbiologie findet sich jetzt in der Lage eines zur Kolonisation eines Landes aufbrechenden Stammes, der, einmal angelangt, mit Staunen bemerkt, daß der Landstrich bereits bewohnt ist. Da es aber den Proteinen kaum gelingen kann, den Rest der Zellbevölkerung zu vertreiben oder auszurotten, müssen sie sich, ob sie es wollen oder nicht, auf ein Zusammenleben mit den andern unerläßlichen Bewohnern der Zelle, den Lipoiden und den Polysacchariden, einrichten. (Mit der vierten Gruppe, den Nukleinsäuren, sind sie ohnedies eine Personalunion eingegangen.) In einigen Fällen können die Forscher es sich leichtmachen, indem sie darauf hinweisen, daß alle Enzyme, also alle Katalysatoren der Biosynthese, zur Eiweißklasse gehören. Sogar das ist wahrscheinlich nicht ganz richtig, aber man kann zugeben, daß unter biologischen Bedingungen die Bildung aller Zellbestandteile ohne die Mitwirkung von Enzymen nicht vorstellbar ist. Das ist aber nicht genug, um die genetisch unfehlbare Wiederholung nicht nur des chemisch Ähnlichen, sondern des chemisch Identischen in allen Generationen zu erklären. Es gibt zahlreiche Fälle in der Geschichte des Lebendigen – ich kann sie hier nicht anführen, verweise jedoch auf meine Bücher »Das Feuer des Heraklit« und »Unbegreifliches Geheimnis« –, in denen man versucht ist, die dunklen Mächte des Generals Haig anzurufen, um die vererbliche Konstanz mancher Zellstubstanzen zu erklären. Insofern jedoch der Reduktionismus die letzte Zuflucht des gelehrten Trottels ist, werden wir immer wieder hören, daß die Vererbungsvorgänge wie auch alle anderen Erscheinungen des Lebens auf der Grundlage der Physik und der Chemie restlos verständlich sind. Von Verständnis kann natürlich keine Rede sein; viele Vorgänge sind auf dieser Grundlage nicht einmal erklärlich, was viel weniger ist.

Gestalt, Form bleiben das größte Geheimnis. Angefangen

beim Einzeller oder noch darunter bis zum Dr. Lederberg oder noch darüber hinaus hat ein jedes seine charakteristische Gestalt mitbekommen, einen Zusammenfluß von Eigenheiten, der manchmal weit über dem liegt, was wir in Worte fassen können. Nicht nur der ganze Organismus hat das Wesentliche seiner Formen geerbt, sondern jedes seiner Organe, ja seiner Zellen. In manchen Fällen weicht eine Gestalt von der der Norm ab, aber auch diese Abweichung ist oft erblich. Hinter der Einheit des Lebens verbirgt sich eine Vielgestalt, hinter der Vielgestalt eine Einheit. Wie sie zusammenfließen in der Geburt; wie sie sich auflösen im Tod; wie sie sich sterbend erneuern; wie sie, sich erneuernd, sich verändern; wie die Veränderung manchmal in die Wiederholung eingebaut ist, manchmal aber als einmaliges Geschehnis verschwindet und dann doch nach vielen Generationen wieder erscheint: es ist schade, daß die Naturwissenschaften ausgezogen sind, uns das Staunen abzugewöhnen. Alles Lebende ist mehr als »soviel Zentimeter einer dicht zusammengerollten DNS«.

XI

Ist man aber dieser überheblich-erzreduktionistischen Meinung und war man eingeladen, an einem Symposium über »Man and His Future« (Ciba Foundation, 1963) teilzunehmen, so hat man sein Scherflein zu einem Buch beigetragen, das sich wie der Bericht über einen Trainingskurs für Geschäftsreisende einer schäbigen Hölle liest. In mancher Beziehung erinnert mich dieses Buch an »Mein Kampf«: auch hier waren Autoren am Werke, die nicht glaubten, daß ihre Utopien so bald der Wirklichkeit nahekommen würden. Ich will diesen Aufsatz nicht mit Zitaten aus dem bemerkenswerten Buch belasten. Jetzt, da man sich seiner besonders erinnern sollte, scheint es vergessen zu sein. Es gibt auch eine deutsche Übersetzung: »Das umstrittene Experiment: Der Mensch« (1966). Vielleicht noch lesenswerter ist die von F. Wagner herausgegebene Abrechnung mit diesem Buch, die den Titel »Menschenzüchtung« (1969) trägt.

Eine Stelle aus dem hoffnungsvollen Bericht möchte ich aber doch hersetzen: »Es ist klar, daß ein Gibbon von vornherein besser als ein Mensch für das Leben in einem Feld mit geringer Schwerkraft geeignet ist, wie es in einem Raumschiff, auf einem Asteroiden oder vielleicht auch auf dem Mond vorkommt. Eine Breitnase mit einem Greifschwanz ist dafür sogar noch geeigneter. Die Pfropfung von Genen läßt es möglich erscheinen, Menschen solche Eigenschaften anzuzüchten. Die Beine des Menschen und ein Großteil des Beckens sind unerwünscht. Männer, die durch einen Unfall oder durch Mutation ihre Beine verloren haben, wären als Astronauten besonders geeignet. Wenn ein Mittel entdeckt wird, das die Wirkung von Thalidomid (Contergan) nur auf die Beine und nicht auf die Arme hat, läßt sich die Besatzung des ersten Raumschiffes zusammenstellen ... Eine regressive Mutation auf den Zustand unserer Vorfahren im mittleren Pliozän, mit Greiffüßen, so gut wie keinen Fersen und einem Becken, wie es die Affen haben, wäre noch besser.« (5)

Wenn Naturforscher tief nachdenken über die Verbesserung des Menschen, kommt oft etwas Grausiges heraus. Wer im Menschen nur ein lästiges, schwieriges Tier erkennt, eine Art von anspruchsvollem Versuchskaninchen, darf sich nicht wundern, wenn die kommenden Generationen dieser Vorstellung immer ähnlicher werden. Es sind keine zwanzig Jahre her, seit Haldane seine entzückenden Zukunftsvisionen spann, und er konnte sich gehenlassen, denn er dachte, von den nächsten zehntausend Jahren zu sprechen; unterdessen sind es weniger, viel weniger als hundert geworden. Die Naturwissenschaft mißt nur das Meßbare, und das ist sie bereit, in immer kleinere Stücke zu hacken, die dann zu neuartigen Kombinationen verwendet werden. Die Möglichkeit, daß im Menschen, ja in allen lebenden Wesen etwas wohnt, was nicht meßbar ist, wird überhaupt nicht zur Kenntnis genommen. Die Vorstellung, daß es Bereiche gibt, in die die Wissenschaft nicht eindringen darf – und nicht nur, weil sie es nicht vermag –, erregt Lachkrämpfe. In heidnischen Zeiten konnte Kaiser Hadrian der *animula vagula blandula* gedenken. Wer jetzt seine Seele aufgibt, verlangt ein Rezepisse. Das einzige, was wirklich in Betracht kommt, ist das elende Quipu von ein Meter achtzig.

Viel von dem, was man aufschreiben kann, wird wahr. Nehmen wir an, man habe das Superneocontergan, von dem Haldane träumte, erfunden, und jetzt gebe man es den Müttern ein. Nicht alle Mißgeburten werden dem ausbedungenen Verkrüppelungsgrad entsprechen. Was tut man mit den Ungeeigneten? Verkauft man sie billiger oder stampft man sie ein? Ich erwarte keine Antwort. Wenn die Verwirklichung näherkommt, schweigen die Utopisten.

XII

In den letzten zehn oder fünfzehn Jahren ist es nämlich sehr schnell gegangen. Vielen Genen in der DNS primitiver Organismen ist ihr Platz innerhalb der DNS zugewiesen worden, und es gibt recht detaillierte Landkarten der Genverteilung. Höchst spezifische Enzyme, die sogenannten Restriktionsenzyme, gestatten die Spaltung der riesigen DNS-Ketten an bestimmten Stellen, so daß die einzelnen Fragmente in ihrer Nukleotidsequenz und in ihren biologischen Fähigkeiten getrennt untersucht werden können. Ein isoliertes DNS-Stück, dessen genetische Leistungsfähigkeit bekannt ist, kann in die DNS eines Plasmids – d. h. eines in einer lebenden Zelle wohnhaften, reproduktionsfähigen Einschlußkörpers – gespleißt werden. Wenn ein derart verändertes Plasmid, in die Bakterienzelle eingeführt, sich mit dieser vervielfältigt, bilden sich gleichzeitig ebenso viele Kopien des eingefügten fremden DNS-Fragments, gemäß dessen Instruktion die Wirtszelle dann veranlaßt wird, das von ihm spezifizierte Eiweißmolekül zu erzeugen. Die hier sehr oberflächlich und vereinfachend geschilderten Vorgänge sind die Grundlage der jetzt so viel besprochenen Gentechnologie.

Ich würde sagen, daß die Öffentlichkeit es nicht mit genügender Klarheit verstanden hat, daß es sich bei dieser Technik um die unwiderrufliche Erzeugung neuer Arten des Lebens handelt; und noch dazu von Arten, in denen sehr oft eine einzigartige Verschmelzung von Erbelementen stattgefunden hat, zwischen denen die Natur eine unüberschreitbare Schranke errichtet hat. Hinweise auf diese Beschränkung haben bei den Experten allgemeines Kichern verursacht, denn, so sagten sie, in der millionenalten Geschichte des Lebendigen müssen unzählige Verschmelzungen von Erbelementen vor sich gegangen sein, also wahrscheinlich auch solche. Allerdings. Nur ist es ein trübseliger Gedanke, daß die bösen Buben der Molekulargenetik, wenn ich sie mir so anschaue, das langsame Wirken von Millionen Jahren schon überflügelt haben sollen, und sie haben keine zehn Jahre gehabt.

Ich habe den ganzen Fragenknäuel bereits ausführlich geschildert (»Unbegreifliches Geheimnis«, S. 144ff.), es ist aber einiges dazugekommen. Zweifellos wird in den wenigen Jahren, bevor wir Orwells 1984 zelebrieren können, noch mehr geschehen.

Die wichtigste neue Errungenschaft der Gentechnologie, und wahrscheinlich einer ihrer Triumphe, ist ihre Kommerzialisierung. Wie es sich gebührt, wurde der erste Schritt in den Vereinigten Staaten gemacht, aber Europa folgte bald darauf. Firmen, die sich mit Genmanipulationen befassen, hat es schon seit einigen Jahren gegeben, ihr ursprünglicher Zweck war jedoch die Umgehung der von den verschiedenen Regierungen erlassenen Richtlinien. Diese Richtlinien, die Vorschriften also bezüglich Sicherheitsmaßnahmen bei Laboratoriumsversuchen über Gentransplantation, bilden ein interessantes Kapitel in der Geschichte der Heuchelei. In USA bezogen sich die offiziellen Einschränkungen – sie wurden fast alle unterdessen aufgehoben oder gemildert – nur auf Arbeiten, die mit öffentlichen Mitteln ausgeführt wurden. In einem Land, in dem nur allzuviel naheliegt, lag demnach nichts näher, als daß einige Forscher sich zusammentaten und schräg gegenüber vom Laboratorium ein Lokal mieteten, wo sie, als Privatfirma eingetragen, alles tun konnten, was verboten war. Die Weisheit, die mit Steuermitteln erkaufte Weisheit, bezogen sie von vis-à-vis, aus der Universität. Am Schluß wußte man dann schon nicht mehr, ob man es mit Dr. Jekyll und Mr. Hyde zu tun hatte oder mit Dr. Hyde und Mr. Jekyll. Menschenfreund, der ich bin, nehme ich also an, daß die Freude an der Übertretung der Vorschriften zuerst kam und erst später der Gedanke an den Geldgewinn.

Geld kann man auf viele, häufig unverdiente Arten verdienen, aber nichts ist schöner, als wenn man es, in seinem Sessel sitzen bleibend, anderen aus der Tasche ziehen kann. Viele Goldaktien sind verkauft worden, die nicht einmal von einem Blei führenden Bergwerk gedeckt waren. So waren denn die Aktien der ersten genetischen Firma, die sich an die Öffentlichkeit wandte, ein großer Erfolg. Am ersten Tag stiegen sie von $35 auf $89, jetzt sind sie wieder irgendwo unten. (Angesichts des molekularen Spürsinns der wissenschaftlichen Geschäftsteilhaber ist zu hoffen, daß sie ihre eigenen Anteile am ersten Abend losgeworden sind, denn bald darauf waren sie für die Hälfte zu haben.) Andere Genfirmen sind dabei, sich ebenfalls als Aktiengesellschaften zu etablieren. Wen diese Mischung von steigendem Gen und fallendem Dollar an William Blakes »Die Hochzeit von Himmel und Hölle« erinnert, den möchte ich darauf hinweisen, daß die Schlußworte dieses Buches lauten: »Denn alles was lebt ist Heilig.« Kann man Heilige patentieren?

XIII

Bald wird es soweit sein, schon damit die Herzchirurgen nicht mehr so neidig auf die Genchirurgen zu sein brauchen. Die ersten Schritte sind getan. Am 16. Juni 1980 entschied der U. S. Supreme Court, also der Oberste Gerichtshof der Vereinigten Staaten, mit knapper Mehrheit (5 zu 4), daß ein lebender, künstlich erzeugter Mikroorganismus patentierbar ist. (Für Pflanzenmutanten galt das schon früher.) Der englische Wortlaut der unheiligen Schrift ist: »A live, human-made microorganism is patentable subject matter.« Was heißt »human-made«? Menschenhände, oder zumindest die von Molekularbiologen, haben ja nur ein wenig herumgepantscht; gemacht haben sie weder den Wirt, das Kolibakterium, noch den Träger, Plasmid oder Lambdavirus, oder das hineingezwängte fremde Stück von DNS. Das Endprodukt aber war eine neue Form von Lebewesen, eine zu neuen Tätigkeiten fähige Form, und das genügte dem Gericht. Es genügte sogar den schwerer zu überzeugenden Börsenspekulanten. Daß aber Gott seinerzeit keine Patente angemeldet hat, wird ihm noch teuer zu stehen kommen, denn sein Ebenbild ist in Gefahr.

Ich sehe nämlich den sich fürchterlich erhebenden Schatten einer neuen Sklaverei. Die Zukunftsträumer, die das früher zitierte Ciba-Symposium des Jahres 1963 verübt haben, wären über diesen Schatten erfreut, nicht erstaunt. Viele ihrer damaligen Äußerungen machen es klar, daß sie ohne weiteres annahmen, die Menschheit gehöre den Biologen und ähnlichen Fachleuten; und der Oberste Gerichtshof der Vereinigten Staaten würde die meisten der dort geschilderten nützlichen Mißgeburten gewiß als patentwürdig ansehen. Allerdings erhebt sich die Frage des Besitzrechtes, und diese hinwieder mag eine neue Definition des Menschen erfordern. Der Mensch, höre ich, ist frei, und die Sklaverei, so sagt man mir, ist offiziell abgeschafft.

Nicht abgeschafft jedoch sind die Texasmilliardäre, und

die warten nur darauf, sich als ihre unnachahmlichen Kopien klonieren zu lassen. Das wird bald kommen. Vor kurzem machten die Zeitungen ein Mordsgeschrei, es sei gelungen, graue Mäuse zu klonieren, und was den Nagetieren gelungen ist, wird den reichen Leuten nicht verwehrt bleiben. Wenn man genau zusieht, war es auch bei den Mäusen kein wahrer Abklatsch einer einzigen Maus oder Mäusin, denn dazu hätte man zur Befruchtung den Kern einer erwachsenen differenzierten Zelle benötigt; es war vielmehr die Kopie von Vater plus Mutter, und das haben ja eigentlich schon die Neandertaler ganz ohne Forschungskredite getroffen. Der zur Befruchtung des entkernten Eies dienende Zellkern stammte nämlich aus einem Embryo, wofür ja noch immer zwei notwendig sind. Es ist also der Naturforschung noch nicht gelungen, die Natur ganz zu umgehen oder zu überlisten; es fehlen ihr aber nur einige technische Feinheiten, bevor es soweit ist. Obwohl der hauptsächliche Teil der für solchen Unfug verwendeten Unsummen als Krebsforschung deklariert wird, glaube ich, daß es lange vor dem »Sieg über den Krebs« geglückt sein wird, einen reichen Mann zu duplizieren. Und wenn die Welt – gemäß der unsterblichen Antwort Anton Kuhs, als man ihn fragte, was er in Amerika anfangen wolle – »Schnorrer immer brauchen kann«, so braucht sie reiche Leute noch mehr, wie einen Bissen Kaviar.

Patentfähig wäre der Milliardär allerdings ebensowenig wie die auf gelehrten Umwegen erzeugte graue Maus. Da müßte noch etwas dazukommen, nämlich die Möglichkeit, Veränderungen an der DNS des Menschen selbst vorzunehmen oder ihr ein fremdes Stück DNS einzuverleiben. Das ist zwar, fürchte ich, schon jetzt möglich, aber die so behandelten DNS-Präparate wären kaum zur Befruchtung eines entkernten Eies tauglich. Da so viel Unangenehmes gerade nur um die Ecke ist, zweifle ich jedoch nicht, daß auch diese Erfolge der Genmanipulation nicht lange auf sich werden warten lassen. Ein auf solche Weise verändertes Wesen wäre patentierbar, besonders wenn man die erforderlichen Befruchtungszellen gekauft und die Gebärmutter gemietet hat. Bald wird auch diese durch irgendeine Art von Brutapparat ersetzt werden. Mit solchen Lebewesen, halb Mensch, halb Molekularbiologie – erzeugt, nicht gezeugt, im Schatten einer Doppelhelix – wird man viel tun können, was jetzt noch nicht möglich ist. Ich möchte nicht dabei sein.

XIV

Was hätte Hamann zu den hier geschilderten kleinen Teufeleien der Molekularbiologie gesagt? Die Weltweisheit, gegen deren falsche Ausleger er zu Felde zog, war keineswegs naturwissenschaftlich orientiert. Das kam erst später; und Hamanns große Bewunderer, so z. B. Goethe oder Kierkegaard, hatten mehr Gelegenheit, mit der beginnenden Naturforschung zu kollidieren, mit jener Forschung, die sich mit Recht als stolzes Kind des Rationalismus betrachtet. Daß jedoch gerade die kühnsten Gebäude der Forschung über einem finstern Abgrund des Nichtwissenkönnens errichtet sind, wird nur wenigen klar sein. Und doch ist es leider so, daß in den Wissenschaften, besonders in den biologischen Wissenschaften, die Qualität der Konklusionen häufig viel höher ist als die der Prämissen, aus denen jene hervorgegangen sind.

Viel wußte Hamann, was wir nicht mehr wissen und in unserem naturwissenschaftlichen Zeitalter auch nicht wissen können. Am 29. Mai 1762 – also zur Zeit der anfangs zitierten »Aesthetica in nuce« – schrieb er an seinen Freund J. G. Lindner:

> Ich weiß, daß mein Erlöser lebt, der mich von allem Uebel erlösen wird, und auch von der Sünde, die mich wie meine eigene Haut umgiebt, mich träge macht und allenthalben anklebt. – Ich weiß, daß meine Muse auf einer glühenden

Asche singt, und ihre Feder statt einer Scherbe braucht, um sich zu kratzen. – Ich weiß, daß die Erde meine Mutter und Würmer meine Brüder sind. (6)

Diese Art von Wissen mag uns jetzt lächerlich erscheinen, wenn wir sie mit dem Wissensschatz, sagen wir, eines Genetikers oder Soziobiologen vergleichen. Dennoch will es mir scheinen, daß der ungeheure Informationsüberschuß, wie er uns aus jedem Heft einer wissenschaftlichen Zeitschrift entgegenspritzt, nur eine Krätze ist auf der Haut der Welt. Wie ein Jäger, bewaffnet mit der strahlenden Waffe der Vernunft, pirscht sich die Menschheit an das Unbegreifliche heran; aber wenn sie so weit ist, zeigt es sich, daß das nicht der Strauch ist, in dem das Unbegreifliche sitzt. Vielleicht ist es im nächsten, vielleicht ist es überall.

Anmerkungen

(1) J. G. Hamann, Sämtliche Werke, Hrsg. J. Nadler (Herder, Wien, 1950) 2. Bd., S. 207f.

(2) J. Lederberg, in G. Wolstenholme (Hrsg.), Man and His Future (Little, Brown & Co., Boston, Toronto, 1963) S. 263f.

(3) Diese Verse stammen aus dem ersten Teil von »Choruses from ›The Rock‹«, 1934, in: T. S. Eliot, The Complete Poems and Plays (Faber and Faber, London, 1969) S. 147.

(4) E. Chargaff, What Really is DNA?, in Progress in Nucleic Acid Research and Molecular Biology, *8*, 297 (Academic Press, New York, 1968).

(5) J. B. S. Haldane auf S. 354 des in Anmerkung (2) angeführten Buches.

(6) J. G. Hamann, Briefwechsel, Hrsg. Ziesemer und Henkel (Insel-Verlag, Wiesbaden, 1956) 2. Bd., S. 157.

[4]

PEACOCK: FRÜHE FURCHT VOR DEN NATURWISSENSCHAFTEN

Ein Mann, 1785 geboren und am Ende eines langen Lebens zurückblickend, hat viele gewaltige Veränderungen erlebt: die Französische Revolution, die Napoleonischen Kriege, das Erwachen des Nationalismus, die Aufstellung von Massenheeren, die Bildung riesiger kapitalistisch organisierter Industrien und Finanzinstitute, das Bewußtwerden der Klassentrennung, die Entstehung von Sozialismus und Kommunismus, die Eisenbahnen und die Dampfschiffe, den Telegraphen und die Gasbeleuchtung der immer riesiger werdenden Großstädte, das Schrumpfen des Bauernstandes; aber auch die ungeheure Zunahme der Macht der Tagespresse und der von ihr mehr gemachten als ausgedrückten öffentlichen Meinung; nicht zuletzt aber auch den Aufstieg der Wissenschaften und der Forschung und die ersten zögernden Schritte einer neuen Berufsklasse, der Wissensproduzenten. (Ein um vierzig Jahre jüngerer Mann hatte im allgemeinen weniger aufrüttelnde Erinnerungen; erst meine Generation qualifiziert sich wieder als Vorzugsschüler historischer Angstträume.)

Die erste Epoche des Anwachsens der Naturwissenschaften ging still vor sich, und die romantische Generation, dilettantisch entflammt, betrachtete sie mit Begeisterung und Hoffnung, wenig wissend, was aus dem lockigen Knäblein werden sollte. Naturwissenschaft war noch eine Art von trockener Magie. Die folgenden Worte aus der »Aurélia« des Gérard de Nerval sind vielleicht bezeichnend:

> Vielleicht treten wir bereits in den vorhergesagten Zeitraum ein, da die Wissenschaft, nach Vollendung ihres ganzen Kreises von Synthese und Analyse, von Glauben und Verneinung, in der Lage sein wird, sich zu läutern

und aus der Verwirrung und den Trümmern die wunderbare Stadt der Zukunft emporsteigen zu lassen.

Das war aus dem Kern der Romantik heraus gesagt, in einem halluzinierenden Delirium, wie fast alles, was de Nerval am Ende seines kurzen Lebens schrieb – so zwischen zwei Aufenthalten in den traurigen Irrenasylen von Paris. Die wunderbare Stadt der Zukunft war ein Traum; ganz andere Kräfte waren tagsüber wirksam.

Als diese Vision von der Wissenschaft um 1855 niedergeschrieben wurde, gab es auch andere, denen der versprochene Läuterungsvorgang weniger offensichtlich war. Es waren stille, nicht viel gehörte Stimmen. Dennoch sammle ich sie gerne. Eine dieser Stimmen, die ich besonders liebhabe, gehört einem alten Engländer, Thomas Love Peacock. Er ist 1866 mit 81 Jahren gestorben. Wer kennt schon seinen Namen im deutschen Sprech- und Lesebereich? – und doch war er einer der schärfsten, witzigsten, skeptischsten Schriftsteller der englischen Literatur. In seiner Jugend stand er Shelley nahe und veröffentlichte später Erinnerungen an seine Freundschaft mit diesem so anders gearteten Mann. Ihn trieben keine Winde aufrührerischer Leidenschaften umher; im Besten was er schrieb, in seiner Prosa, war er kühl, sarkastisch, urban. Der reservierte Ton seiner Bemerkungen hat vielleicht etwas Wehmütiges. Seine Satire war sehr verschieden von der eines Swift oder Pope: er biß nie aufs Blut; man hat das Gefühl, er wolle sich nicht schmutzig machen. Außerdem habe es ohnedies keinen Sinn; es werde gehen, wie es gehen müsse: vom Schlechten zum Schlechtern. Unterdessen gebe es jedoch noch einige kleine Freuden des Lebens in England. Diese feierte er gelegentlich in Balladen, Romanzen und sonstigen Gedichten, die er auch über seine Romane freigebig ausstreute. Berufsmäßigen Engländern, soweit sie noch lesen können, scheint solche Robin-Hood-Romantik zu gefallen. Da jedoch ungefähr um dieselbe Zeit »die Lage der arbeitenden Klasse in England« von berufenster Seite als miserabel erkannt wurde, dürfte es sich hier nicht weniger um eine Attrappe handeln, als es jetzt die als Cowboys verkleideten Texasmillionäre sind. Vielleicht ist es so, daß wir das echte Glück immer erst dann erkennen können, wenn es als Wachsfigur bei Madame Tussaud's ausgestellt ist.

Von seinen Büchern hätte Peacock nicht leben können. Er hatte jedoch viele Jahre eine bedeutende Stellung in der East India Company, als »Chief Examiner of Correspondence«; in der großen Handelsgesellschaft also, die damals auch vielen anderen, so z. B. dem Philosophen James Mill oder dem Dichter Charles Lamb, eine komfortable Zuflucht bot. Peacocks Nachruhm beruht auf seinen sieben Romanen. Eigentlich sind sie nicht, was man gewöhnlich unter Romanen versteht. Die Handlung ist nebensächlich und nur ganz leicht und ironisch – »tongue in cheek« – hingetupft. Wenn ich nach einem Gegenstück in der deutschen Literatur suche, fällt mir nur Georg Büchners »Leonce und Lena« ein, aber dieses flaumleichte Wunder von einem Komödchen ist von ganz anderer lyrischer Intensität und dafür ganz und gar nicht satirisch. Auch Alfred de Mussets »Proverbes« bieten keine wirkliche Entsprechung. Am ehesten noch einiges von Voltaire und Diderot, z. B. »Jacques le fataliste et son maître«.

Dagegen hat sich in der englischen Literatur die Tradition schneidend witziger Dialogik bis in die Gegenwart fortgesetzt, wenn auch mit verminderter Intensität, bis zu Meredith, übrigens Peacocks Schwiegersohn, Aldous Huxley und Ivy Compton-Burnett. Obwohl ich von Übersetzungen nicht viel halte, ist es vielleicht bezeichnend, daß es anscheinend keine Übersetzungen von Peacocks Romanen ins Deutsche gibt. Die ersten sechs dieser Bücher erschienen zwischen 1816 und 1831, dann war eine Pause von fast dreißig Jahren. Mit 75 Jahren, 1860, veröffentlichte Peacock seinen letzten Roman »Gryll Grange«. Mir ist er der liebste, denn ich verehre Sonnenuntergänge, ob es nun »Faust II« ist, »Der

Stechlin« oder die »Kunst der Fuge«. Tatsächlich kann man, trotz dem milderen und freundlicheren Hintergrund dieses Buches, kaum behaupten, es sei weniger kritisch und satirisch als die früheren; die Zielscheibe des Witzes hat sich jedoch verändert. Waren es früher einzelne Personen, die aufs Korn genommen wurden: Coleridge oder Shelley oder Byron, Leigh Hunt oder Brougham, so sind es jetzt viel eher die Zustände, an deren Überhandnehmen die früher Verspotteten schuldig waren. Daher ist das Buch viel zeitgemäßer geblieben als Peacocks andere Schriften, wenn auch manche damals apokalyptisch klingende Übertreibung jetzt als ein Gemeinplatz des täglichen Lebens erscheinen mag. Es ist nämlich alles viel schneller gegangen, als man hätte glauben können, und aufrührerische Haßpamphlete der Vergangenheit sind die Idyllen der Gegenwart geworden; man sehnt sich geradezu nach derart bukolischen Greueln. Nur Franz Kafka, der Meister des von keiner Sonne geworfenen Schattens, kann nicht überholt, ja nicht einmal eingeholt werden.

II

Peacock jedenfalls war weit entfernt von apokalyptischen Visionen. Ein romantischer Antiromantiker, war er der Alte geblieben in einer sich überstürzenden Zeit, als die Eingriffe der Technik in das Menschenleben zum ersten Mal fühlbar zu werden begannen. Sein letzter Roman spielt in Hampshire, und zwar in Gryll Grange, dem in einem wunderschönen Park liegenden Landhaus eines Herrn Gryll. Wie in allen Büchern Peacocks bilden die Gespräche den Hauptteil des Buches. Mehrere Leute nehmen daran teil, aber als hauptsächlicher und die Meinung des Autors wiedergebender Partner tritt der Reverend Dr. Opimian auf – so genannt nach einem berühmten Wein der alten Römer von anno 121 v. Chr. –, ein klassisch und gastronomisch hochgebildeter Vikar aus der Nachbarschaft.

Wer etwas sehen will, muß hie und da stehenbleiben. Selbst die schönste Landschaft, im Automobil durchrast, wird sich ihm nicht eröffnen; auch wenn er anhält, hilft das nicht viel. Erstens werden sie hinter ihm wie wahnsinnig tuten, und außerdem stinkt es nach Benzin. Im Leben hie und da stehenzubleiben ist das Schwerste auf der Welt; wir kullern alle eine abschüssig schiefe Ebene hinunter. Und gar in der Naturforschung, da ist der Vorwurf, man bewege sich nicht genügend rasch, geradezu ehrenrührig. Wie oft wurde das mir von Idiotenseite vorgehalten! Es wird auch zu Peacocks Zeiten Idioten gegeben haben, wenn auch weniger Fachidioten. Er ließ sich jedoch nicht beirren und blieb stehen, wann und wo es ihm gefiel. So hat er, vielleicht als erster, den geheimnisvollen Zusammenhang zwischen der öde klappernden Wissensproduktion und der immerwährenden Verschlechterung der Lebensumstände erkannt. Gleich im ersten Kapitel von »Gryll Grange« findet sich die folgende Stelle.*

> *The Reverend Doctor Opimian:* Die Weisheit des Parlaments ... ist nicht wie irgendeine andere Weisheit. Sie ist nicht die Weisheit des Sokrates, noch auch die des Salomon. Sie ist die Weisheit des Parlaments. ... Sie hat wunderbare Dinge aus eigenem zustandegebracht, und noch mehr, wenn die Wissenschaft** ihr zu Hilfe gekommen ist. Zusammen haben sie die Themse vergiftet und die Fische im Fluß umgebracht. Dieselbe Weisheit und Wissenschaft, wenn sie sich noch ein wenig weiter entwik-

---

* Alle Übersetzungen aus diesem Buch stammen von mir.

** Peacock verwendet immer das Wort SCIENCE, das gerade damals im Englischen seine allgemeinere Bedeutung zu verlieren begann, indem es sich auf die Naturwissenschaften, insbesondere die experimentellen Wissenschaften beschränkte. Im Oxford English Dictionary stammt der erste schriftliche Beleg für diese einschränkende Bedeutung aus dem Jahre 1867. Früher hätte Peacock vielleicht »natural sciences« oder »experimental sciences« geschrieben. Vgl. die ausgezeichnete Erörterung dieses Wortes bei Williams (1).

keln, werden schließlich die Luft vergiften und die Bewohner der Ufer töten ... Die Weisheit hat der Wissenschaft befohlen, etwas zu machen. Die Weisheit weiß nicht was, und auch die Wissenschaft weiß es nicht. Aber die Weisheit hat die Wissenschaft ermächtigt, einige Millionen Geldes auszugeben; und das wird die Wissenschaft zweifellos tun. Wenn das Geld verbraucht ist, wird man finden, daß dieses Etwas ärger war als nichts. Die Wissenschaft wird mehr Geld wollen, um irgendein anderes Etwas zu machen, und die Weisheit wird es ihr zugestehen.

Dabei muß man bedenken, daß das etwa 1858 geschrieben wurde. Ich hätte nicht gedacht, daß die Umweltvergiftung schon vor mehr als 120 Jahren so klar erkannt worden ist, noch auch, daß ihr Zusammenhang mit der Forschungsförderung aus öffentlichen Mitteln schon damals besprochen werden konnte. Es war eben die Zeit, als der Unfug wirklich anfing.*

Das Buch ist voll boshafter und scharfsinniger Beobachtungen dieser Art, aber das hauptsächliche Kapitel, das uns im gegenwärtigen Zusammenhang angeht, ist Kapitel 19. Da gibt es herrliche Gespräche zwischen einem fortschrittstrunkenen Lord und dem Dr. Opimian. Zum Beispiel die folgende Stelle.

Lord Curryfin: Nun gut, was sagen Sie zum elektrischen Telegraphen, mit Hilfe dessen Sie über tausende Meilen

* Daß Gleichgesinnte sich zu einer Art von Klub zusammenschließen, ist wahrscheinlich den Menschen angeboren; und diese Neigung dürfte die Gründung solcher Akademien wie der *Royal Society*, der *Académie des Sciences*, der *Leopoldina* usw. bestimmt haben. Die Bildung frei zugänglicher Riesenvereinigungen, die politischen Druck ausüben konnten, war jedoch dem 19. Jahrhundert vorbehalten, so z. B. die britische und die amerikanische *Association for the Advancement of Science*. Solche Gruppen, voll missionären Eifers, taten mehr als einen bestehenden Zustand zu besiegeln; sie führten ihn herbei.

hinweg konversieren können? Sogar über den Atlantischen Ozean, wie wir es zweifellos noch werden tun können.

The Reverend Doctor Opimian: Ich habe nicht den geringsten Wunsch, den Verkehr mit den Amerikanern zu beschleunigen. Wenn wir die Kraft der elektrischen Abstoßung dazu verwenden könnten, uns davor zu beschützen, noch jemals etwas von ihnen zu hören, so würde ich denken, daß wir endlich einen Nutzen aus der Wissenschaft gezogen haben.

Was wir jetzt ernten, wurde in den Riesenstädten des 19. Jahrhunderts gesät, in Paris und London, und bald auch in New York. Damals und dort wurde der Weg eingeschlagen, den man nur in einer Richtung gehen kann. Ich glaube jedoch nicht, daß eine wahre Wahl bestand. Kreuzwege sind meistens historische *post-factum* Konstruktionen. Was der einzelne in seiner eigenen Zeit merkt, ist ein enormes, unwiderstehliches Gefälle, das ihn und alle hinunterreißt. Diesem Gefühl kann er Ausdruck geben in seinen Schriften – aber sie müssen auf taube Ohren stoßen – oder in seinem Tagebuch – und das bringt ihm postume Literatenehren. Die Eintragungen eines Kierkegaard, eines Delacroix, eines Baudelaire* sind voller herrlicher Bemerkungen, aber es sind die Ausrufe von zur Unhörbarkeit verdammten Außenseitern; im Innern der Paläste tafelt immer Belsazar.

Baudelaire will das Ärgste sagen, wenn er schreibt, der Glaube an den Fortschritt sei eine Doktrin von Belgiern (2). Wenn es nur das gewesen wäre! Dieser Glaube war das elfte Gebot der ganzen westlichen Welt, und er ist es geblieben. Peacock hatte eine besondere Abneigung gegen Heilsverkünder aller Art und liebte Monomanen nur wegen ihrer

---

* Die Feststellung Bertolt Brechts, Baudelaire sei der Dichter des französischen Kleinbürgertums (3), wird vielleicht nicht als eine seiner gescheitesten in die Geschichte eingehen.

Lächerlichkeit. Er war ein komischer Schriftsteller, der es ernst meinte. Das folgende Zitat, das ich an den Anfang des nächsten Abschnittes setze, ist vielleicht das Herzstück des gesamten Buches.

III

Lord Curryfin: . . . Wir sollten mehr Weisheit haben, da wir offensichtlich mehr Wissenschaft haben.
The Reverend Doctor Opimian: Wissenschaft ist eine Sache und Weisheit eine andere. Wissenschaft ist ein schneidendes Werkzeug, mit dem die Leute wie Kinder spielen und sich in die Finger schneiden. Wenn Sie die Ergebnisse betrachten, welche die Wissenschaft mit sich gebracht hat, werden Sie finden, daß sie fast nur aus Elementen des Unheils bestehen. Schauen Sie, wie viel allein im Wort Explosion liegt, das die Alten überhaupt nicht kannten. Explosionen von Pulverfabriken und Magazinen; von Gasen in Bergwerken und Häusern; von Hochdruckmaschinen in Schiffen und Fabriken. Betrachten Sie die Kompliziertheit und Verfeinerung der Vernichtungsarten, der Revolver und Gewehre, der Granaten und Raketen und Kanonen. Schauen Sie auf die Zusammenstöße und Unglücksfälle, auf alle Arten von Katastrophen zu Land und zur See, die hauptsächlich von der wahnsinnigen Sucht nach Geschwindigkeit kommen, bei Leuten, die meistens nichts zu tun haben, wenn das Rennen zu Ende ist . . . Schauen Sie auf unsere wissenschaftliche Entwässerung, die aus Müll Gift macht. Betrachten Sie den Untergrund Londons, wann immer er zum Vorschein kommt: das durchsickernde Gas hat eine verpestete schwarze Masse aus ihm gemacht, darin nichts wachsen kann. Und auch über dem Boden vermag, beim rapiden Anstieg der sich immer vermehrenden Plagen, kein lebendes Wesen ungestraft zu atmen. Schauen Sie auf unsere

wissenschaftlichen Maschinen, welche die Heimarbeit vernichtet haben, welche die Festigkeit der Produkte durch Fäulnis ersetzt haben; an Stelle eines gesunden und bequemen Lebens auf dem Lande haben wir die physische Entartung in überfüllten Städten bekommen. Der Tag würde nicht ausreichen, wollte ich versuchen, das Unglück zu schildern, das die Wissenschaft der Menschheit gebracht hat. Ich glaube fast, es ist das endgültige Los der Naturwissenschaft, das Menschengeschlecht auszurotten.

An wen wird die Beschwerde gerichtet, wo wird Klage geführt? Da war Hiob besser daran: er wußte, wo er sich beklagen solle. Wir alle, Zöglinge der Aufklärung, Opfer eines rosa-verwaschenen Deismus wissen es nicht mehr. Allerdings lebte Peacock in einer noch nicht voll virulenten Demokratie, in der es noch so etwas wie eine Obrigkeit gab. Sie hätte, wäre seine Klage zu ihr gelangt, verzeihend-gütig gelächelt, denn mit Querulanten umzugehen hatte man ja schon gelernt. »And first things come first.« Ob Tory, ob Whig, alle waren am sogenannten Fortschritt geschäftlich interessiert und hätten gar nicht daran gedacht, die Forschungsfreiheit einzuschränken. Forschung war eine Maschine zur Kolonisierung des letzten, noch nicht in Besitz genommenen Riesenraums, der Natur. Da waren wahrscheinlich Marx und Palmerston, Engels und Disraeli ein und derselben Meinung.

Ich habe den Eindruck, daß alle großen historischen Kämpfe, immer und überall, sich nur auf der einen Seite der Bühne abspielen. Da sind die Päpste und die Ketzer, die Kaiser und die Revolutionäre, die Feldherren und die Meuterer, die Kirchenväter und die Philosophen, die Ruhigen und die Aufgeregten – alles was je einen Namen hatte. Die andere Seite der Bühne ist erfüllt von einem stimm- und namenlosen Meer von Komparsen; sie können nur leiden, sie hat niemand je etwas gefragt, ja man kann sie nicht fragen.

Nicht einmal Spartakus hätte ihnen zur Stimme verhelfen können, noch auch Toussaint L'Ouverture.

Immerhin war die Mitte des vorigen Jahrhunderts noch die Zeit der großen Nörgler: Schopenhauer, Burckhardt, Nietzsche, und eigentlich auch Karl Marx. Von ihnen unterscheidet sich Peacock durch die Abwesenheit der Vehemenz und jeglicher Form von Pathos. Wer sagt, diese liegen nicht dem englischen Wesen, hat natürlich recht, aber das war nicht immer so. Erst im Laufe des 17. Jahrhunderts kühlte die englische Literatur sich ab. War es ein Verbürgerlichungsprozeß oder der Einfluß des Puritanismus? Jedenfalls kann man aus einem Vergleich zwischen, sagen wir, Racine und Thomas Otway oder zwischen den beiden Vornamensbrüdern Andreas Gryphius und Andrew Marvell einiges lernen. Wem im englischen Sprachbereich heutzutage vorgeworfen wird, seine Prosa enthalte »purple patches« – purpurne Flicken –, der ist gerichtet. Pathos bleibe dem Alten Testament vorbehalten. Allerdings vermag unsere Zeit nicht mehr zwischen Schwulst und Leidenschaft zu unterscheiden.

Jedenfalls macht der sachliche, unterkühlte Ton Peacocks Anklage nur eindrucksvoller, besonders wenn man sich auf die ersten drei und die letzten zwei Sätze aus Dr. Opimians Aussage beschränkt, d. h., wenn man die detaillierten Beschwerden außer acht läßt. Diese sind aus Peacocks unmittelbarer Erfahrung bezogen und verhalten sich zu seiner allgemeinen Voraussage nicht anders als Prousts Madeleine zu »À la recherche du temps perdu«. Das Genie zieht Schlüsse aus der Zukunft, das Talent aus der Vergangenheit. Vielleicht sah Peacock mehr, als sein experimentelles Material gestattete. Umso mehr Grund für mich, ihn ernst zu nehmen.

IV

Selbst die Anklagepunkte sind keineswegs trivial. Ich weiß nicht, ob die Geschichte des Umweltbewußtseins bereits geschrieben worden ist – es könnte ein lehrreiches Unternehmen sein –, aber ich denke, daß Peacock als ein früher Zeuge der unerträglichen Verschmutzung und Vergiftung von Luft, Erde und Wasser angesehen werden kann. Er war kein profunder gesellschaftlicher Denker, dazu kam ihm das meiste viel zu närrisch vor. Aber die Produktionstrunkenheit, die im Laufe des 19. Jahrhunderts Rechts und Links gleichermaßen erfaßte, scheint ihm klar gewesen zu sein. Natürlich ging ein Kampf vor sich um den Besitz der Produktionsmittel; aber daß der Mensch zuvörderst als Produzent gewertet werden müsse, darüber scheint man sich einig gewesen zu sein. (Das Korrelat – die Überlegung, daß er moralisch auch verpflichtet sei, Konsument zu sein – kam erst später.) Die Frage, ob es besser ist, wenn die Sklaventreiber von oben eingesetzt werden, oder wenn sie aus den Kreisen der Sklaven selbst hervorgehen, diese Frage mag Peacock von untergeordneter Bedeutung erschienen sein. Was er bekämpfte, oder bessser, was er bedauerte, waren die Gier und Hast – und wo fehlen diese, außer vielleicht in den anarchistischen Systemen, von denen er wahrscheinlich nichts wußte? Auch war er kein Utopist.

Es ist bemerkenswert, wie früh in Peacock die Erkenntnis durchbrach, daß die Naturwissenschaften ein toll gewordenes Werkzeug sind, dem es schließlich gelingen werde, »to exterminate the human race«. Nun würde man sagen, daß die Ausrottung einer ganzen Gattung – und noch dazu einer, die soviel von sich hermacht – keine leichte Aufgabe sein kann. Die Vorboten des Verfalls müssen schon Tausende von Jahren vorher sich abzuzeichnen begonnen haben, denn im Leben der Erde ertönen wahrscheinlich keine Glockensignale, die anzeigen, daß der Park jetzt geschlossen wird. Die Parkbesucher müssen es schon selbst merken, daß es

Zeit ist zu verschwinden. Ich betrachte den gegenwärtigen Zustand der Naturwissenschaften als einen Vorboten dieser Art. Die unangenehme Stimme, die mich auf meinem Lebensweg begleitet, flüstert mir allerdings zu, das alles seien nur Symptome, nicht Ursachen; worauf ich erwidere, daß man sehr wohl an Symptomen zugrunde gehen kann, die Ursachen seien ohnedies meistens nicht aufzufinden. Auch gebe ich zu bedenken, daß die Naturwissenschaften sich hauptsächlich mit Symptomen befassen, wenn sie auch diese fälschlich zu Ursachen erklären. Tun zum Beispiel die biologischen Wissenschaften etwas anderes, als einige Symptome des Lebendigen aufzuzeichnen?

Allerdings ist der sich fortwährend verändernde heraklitische Strom nicht die einzige Straße zur Fortbewegung in das Nichts der Nichtmehrexistenz; es gibt auch Katastrophen, und die werden Peacocks Denken nicht ferngelegen haben. Darauf komme ich noch zurück. Jedenfalls ist es nicht schwer, die von Dr. Opimian erwähnten Beschuldigungen einzeln aufzuzählen. Sie sind, in der Reihenfolge ihres Erscheinens in den verschiedenen Zitaten:

1. Vergiftung des Wassers, der Luft, des Bodens und die damit verbundene Schädigung der Gesundheit der Anwohner;
2. Geldvergeudung, gefolgt von durch die Förderung der Forschung verursachten weiteren Übeln; wie auch überhaupt die Kohabitation von Staat und Wissenschaft;
3. Erleichterung des Verkehrs mit Leuten, mit denen man möglichst wenig zu tun zu haben wünscht;
4. »Martern aller Arten«: Explosionen, Vernichtungswaffen (also Kriegsindustrie), Unglücksfälle;
5. die wahnsinnige Sucht nach Geschwindigkeit;
6. Veränderung der Lebensgewohnheiten und der Lebensweise durch die Großindustrie; damit einhergehend die physische Entartung der durch die Industrie in die Großstädte geschwemmten Bewohnerschaft, aber auch die Verschlechterung der Qualität der Industrieprodukte.

Wenn diese Liste auch ein Wirrwarr ist, so ist sie doch mehr wahr als wirr. Trotzdem ist der Sprung erstaunlich, den Peacock macht, indem er vorhersagt, daß die Wissenschaften zur Vernichtung der Menschheit führen werden. Bevor ich mich dem widme, was Peacock erkannt hat, und auch dem, was er, zeitgebunden wie wir alle, nicht erkennen konnte, möchte ich ein kleines Satyrspiel einschieben, eines von jenen Divertissements, die später auch dem heitersten Betrachter der Welt einen bitteren Geschmack im Mund hinterlassen.

V

Exkurs über die Hinrichtung eines Kälbchens

Vor kurzem stand in der New York Times eine kleine Meldung der Associated Press. Ich übersetze:

> SALT LAKE CITY, 12. Februar 1981 – Wie ein Sprecher der Universität mitteilte, wurde das Jerseykalb, das einen Rekord aufgestellt hat, indem es 267 Tage mit einem künstlichen Herzen lebte, gestern getötet*, nachdem es nicht gelungen war, eine Infektion mittels Antibiotika zu beseitigen.
> Wie Larry Hastings, ein Laborant am Herzlaboratorium des Medical Center der University of Utah, sagte, litt das Kalb, das den Namen Alfred Lord Tennyson trug, an einer Infektion entlang der Röhren, die das luftgetriebene Herz mit einer Energiequelle verbanden, und hatte hohes Fieber.
> Nach Versuchen, das Kalb mit Antibiotika zu behandeln,

* Allerdings verwendet der Bericht niemals das Wort »kill« (töten), sondern die Wendung »put to death«, was eigentlich »hinrichten« bedeutet. Vielleicht ist das ein Euphemismus, so wie die meisten Forscher, wenn Versuchstiere umgebracht werden, heutzutage in ihren Arbeiten schreiben: »the animals were sacrificed«; »sie wurden geopfert« (auf dem Altar der Wissenschaft?).

beschlossen die Forscher, das Tier zu töten, »weil es litt«, sagte die Sprecherin, Pam Fogle. Der frühere Rekord für das Überleben eines Tieres mit einem künstlichen Herzen lag bei 221 Tagen; ihn hatte ein anderes Kalb 1979 aufgestellt.

Tennysons Herz war etwas größer als das Modell, das Chirurgen vom University Medical Center wahrscheinlich noch dieses Jahr einem Menschen einzupflanzen beabsichtigen.

Nach mehr als 20 Jahre währenden Experimenten mit künstlichen Herzen in Tieren hat ein Universitätskomitee den Forschern die Genehmigung erteilt, ein derartiges Herz einem menschlichen Patienten einzupflanzen.

Die Forscher sind gerade dabei, ihren Vorschlag der Federal Food and Drug Administration zu unterbreiten. Wird er gutgeheißen, so wollen sie mit der Suche nach einem geeigneten Patienten beginnen, einem Patienten, der ohne künstliches Herz sterben würde. Dr. William C. DeVries, der Universitätschirurg, wird die Operation ausführen.

Viele Namen für eine kurze Meldung; alles gruppiert sich um den Hingerichteten; nicht unähnlich der Photographie, die Karl Kraus als Frontispiz der »letzten Tage der Menschheit« verwendete, den blutigen und bittern Geschmack künftiger Zeiten vorausahnend. Larry Hastings, Pam Fogle – nun gut, sie kommen und gehen und haben sich nur schnell der Nachwelt in Erinnerung bringen wollen, daß es auch sie gegeben hat. Finsterer wartet im Hintergrund der Universitätschirurg. Aber das arme Kalb, wie kommt es zum edlen Namen des Poeta laureatus mit dem schönen Vollbart? Hat seine Mutter, die namenlose Kuh, in ihrer Jugend die »Königsidyllen« oder »Enoch Arden« verschlungen und den Sprößling nach ihrem Lieblingsdichter benannt? Nein, heutzutage lebt und stirbt man für das Fernsehen, man leidet in Technicolor, der letzte Hauch ein witziger Furz. Alles klopft sich auf den zufriedenen Bauch: es geschieht doch was für die Forschung.

Und die Forschung? Sie wartet; ungeduldig, aber beherrscht wartet sie auf das erste Menschenopfer, das ihr versichert, dem sie versichert, nun könne es nicht mehr leben ohne Röhren und Energiequelle. Es wird damit versehen werden, und es wird leiden. Aber seinem Leiden wird der Chirurg kein Ende setzen dürfen, selbst wenn er den Patienten in Alfred Lord Tennyson umtauft. Die Kakothanasie ist noch nicht gesetzlich anerkannt. Einen Trost mag der experimentelle Tote mit sich nehmen: auch sein Name wird in der Zeitung stehen.

Außerdem hat Lazarus, der es wissen muß, mich gebeten, »dem geeigneten Patienten, der ohne künstliches Herz sterben würde«, mitzuteilen, daß er auch mit einem künstlichen Herzen sterben wird. So kann aber die Forschung auch vom Tod Prozente nehmen.

VI

Hier haben wir also etwas, was selbst der scharfsinnige Peacock nicht hätte voraussehen können. Die Naturwissenschaft ist eine Weltmacht geworden und erläßt Gesetze, nicht nur angebliche Naturgesetze, sondern auch Verhaltensmaßregeln für unnatürliche Fälle. Schon im Falle der Herztransplantationen und anderer Organverpflanzungen war der Schritt, der vom Erhabenen zum Kriminellen führt, überaus kurz geworden, denn die Fledderer warteten an allen Ecken auf Unfälle, wenn sie sie nicht geradezu provozierten. Hier handelt es sich jedoch um Erprobung eines interessanten Fabrikates am Moribunden. Zwischen Gott und den Sterbenden drängt sich die Biotechnik und verlängert die Agonie. Denn alles was publiziert werden kann, muß geschehen.

Ich denke, man würde die Menschen einteilen können

nach ihrem Verhalten zu dieser wenig epochalen Zeitungsmeldung. Nicht viele werden mein Entsetzen teilen, manche werden sagen, es sei gleichgültig, ob das Kälbchen als Schnitzel endet oder als Opfer der Wissenschaft. Andere, sich erinnernd, wie leicht der Austausch der Zündkerzen ihres Wagens vor sich geht, werden die Forschung ermuntern, auf ihrem nützlichen Wege fortzuschreiten, denn etwas Brauchbares werde da schon herauskommen. Und gar unter Naturwissenschaftern wären die Ergebnisse einer Umfrage einhellig: wie können wir etwas wissen, was wir nicht versucht haben? So muß also, Herr über Tod oder Tod, der Universitätschirurg die fürchterliche Entscheidung treffen.

Da man den Tag nicht vor dem Abend loben soll, es aber, wenn dieser gekommen ist, zu spät ist für jenen, weiß ich nicht, wie man den Erfolg oder Mißerfolg solcher Herzunterschiebungen beurteilen kann. Mit seinem eigenen Herzen hätte Alfred Lord Tennyson wahrscheinlich länger als neun Monate gelebt. Die Wissenschaft wird aber zweifellos einen geeigneten Weg finden, denn es gibt keine Finsternis, und sei sie auch von keinem Strahl zu durchdringen, die von der Statistik nicht erhellt zu werden vermag. In deren fahlem Licht wird also der Beweis geführt werden, daß die Herzprothese erfolgreich war, und dann wird es munter weitergehen. Die alte Forderung, daß kein neuer Eingriff an Menschen gemacht werden dürfe, dem der Forscher selbst sich nicht vorher unterzogen hat, ist ja schon längst abgetan.

Ich habe wahrscheinlich zu viel Zeit auf eine unbedeutende Zeitungsnotiz verwendet, aber ich gehöre zu denen, die nur aus kleinen Anzeichen auf riesenhafte Ursachen schließen können. So kann sich mir die verhängnisvolle Arroganz der heutigen Forschungsansprüche eher aus einer nichtssagenden Meldung aus Utah erschließen als aus dem kraftmeierischen Gefasel über die Segnungen der Neutronenbombe. Es hängt nämlich alles miteinander zusammen, aber sogar die Apokalypse beobachtet man besser mit nichtapokalyptischen Augen.

VII

Wenn ich zuerst das Wichtigste erwähnen soll, das in Peacocks Liste von Anklagepunkten gegen die Naturwissenschaft fehlt, so ist es die vorgespiegelte Totalität der durch sie übermittelten Erkenntnis. Aus diesem religionsähnlichen Anspruch auf ein völliges, den Menschen ganz erfüllendes Erlebnis der Wirklichkeit erwächst ihre Überheblichkeit, die alles verwirft, was nicht auf einer scheinbar wissenschaftlichen Grundlage erforschbar ist. Die Austrocknung der Kunst und der Dichtung, das Schwinden jeglichen religiösen Gefühls, die Entfremdung von Sprache und menschlichem Zusammensein, das haltlose Schweben in einem Zwischenreich zwischen Leben und Tod haben die experimentellen Wissenschaften als die einzigen Verwalter des über den Alltag hinausreichenden Denkens und Suchens hinterlassen. So ist es den Naturwissenschaften verhängt worden, der Menschheit das Herz aus dem Leib zu schneiden; aber – welch ein Glücksfall! – sie haben schon ein künstliches Herz parat, genauso wie die Höhle der Trolle immer Kunstaugen bereit hielt. Auch damit hätte Peer Gynt sehen können, jedoch nur, was er sehen sollte.

Es ist also die Einengung des menschlichen Einbildungsvermögens, die Beschränkung menschlicher Gefühle und Handlungen auf Reaktionen einer chemisch beschreibbaren inerten Materie, die Verfemung all dessen, was nicht gewogen und gemessen werden kann, die Zerfaserung eines nie wieder herstellbaren Kontinuums, die man dem Triumph der Naturwissenschaften zur Last legen muß. Wir leben in einem derartigen System von ineinander geschachtelten, miteinander verfilzten Labyrinthen, daß keine Ariadne den Weg hinaus finden könnte. Der Weichselzopf unentwirrbarer gegenseitigen Abhängigkeiten ist das Emblem unserer Zeit. Nie war eine Epoche so gordisch, und nie ein Alexander so fern. Man mag verschiedener Meinung sein über den Grad, in dem das Anschwellen der Naturforschung die Schuld trägt, aber ihr wesentlicher Beitrag zu all dem Elend kann kaum geleugnet werden.

Ich denke nicht, daß Peacock mir recht gegeben hätte – das war keine Kategorie, in der zu denken er gewohnt war –, wenn ich sage, daß die Naturwissenschaft sich anschickt, der Gott einer gottlosen Zeit zu sein; und doch ist es mein hauptsächlicher Vorwurf. »Ich sehe dich, *daher* bist du«, sagt die Wissenschaft und schneidet mit einem Streich alles ab, was sie nicht sieht. Das hinterlassene Vakuum bleibt nicht ungefüllt.

VIII

Was einem Leser der von mir anfangs zitierten Stellen vielleicht vor allem andern auffällt, ist die Gleichgültigkeit, mit der Peacock überhaupt nicht zwischen Naturwissenschaft und Technik unterscheidet. Er spricht eigentlich nur von den üblen Folgen der Anwendungen, die anscheinend gerade damals sich bemerkbar zu machen begannen. Dabei hat er wahrscheinlich viel weniger unrecht, als es mir erscheinen will, der viel Mühe auf die Unterscheidung zwischen reiner und angewandter Naturwissenschaft verwendet hat. (Vgl. (4), Seite 51) Allerdings muß ich gestehen, daß auch für mich im Laufe meines Lebens die Schranken, die zwischen Forschung und Praxis zu bestehen schienen, immer brüchiger geworden sind. Wer hätte denken können, daß die abstraktesten Überlegungen der theoretischen Physik sich in acht Jahren in die ungezählten Leichenhaufen von Hiroshima und Nagasaki übersetzen würden? Tatsächlich gibt es keine reine Naturforschung mehr, ob ich nun meinen Blick auf die Atombombe werfe oder die Nervengase, auf Bakterientoxine oder die sogenannte Insurgentenkontrolle, auf die Soziobiologie oder den Drogentod. Antonyme sind zu Synonymen geworden, und »rein« heißt jetzt »blutig«.

Rein kann ein Forscher nur bleiben, wenn es ihm gelingt,

die Gesellschaftsprozesse, die ihn treiben und unterjochen, auszuschalten, und wer kann das jetzt? Trotzdem mag es manchem scheinen, daß Peacock einen ungemein kühnen Sprung macht, wenn er aus den von ihm erkannten Schäden auf die endliche Ausrottung der Menschheit schließt. Oder handelt es sich nur um das mißgelaunte Brummen eines älteren Herren aus der besitzenden Klasse? Auch das würde die Richtigkeit seiner Vorhersagen nicht ausschließen, denn gutgelaunte Leute machen keine Propheten. Es könnte aber auch sein, daß er mehr geahnt hat, als er sagte. Er war zwar, Sohn des 18. Jahrhunderts, ein logischer Denker, muß aber gewußt haben, daß Logik nur zu dem verhilft, was man auch ohne sie gefunden hätte. Etwas muß noch dazukommen, und das heißt vielleicht Instinkt oder Intuition oder, in seltenen Fällen, ein tiefer Glaube.

Jedenfalls steht es da, sein Wort, schwarz auf weiß, oder, wenn man will, rot auf rosa, denn er war auch ein heiterer Denker; und ich möchte es ernst nehmen. Was sind also die Elemente, von denen man annehmen könnte, daß sie zu einem Ende mit Schrecken, gefolgt von einem Schrecken ohne Ende (beziehungsweise umgekehrt), führen können?

Es sind zwei, und ich habe sie schon früher besprochen (4 und 5). Es geht um die berühmten Kerne: den Kern des Atoms, den Kern der Zelle. Sicherlich kennt die Menschengeschichte keine unseligeren Entdeckungen als diejenigen, die es möglich gemacht haben, daran zu rühren. Das furchterregende Ebenmaß der Dinge und der Wesen – Blakes *fearful symmetry* –, zum ersten Mal in der Geschichte wurde es gestört. Vielleicht sollte ich sagen, zum zweiten Mal, denn in Urzeiten gab es ja schon das Vergehen am Baum der Erkenntnis. Dieses Mal aber geht es um den Baum des Lebens.

IX

Eine Generalprobe der von Peacock vorhergesagten Ausrottung der Menschheit hat die Kernenergie bereits veranstaltet. Es war ein Bombenerfolg, wenn es auch nur eine kleine Kostprobe war. In den darauf folgenden 35 Jahren hat das Gleichgewicht des Schreckens die Hauptakteure und auch einige emsige Statisten keineswegs daran verhindert, riesenhafte Arsenale von Nuklearscheußlichkeiten aufzubauen, die, wenn richtig placiert, ausreichen, die gesamte Bevölkerung der Erde mehrfach zu vernichten. Fehlt es also nur an gutem Willen? Wen die Götter zugrunde richten wollen, so sagt ein alter Scholiast, den schlagen sie zuerst mit Wahnsinn. Ist das wahr? Ich fürchte, sie schlagen ihn eher mit Schlauheit. Denn auf die dumpfe Angst des Anfangs folgte der Kalkül, indem ein jeder sich ausrechnet, daß gerade er verschont bleiben kann, wenn ... Dieses Wenn, milliardenmal genommen, beschreibt unsere Welt. Natürlich kann man zugleich schlau und wahnsinnig sein; und das beschreibt vielleicht unsern Zustand. Das Tier in Kafkas »Der Bau« hatte unterirdisch eine unangreifbare Festung errichtet, die von schützenden Labyrinthen umgeben war. Aber dann bekam das Tier selbst Angst vor ihnen und zog es vor, außerhalb im wilden, gefährlichen Wald zu lauern, ob nicht ein anderes Tier die Festung angriffe. Am Ende schlüpfte es wieder in seinen Bau und erlag wahrscheinlich – die Dichtung ist unvollendet – dem erfolgreichen Eindringling. Das Tier war schlau und wahnsinnig und mag als treffende Parabel für unsere Zeit dastehen. Dabei lebte es nicht einmal in einer Welt wie der unsern, in der ein jeder einem jeden eine Grube gräbt.

Wenn ich mich an meine eigene Vergangenheit erinnern darf, hatte ich anfangs keine besondere Angst und richtete mich wohnlich ein unter meinem persönlichen Damoklesschwert. Lebhafte Angst begann ich erst zu empfinden, als man in Amerika dazu überging, die Atombomben mit einem

Kosenamen, »nukes«, zu belegen. Wenn der Orkus ein Lacherfolg wird, ist es Zeit ans Ende zu denken. Ich frage mich, ob die russische Sprache, so reich an den lieblichsten Diminutiven, auch eines für die Atombombe besitzt.

Auf Gemeinplätzen herrscht meistens zuviel Verkehr, und so will ich mich nicht auf die Frage einlassen, ob es richtig ist, wie häufig behauptet wird, daß jede existierende Waffe einmal angewendet werden muß. Nun ist die Atombombe schon zweimal angewendet worden, und wir wissen ja alle: *il n'y a que le premier pas qui coûte.**

Jedenfalls habe ich den Eindruck, daß in dem Lande, in dem ich lebe, sich in den letzten Jahren unheilverkündende Veränderungen vollzogen haben. Der Horror ist verschwunden, er hat sich in Demonstrationen gegen Kernkraftwerke verlagert oder zu einer Malaise verzettelt, die gleichzeitig gegen so viele Dinge protestiert, daß sie eigentlich gegen nichts mehr protestieren kann. Außerdem ist Kafkas immer stumpfer werdendes Tier auf die Idee gekommen, daß ihm zu seinem Schutz nur einige weitere Labyrinthe fehlen, und daß es vollends unangreifbar werden könnte, wenn es seinen Bau auf Räder setzte, um ihn mit unheimlicher Geschwindigkeit durch das ganze Land zu bewegen. Das nicht weniger stumpfe Gegentier wird sich dann wieder etwas ausdenken müssen. Und so wird es weitergehen. Wie lange kann es so weitergehen?

Heutzutage ist es üblich geworden, sich ganze »Szenarien« auszudenken, zahlreiche *think tanks* tun nichts anderes; auch ist, seit die Zukunft düster auszusehen begann, eine neue Wissenschaft entstanden, die Futurologie. Viel Gutes kann sie uns nicht versprechen. Das tun hingegen die Naturwis-

---

* Daß es nur auf den ersten Schritt ankomme, diese Feststellung mag uns jetzt banal erscheinen. Tatsächlich war der Satz, als er zuerst ausgesprochen wurde, witzig und schlagfertig. Denn, als der Kardinal Polignac die Leistung des heiligen Denis rühmte, der nach seiner Köpfung mit dem Kopf in den Armen zwei Meilen habe gehen müssen, von Montmartre bis zur Abtei von Saint-Denis, gab ihm die geistreiche Madame du Deffand die berühmte Antwort.

senschaften, die, aus einem alten Sprichwort Nutzen ziehend, uns überredet haben, daß wir umso klüger werden, je mehr Schaden zu stiften wir ihnen gestatten. So ist allen geholfen.

Da ich selbst nicht weiß, wie es weitergehen wird, kann ich mich an all diesen Projektionen nicht beteiligen. Mir wirft die Zukunft keine Schatten, dafür die Gegenwart. So viel will ich aber Peacock zugestehen: die gegenwärtige Naturforschung hat die Hilfsmittel zur Ausrottung der Menschheit beigestellt. Werden sie bald eingesetzt werden? Wenn ich die menschliche Größe des Präsidenten Truman damit vergleiche, was er angestellt hat, halte ich, angesichts der mich umgebenden Staatsmänner, die Verwirklichung von Peacocks Warnung für wahrscheinlich.

Gegen Johannes auf Patmos wurde eingewendet, daß nichts so heiß gegessen wird, wie es gekocht ist. Auch dem apokalyptischen Karl Kraus wurde Voreiligkeit vorgeworfen: »*Untergang* der Welt durch schwarze Magie«, »Die *letzten* Tage der Menschheit«. Wo ist denn der Untergang, was ist letzt? Worauf ich nur antworten kann: vielleicht ist die *Welt* untergegangen, vielleicht waren es die letzten Tage der *Menschheit*. So wird man auch gegen Peacock einwenden, daß selbst in einem Atomkrieg kaum die gesamte Menschheit wird ausgerottet werden können. Zugestanden, aber das sind Taschenspielereien. Es gibt so etwas wie eine kritische Masse, selbst wenn genug Menschen übrigbleiben, daß die Ameisen sie ausgestopft in ihr Museum stellen können.

X

Wenn man jedoch Peacock genauer liest, wird man vielleicht bemerken, daß er nicht so sehr an wissenschaftlich bedingte Vernichtungskriege gedacht hat, wie an hinterlistigere Arten von langsamer Vergiftung und Schädigung. Die Verpestung und Verarmung der Erde, der Luft, des Wassers haben in unseren Zeiten Fortschritte gemacht, die Peacock gewiß nicht für möglich gehalten hätte. Nichts spricht dafür, daß dem Einhalt geboten werden kann. Als ich vor fünfzig Jahren nach New York kam, standen Briefe in den Zeitungen, die sich dagegen wendeten, daß die Maronenbrater auf der Fifth Avenue mit ihren Öfchen die Luft beschmutzen. Was waren das für bukolische Zeiten! Wenn aber Daphnis oder Thyrsis jetzt auf der Flucht vor DDT (Dichlordiphenyltrichloräthan) und PCB (Polychlorbiphenyl) haltmacht und sich mit einem Trunk aus der Hochquelljauche des New Yorker Wassers erfrischt, wird er von mehr Miasmen angegriffen, von mehr ionisierenden Strahlen benagt, von mehr Chemikalien gebeizt, als Dante in seinen schrecklichsten Träumen in Malebolge hätte ansiedeln können. Selbst wenn die Evolution sich die Ärmel aufkrempelt und mit Hochdruck zu arbeiten beginnt, um den Menschen gift- und strahlenfest zu machen, wird ihr, fürchte ich, das nicht gelingen; eher noch bei den Ameisen, Wanzen, Schaben.

Rechnet man das noch ungelöste Problem des Nuklearmülls dazu, von dem niemand wirklich weiß, was damit anzufangen, und der sicherlich eine Quelle unübersichtlicher Gefahren für ungezählte Generationen ist, so muß man sagen, daß die vielfältigen Angriffe auf jenen großen Schatz der Menschheit, das Genreservoir, sich derart vermehrt haben, daß die Erfüllung von Peacocks Vorhersage keineswegs unwahrscheinlich ist. Außerdem sind jetzt dank der Gentechnik unmittelbare Eingriffe in die Erbelemente des Menschen möglich geworden, und was teils wohlgemeinte, teils vorschnell habgierige Pfuscherei da anstellen kann, und daher wird, kann noch gar nicht ermessen werden.

Daß der Mensch gebrechlicher ist, als die robuste Naturforschung ihm zugesteht, hat Peacock wahrscheinlich geahnt. Er liebte die Natur und sah sie mit den sachlichen Augen seiner Jugendzeit. Hätte er zugegeben, daß mit dem Verschwinden der Menschheit, mit der Auslöschung des menschlichen Bewußtseins die Welt zu Ende ist? Ich weiß es nicht; aber hier kommt eine Antwort von seiten der modernen Wissenschaft. Ich las nämlich vor kurzem einen interessanten Vortrag über die physikalischen und philosophischen Aspekte der Quantentheorie (6). Dort wurde auch eine uralte rabbinische Legende zitiert, die ungefähr so lautet. »Einmal neckte Gott den Abraham und sagte: ›Ohne Mich könnte es dich nicht einmal geben, Abraham.‹ Worauf dieser erwiderte: ›Ja, Herr, ich weiß es. Aber ohne mich wärest Du unbekannt geblieben!‹« Dieses Zwiegespräch wird dann auf die Physik angewendet, die der Autor wie folgt sprechen läßt. »Ja, o Weltall, ohne dich wären wir nicht fähig gewesen, in das Sein einzutreten. Aber du, großes System, bestehst aus Phänomenen, und jedes Phänomen beruht auf einer Beobachtung. Du könntest nicht einmal existieren ohne solche bewußten Wahrnehmungen, wie ich sie vollziehe.« Daraus scheint hervorzugehen, daß das Weltall die Physik dringender braucht als diese jenes.

Wie ich jedoch die Legende lese, sagte die Physik zu Gott: »Wir haben dich erkannt, wir haben dich vernichtet. Du bist nichts als ein Phänomen, als ein Schein, und auch das nur, solange wir bereit sind, dich unsern Untersuchungen zu unterwerfen.« Allerdings steht die Antwort der zum Phänomen erklärten Allmacht noch aus. Überhaupt stellt es sich als auf die Dauer unerträglich heraus, daß die Naturwissenschaften verurteilt sind zu einem ewigen Dialog mit einem Partner, der stumm bleibt. Je stiller es ist, desto mehr müssen sie schreien.

Anmerkungen

(1) R. Williams, Keywords (Oxford Univ. Press, New York, 1976) S. 232.
(2) C. Baudelaire, Mon coeur mis à nu, IX.
(3) B. Brecht, Schriften zur Literatur und Kunst (Suhrkamp, Frankfurt, 1967) 3. Bd., S. 38.
(4) E. Chargaff, Unbegreifliches Geheimnis (Klett-Cotta, Stuttgart, 1980).
(5) E. Chargaff, Das Feuer des Heraklit (Klett-Cotta, Stuttgart, 1979).
(6) J. A. Wheeler, Delayed-Choice Experiments and the Bohr-Einstein Dialog, Papers Read at a Meeting of the American Philosophical Society and the Royal Society, June 5, 1980, S. 9.

[5]

DELACROIX: DER FORTSCHRITT UND DIE ÜBERHOLTHEIT

I

Progressus oder *progressio* ist kein seltenes Wort im Lateinischen und bedeutet eine allmähliche, stetige Weiterbewegung, von Punkt zu Punkt. Wenn es bei Cicero heißt: *progressionem facere ad virtutem* oder in *studiis progressus facere*, so ist das natürlich lobend gemeint, denn es ist doch schön, sich allmählich der Tugend zu nähern (nur nicht springen!) oder in den Studien fortzuschreiten. Aber wenn ich höre, daß K.'s Schwindsucht weitere Fortschritte gemacht hat, so kann höchstens der Tuberkelbazillus das als Freudenbotschaft betrachten; und auch er nur, weil er dumm ist, denn, wenn er seinen Wirt getötet hat, wird es auch ihm nicht sehr gut gehen.

Im Laufe des Mittelalters ist das Wort in die europäischen Sprachen eingetreten, ungefähr in der Bedeutung, die es schon früher hatte. Das deutsche Wort »Fortschritt« ist jung: in der Mitte des 18. Jahrhunderts ist es erschienen, möglicherweise von Wieland in die Sprache eingeführt. Aber erst hundert Jahre nachher, zur Zeit der Achtundvierzigerrevolution, erwarb es den hoffnungstriefenden Beigeschmack, der es seither begleitet. Da dies auch die Zeit war, als die Meinungsmacherei industrialisiert wurde und ihre ersten verhängnisvollen Triumphe feierte, ist es nicht überraschend, daß schon damals ernste Worte der Warnung zu hören waren, denn wo es Macher gibt, gibt es auch Defätisten.

So finde ich im unschätzbaren Tagebuch des großen Malers Eugène Delacroix (1) einige Notizen, die hierhergehören. Zum Beispiel die Eintragung vom 23. April 1849:

> Je crois, d'après les renseignements qui nous crèvent les yeux depuis un an, qu'on peut affirmer que tout progrès doit amener nécessairement non pas un progrès plus grand encore, mais à la fin négation du progrès, retour au point dont on est parti. L'histoire du genre humain est là pour le prouver.

Einem Bewunderer von Tintoretto, Veronese, Rubens mußte das Versprechen der Fortschrittstrommler, daß auf die Jetztzeit eine jetztere folgen müsse, ebenso verächtlich erscheinen, wie etwa einem Schopenhauer. Auch die klarblickende Notiz vom 22. März 1850 verdient Erwähnung:

> Ce prétendu progrès moderne dans l'ordre politique n'est donc qu'une évolution, un accident de ce moment précis. Nous pouvons demain embrasser le déspotisme avec la fureur que nous avons mise à nous rendre indépendants de tout frein.

Zur Zeit der Aufklärung glaubte man gerne an die Möglichkeit des sittlichen Fortschrittes der Menschheit, wobei man es vielleicht offen ließ, ob sie besser werden könne, weil sie weiser wurde, oder weiser werden könne, weil sie besser wurde. Auch Lessing, den ich später zitieren werde, war dieser Hoffnung. Im darauffolgenden Kommerzjahrhundert fungierte Tugend eher als Vorauszahlung auf die kommende Erbschaft oder als Aussteuer – man trug sie an Sonntagen –; worauf es wirklich ankam, war der politische Fortschritt, der Anlaß bot zu unendlicher Phrasendrescherei. Da das aber auch das letzte Jahrhundert des Gelehrten war, waren ernstere Männer gleichfalls damit beschäftigt, über den Fortschritt nachzudenken oder, wie Marx, ihm endlich den Stoß zu geben, der ihn beschleunigte. Allerdings stellte es sich später heraus, daß der Fortschritt nicht geradezu eine Billardkugel ist. Besonders über die postulierte Zunahme der menschlichen Freiheit machte man sich Gedanken: Mill,

Buckle, Lecky, Acton, Bury. Was hätten solche Männer nach Besichtigung unseres Jahrhunderts gesagt? Hätten sie vielleicht doch Kierkegaard und den andern leisen Warnern recht gegeben?

Nein, das hätten sie nicht. Es war eine Zeit voller Hoffnung, allerdings auch voller Heuchelei. Nur fern vom Mittelpunkt strahlender Lichtverheißung kauerten wenige graue Figuren in den Vorstädten der Verzweiflung; aber wer sah sie schon, wer hörte sie? *Dum spiro, spero* – wo Atem ist, ist Hoffnung – sagten die gott- und selbstgefälligen Männer und wiesen auf das, worüber man nicht zweifeln konnte: den Fortschritt der Wissenschaften, besonders der Naturwissenschaften.

II

Die Naturwissenschaften, in ihrer modernen Phase, sind ein wichtiges Element in der Idee des Fortschrittes. Zahlreiche, regelmäßig erscheinende Sammlungen von Übersichtsaufsätzen in allen Bereichen der Forschung führen die Wörter »Advances« oder »Progress« in ihren Titeln. Ich selber habe in meinen grüneren Jahren Beiträge geliefert, die in Bänden erschienen mit solchen Namen wie »Advances in Protein Chemistry«, »Advances in Enzymology« oder »Progress in Nucleic Acid Research«. Sieht man einige dieser Bücher genauer an, so bemerkt man, daß der Fortschritt manchmal konzeptionell, meistens aber lediglich methodologisch ist. Eigentlich besteht er nur darin, daß, wie bei jeder andauernden menschlichen Tätigkeit, auch die Naturforschung nicht stillstehen kann; es kommt immer etwas Neues dazu. Ändern sich die Konzeptionen, so kommt viel Neues dazu, und viel Altes wird verdrängt. Es sind also Veränderungen eingetreten, aber diese können keinem Werturteil unterliegen, denn im Gegensatz zu einem seine Aufgabe nicht mehr erfüllenden, durchlöcherten Schuh ist die Funktion einer neuen wissenschaftlichen Idee nicht so einfach zu umschreiben. Soziologisch gesehen, könnte man ihr die Aufgabe beimessen, einer Anzahl von Forschern neue Arbeitsgebiete zu eröffnen; aber nur eingetragene Mitglieder des Optimistenvereines werden jede neue Entdeckung als eine bessere Entdeckung ansehen. Da der Teufel ein abgefeimter Ästhetiker ist, könnte es sich sogar herausstellen, daß eine neue, schöne, interessante Entdeckung eine böse Entdeckung ist. Der alte Streit zwischen Ethik und Ästhetik kann sicherlich nicht auf dem Rücken der Naturwissenschaften ausgetragen werden.

Man kann also ein Gegner, ja ein Feind der Naturforschung sein; läßt man sie aber gelten, so kann man nichts gegen den Fortschritt der Naturwissenschaften haben, denn diese können zwar zurückgehen – durch Entvölkerung oder Verarmung – oder zugrunde gehen – durch Verpöbelung –, aber stillhalten können sie nicht. Dabei verstehe ich unter Naturwissenschaften die Gesamtheit der von der Forschung auf allen Gebieten gesammelten sogenannten Tatsachen. Manche würden sich in ihrer Definition auf die Summe der neuesten Ergebnisse beschränken.

Indem ich nun die Frage stelle: ist der wissenschaftliche Fortschritt ein Fortschritt?, erhebt dieses Wort sein Hydrahaupt. Es gibt eine Anzahl derartiger vielköpfiger, vektoriell getönter Wörter, z. B. Vergangenheit, Zukunft. Insbesondere tragen »Fortschritt« oder »Evolution« nicht nur den Ausdruck einer Bewegung in sich, sondern heutzutage – oder bis vor kurzem – auch den einer Bewegung nach oben, zum Bessern, *per aspera ad astra*. Schon weil es auf dem Bergesgipfel schöner sein muß als in der Unterwelt, ist der *Gradus ad Parnassum* zwar mühevoll, doch lohnend, während der *descensus Averno* leicht und unwünschenswert erscheint. Dem einer besseren Zukunft gewissen 18. Jahrhundert – wenig ahnte es, was nachher kommen sollte – mußte der schlaraffische Klang des Wortes »Fortschritt« die Lüfte der Zukunft mit immer mehr gebratenen Krammetsvögeln erfüllen. Hundert

Jahre vorher, als Bunyan »The Pilgrim's Progress« schrieb, erschien ihm dieser noch als ein Weg der Mühen und Versuchungen.

Es wäre demnach durchaus denkbar, daß der Fortschritt der Naturwissenschaften für die Menschheit einen Rückschritt bedeutet oder zumindest eine Feuer- und Wasserprobe, von der es keineswegs gewiß ist, daß sie sie besteht, denn einen Sarastro gibt es schon lange nicht mehr. Außerdem hat Schikaneder es unterlassen, als weitere Bewährungsprobe ein Feld ionisierender Strahlungen einzuschalten, in welchem Falle ich gerne die Enkel der Königin der Nacht gesehen hätte.

III

Vor der Französischen Revolution war das achtzehnte Jahrhundert nicht reich an philosophischen Pessimisten; und wahrscheinlich erhielt der Fortschritt damals seine noch immer andauernde hoffnungsvolle Rosafärbung. Jedenfalls stellt sich hierzulande jeder Kandidat als »a progressive politician« vor – Jacob Burckhardt verwendete die in USA aufgekommene Berufsbezeichnung »politician« als Schimpfwort –, und vom Zusammenschluß der »fortschrittlichen Kräfte« läßt sich alles Gute erhoffen. (Hoffen kann man immer, vielleicht soll man es sogar, aber kommen tut nichts, hätte man zu meiner Zeit in Wien gesagt.)

»Der Mensch ist der Maßschneider aller Dinge« habe ich vor Jahren geschrieben; und so ist es nicht verwunderlich, daß im vergangenen Jahrhundert, als die Wichtigtuerei, der großsprecherische Vereinfachungsdrang, der Anthropozentrismus der Naturwissenschaften vorzuherrschen begannen, die Fortschritte der Forschung – eine Bewegung in die Breite, aber nicht unbedingt in die Tiefe oder Höhe – als ein Aufstieg zu immer größerer Vollendung des Menschen und seiner Einrichtungen ausgelegt wurden. Der innige Glaube an die Perfektibilität der Natur führte zu wahren Orgien des Optimismus, der gerade aus seiner Fähigkeit, die Bomben zu erzeugen, die ihn schließlich in die Luft sprengen würden, immer neue Stärke bezog. Naturforscher erließen Naturgesetze, blind für den Umstand, daß es Kontrakte waren, denen die Unterschrift des Vertragspartners fehlte. Wenn das Universum sich als nicht spielfreudig erwies, wurde ein neues Universum errichtet, dessen Spielregeln vorher festgelegt waren. Von der Beschreibung der Naturvorgänge – der eigentlichen Aufgabe der Forschung – ging es zu deren Erklärung und schließlich zu deren Verbesserung oder sogar Beseitigung.* Die Natur wurde nach den Maßen des Menschen zugeschnitten, aber diese wuchsen fortwährend, während die Unermeßlichkeit der Natur immer meßbarer gemacht oder auf das Meßbare beschränkt wurde.

Wenige naturwissenschaftliche »Fortschritte« der Vergangenheit wurden mit einem solchen Knalleffekt eingeleitet, wie ihn die Veröffentlichung von Charles Darwins großem Buch im Jahre 1859 darstellt. Der Titel enthält das Programm: »The Origin of Species by means of natural selection or the preservation of favoured races in the struggle for life«. Da dieses Werk, ähnlich dem »Kapital«, zu den Büchern gehört, die ihre hauptsächliche Wirkung auf diejenigen ausüben, die sie nicht gelesen haben und nicht lesen können, verbreitete sich die Lehre mit unglaublicher Schnelligkeit. Dabei handelte es sich um eine großartige, im wesentlichen unbeweisbare Hypothese, die jedoch im Handumdrehen zu einem Dogma erhoben wurde, das keiner experimentellen Beweise bedurfte. Die Lehre wirkte durch ihre Vereinbarkeit, ihre Übereinstimmung mit einer Fülle von Beobachtungen, die sie auf einen gemeinsamen Nenner

---

* Heutzutage muß jeder Virus Angst haben, daß man aus ihm durch molekularen Hokuspokus einen tödlicheren Virus machen wird. Da dies natürlich nicht mit allen Exemplaren einer Spezies geschehen kann, ist die Natur auf diese Weise bereichert worden. Dem innigsten Wunsch einer jeden Art, nämlich in Ruhe gelassen zu werden, kann von dieser Sorte forscher Forschung nicht entsprochen werden.

zu bringen gestattete, und vielleicht noch mehr durch ihre Eignung, auf viele Arten weltanschaulich vulgarisiert zu werden. Dennoch dauerte es achtzig Jahre, bis die ersten, experimentell sehr rohen Versuche zur Verbesserung »begünstigter Rassen« vorgenommen wurden.

Von der Überlebensfähigkeit als Perfektion war es nur ein Schritt zur Perfektion als Überlebenswürdigkeit. Diesen machte man bald, und so ein Mann wie Nietzsche wurde ganz wild im Sturm der Perspektiven. Auch der Graf Gobineau trank an der Quelle, bevor sie eine war.* Der Meister selbst war wahrscheinlich ebenso unschuldig am Mißbrauch und Unfug, wie Otto Hahn es war, in einem noch schrecklicheren Falle. Es ist fast unmöglich, die alte Weisheit, daß man bösen Kindern keine scharfen Messer als Spielzeug geben darf, auf die Naturwissenschaften anzuwenden. Ein Schritt führt zum nächsten, und erst der letzte in den Abgrund.

Jedenfalls hat im Darwinismus die Hydra des Fortschritts mehr als einen ihrer Köpfe gleichzeitig erhoben. Hier schien ein Fortschritt wirklich der Fortschritt zu sein. Und so war ich nicht überrascht, als ich auf der letzten Seite von Darwins Buch auf die folgenden Sätze stieß:

> Hence we may look with some confidence to a secure future of great length. And as natural selection works solely by and for the good of each being, all corporal and mental endowments will tend to progress towards perfection . . . (2)

Das Buch endet mit einem großen Akkord:

> Thus, from the war of nature, from famine and death, the

* Im Vorwort zur zweiten Auflage seines »Essai sur l'inégalité des races humaines«, der 1853–55 zuerst erschien, scheint er seine Priorität anzumelden (Seite XV): »De là fut tirée la théorie de la sélection devenue si célèbre entre les mains de Darwin et plus encore de ses élèves.«

> most exalted object which we are capable of conceiving, namely, the production of the higher animals, directly follows. There is grandeur in this view of life, with its several powers, having been originally breathed by the Creator into a few forms or into one; and that, whilst this planet has gone cycling on according to the fixed law of gravity, from so simple a beginning endless forms most beautiful and most wonderful have been, and are being, evolved. (2)

Wer konnte diesem Taumel euphorischer Teleologie widerstehen? Wie wohlgeordnet alles war! Der Schöpfer hatte sich nach einigen oberflächlichen Anweisungen irgendwohin anders ins Weltall zurückgezogen, um sich nutzbringend zu beschäftigen, während hier bei uns die Evolution als zeichnungsberechtigte Generalagentin die Geschäfte versieht. Diese können nur besser gehen, denn eine sichere Zukunft von langer Dauer ist garantiert.* Ob bei dem Eintritt der endgültigen Vollkommenheit ein Klingelzeichen die Pause anzeigen wird, weiß ich nicht, fürchte jedoch, daß die Pause noch vor diesem Signal eintreffen wird. Als ich jung war, bekam ich einen Lachreiz vor solchem Weihefestspiel in vielen Millionen Akten; unterdessen habe ich jedoch gelernt, mich vor wissenschaftlichen Großtaten ehrfürchtig zu verbeugen, wenn auch nicht ohne die resignierte Schlußfolgerung: An der Ferse erkenne ich den Achilles.

IV

Friedrich Nietzsche ist als Kronzeuge für alles zu gebrauchen. Sein enthusiastisches, kurzes Schriftstellerleben – keine zwanzig Jahre – ist ein Seismogramm aller Wirbel und

* In den früheren Auflagen sprach Darwin sogar von »unermeßlich langer Dauer«, bekam es aber dann mit der den Naturforscher ehrenden Vorsicht.

Stöße, die das ausgehende neunzehnte Jahrhundert erschüttern sollten. So war er auch einige Zeit von Darwins Lehren begeistert, denn sie schienen eine bequeme Chaussee zum Übermenschen zu eröffnen. (In seiner Basler Zeit muß allerdings Jacob Burckhardt, dieser unfortschrittlichste aller Historiker, mäßigend gewirkt haben.) Später jedoch, als sein Geist sich so schmerzlich kontrahierte, stellte sich der Fortschritt anders dar.

> Die Menschheit stellt *nicht* eine Entwicklung zum Besseren oder Stärkeren oder Höheren dar, in der Weise, wie dies heute geglaubt wird. Der »Fortschritt« ist bloß eine moderne Idee, das heißt eine falsche Idee . . . Fortentwicklung ist schlechterdings *nicht* mit irgend welcher Nothwendigkeit Erhöhung, Steigerung, Verstärkung. (3)

Dabei mag es vorläufig bleiben. Wenn wir bereit sind, die Naturforschung als einen Teil der Natur anzuerkennen, müssen wir zugeben, daß sie allerlei Nützliches und Schönes erzeugt hat: Wollwesten für die Zulus, Schwimmhosen für die Eskimos, und für die Blinden ein leuchtendes Wandgemälde. Was tun wir also, wenn einer kommt und sagt, daß, wo die Naturforschung nützlich ist, sie nicht schön sei, und wo sie schön ist, nicht nützlich? Vielleicht erwidern wir, in den Worten eines großen Mannes, daß Wissen noch niemals geschadet hat. Aber ist dies wahr? Was der Fermi gewußt hat, hat den Leuten von Hiroshima geschadet.

Wir alle kratzen mit einem stumpfen Werkzeug an einem ungeheuren Felsen herum. Wenn es uns gelingt, ein Bröckchen abzusplittern, so nennen wir das die Wahrheit über den Felsen. Wenn wir seine Zusammensetzung ermitteln, so sprechen wir von einem großen wissenschaftlichen Fortschritt. Glückt es uns, einige solcher Splitter zusammenzukleben, so haben wir den Felsen reproduziert; ja wir haben sogar die Schöpfung überholt, denn wir haben einen handlicheren Felsen erzeugt. Dabei ist der von uns untersuchte nur ein ungeheurer Felsen unter unzähligen; aber wir löschen unseren Wissensdurst mit der Verallgemeinerung, daß, wer etwas erklären kann, alles erklären könne. Große Gelehrtenleben sind über solchen Vereinfachungen verstrichen.

V

Jedenfalls ist es leicht einzusehen, warum, nach dem Verblassen fast aller andern Fortschrittsträume, es der Fortschritt der Wissenschaften ist, der den noch immer weitverbreiteten Glauben an den Fortschritt unterhält. Mit dem politischen Fortschritt ist nicht viel Staat zu machen, denn der ist vielfach in seltsame Hände geraten. Kaiser Bokassa und Jimmy Carter sitzen im selben Pantheon[1] oder vielleicht Pandaimonion.[2] Fortschritte der öffentlichen Sicherheit fallen einem auch nicht in die Augen, in die man viel eher etwas gespritzt bekommt von einem Räuber oder Mörder. Fortschritte bei den Gebilden der Phantasie hat es ohnedies nie gegeben, nur kamen neue hinzu, während die alten versanken. Auch gibt es wenig Anzeichen dafür, daß der menschliche Intellekt sich verbessert habe seit den alten Zeiten, als der Ruf erscholl: »Das Neolithikum für die Neolithiker! Paläos und Mesos hinaus!« (Wahrscheinlich schrien sie »Heraus!«, wie es gewöhnlich der Fall ist.) Es bleiben also die Wissenschaften, denn man sagt mir, daß diese blühen in unsern barbarischen Zeiten.

Bis vor kurzem hätte man da eine Unterscheidung vorgenommen zwischen den Wissenschaften, die so wenig anwendbar waren wie ein lyrisches Gedicht oder ein Streichquartett, und denen, die zu praktischer Verwendung einluden; oder vielleicht zwischen den Wissenschaften, die auch dem sogenannten Laien zugänglich sind, und denen, die nur den Fachmann ansprechen. Seit es diesen gibt, ist jedoch der Unterschied blaß geworden, obwohl man noch immer sagen kann, daß z. B. die »Cambridge Modern History« mehr

1) Gesamtheit aller Götter
2) " " Dämonen

Leuten etwas bieten kann als das von J. N. Davidson und mir herausgegebene große Werk »The Nucleic Acids«; schon deshalb, weil es leichter ist, die Geschichte eines Kaisers zu schreiben als die eines Leukozyten. Wir wissen von jenem vielleicht auch nicht mehr als von diesem, aber der Kaiser ist tot und vergangen, während das Körperchen neu erstanden immer wieder im Blute schwimmt.

Der Fortschritt in den Geisteswissenschaften beruht häufig auf der Entdeckung neuer Quellen und Dokumente und hängt, wie alles Finderglück, vom Zufall ab. Auch ist es oft kein wahrer Fortschritt, sondern nur der Anlaß, das alte Buch nochmals unter einem neuen Titel zu schreiben. Immerhin entsprechen historische oder kritische Forschungen einer Brechung alter Strahlen an einem neuen Temperament – dem des Schreibers –, und so kann etwas kaleidoskopisch Neues herauskommen. Ob es sich gelohnt hat, zeigt sich selten am Entzücken der Leserschaft. Meistens geht es um die Zufriedenstellung der Behörden, von denen das Weiterkommen des betreffenden Gelehrten abhängt. Dazu kommt noch die Wirkung auf die Kollegen, die auf Gegenseitigkeit hoffen. Alles in allem wird auch bei großen Leistungen das Echo nicht allzu stark sein. Man vergleiche den Eindruck, den die Entzifferung der mykenischen Linearschrift B durch Ventris und Chadwick machte, mit der Wirkung der eigentlich viel weniger Scharfsinn erfordernden sogenannten Auflösung des »genetischen Codes«.

Daß der grassierende Spezialismus auch den Geisteswissenschaften viel Schaden gebracht hat, kann kaum geleugnet werden. Wann die Verwandlung des Gelehrten in den Fachmann stattfand, kann ich natürlich nicht genau sagen; wahrscheinlich im letzten Viertel des vergangenen Jahrhunderts. Sie ist gekennzeichnet durch eine recht plötzliche Veränderung in der Aufnahme, die großen, von einzelnen Gelehrten geschriebenen Werken zuteil wurde. Eines meiner Lieblingsbeispiele ist der Fall v. Wilamowitz-Moellendorff kontra Burckhardt.

VI

Die Art von Geschichte, die Jacob Burckhardt schrieb, war dem damals ausbrechenden Abkapslungsdrang sicherlich zuwider. Dennoch war er weit bewundert und berühmt, als er »Die Kultur der Renaissance in Italien« veröffentlichte. Kulturgeschichte, wie er sie begriff, konnte nur dem souveränen Integrationsvermögen eines einzelnen Geistes glücken. Gegen Ende seines Lebens widmete sich Burckhardt dann dem gigantischen Unternehmen einer Geschichte der griechischen Kultur. Der Zeitraum, den er abtasten mußte, war groß: zwölfhundert Jahre oder mehr. Wer Burckhardts Art, Kulturgeschichte zu betreiben, kennt, weiß, daß er sich nach Möglichkeit auf zeitgenössische Angaben stützte, es als seine Hauptaufgabe betrachtend, den lebenden Menschen einer gegebenen Epoche wieder auferstehen zu lassen: den denkenden, redenden, schreibenden, dichtenden, singenden, bildenden Menschen, aber auch den Menschen, wie er kämpft und stirbt, in seiner Polis Handel und Politik betreibt, in den Tempeln und vor den Altären betet, sich beim Symposium an Wein und Gespräch erfreut, Sklaven schindet, Meineide schwört, speichelleckt. Und all das gespeist aus dem größten Schatz von Mythen und Legenden, den das Abendland in uralten Zeiten geschaffen hatte. Ich kenne kein anderes Buch, in dem die Einmaligkeit des griechischen Erlebnisses in derart heilig-nüchterner Klarheit zutage tritt. Wie viele Fallen purpurner Geschmacklosigkeiten Burckhardt in seinem Werk vermieden hat, kann man ermessen, wenn man es mit spätern Büchern über das gleiche Thema vergleicht.

Zwischen 1872 und 1885 las Burckhardt ein dankbar aufgenommenes Kolleg über griechische Kulturgeschichte, war jedoch unentschieden, ob er daraus ein Buch machen solle. Er erwartete lebhafte Gegnerschaft, denn sein Versuch, ein riesenhaftes Allgemeines aus unzähligen einzelnen Tatsachen und Vermutungen erstehen zu lassen, bot viel Anlaß zu Angriffen. Die ersten zwei Bände machte er selbst fertig zum

Druck; dann aber ließ er das Ganze liegen. Nach seinem Tode übernahm sein Neffe Jacob Oeri die schwierige Aufgabe, Band 3 und 4 des Werks aus den umfangreichen Vorlesungsnotizen zusammenzustellen; und so erschien die »Griechische Kulturgeschichte« in vier Bänden zwischen 1898 und 1902.

Nun war natürlich während Burckhardts langen Lebens der Fortschritt nicht stillgestanden: neben vielem anderen war der Fachmann geboren worden und hatte den Gelehrten verdrängt. Niemand ist vehementer als ein Cecil Rhodes, wenn man ihn bei der Begründung neuer Kolonien stört. Da auf seinem schmalen Feld der Fachmann absolut regiert, war die saure Aufnahme von Burckhardts breitem Unterfangen vorauszusehen, nicht aber die skurrile Wucht, mit der sie erfolgte. Noch vor Abschluß des Werks – erst zwei Bände waren erschienen, und jedenfalls nicht der vierte und ungewöhnlichste Band – schrieb der größte Altphilologe seiner Zeit, Ulrich von Wilamowitz-Moellendorf – lange war es her, seit er in Nietzsches Briefen unrühmlich als »Wilamops« auftrat – schrieb also der bedeutende Altertumsforscher im Jahre 1899:

> Schließlich würde ich es für feige halten, wenn ich es hier nicht ausspräche, daß die Griechische Kulturgeschichte von Jacob Burckhardt, nach der mancher leicht greifen könnte, für die Wissenschaft nicht existiert. Die Pietät vor dem verehrten Manne haben *die* verletzt, welche seine veralteten Hefte der Öffentlichkeit vorwerfen, nicht wer als Sachverständiger notgedrungen ausspricht, daß dies Buch weder von griechischer Religion, noch vom griechischen Staate zu sagen weiß, was Gehör verdiente, einfach weil es ignoriert, was die Wissenschaft der letzten fünfzig Jahre an Urkunden, Tatsachen, Methoden und Gesichtspunkten gewonnen hat. Das Griechentum Burckhardts hat ebenso wenig existiert wie das der klassizistischen Ästhetik, gegen das er vor fünfzig Jahren mit Recht polemisiert haben mag. (4)

VII

In diesem Verriß – der Donnerer aus Berlin hätte ihn natürlich eine Philippika genannt – finde ich fast alle nötigen Stichworte beisammen: der Sachverständige, der sich notgedrungen unanständig benimmt; welche Not hat ihn gedrängt, der Amtseid, sein ordentliches öffentliches Gewissen? – die mit veralteten Heften beleidigte Öffentlichkeit, der pietätslose Neffe hat sie ihr nur so vorgeworfen – Gehör verdient nur, was die Wissenschaft der letzten 50 Jahre, die Wissenschaft also, für die Burckhardts Werk nicht existiert, an verschiedenem wissenswerten Zeug gefunden hat, etc., etc.

Die Konfrontation – allerdings gab es die eine Stirn nicht mehr –, der Zusammenstoß zwischen Fachmann und Gelehrtem ist lehrreich. Der Fachmann ist auf der Höhe seiner Zeit und schaut hinunter auf alle andern, ob in der Vergangenheit oder in der Zukunft; besser als er kann man nicht. Der Gelehrte ist nur auf der Höhe seiner Persönlichkeit. Wenn er gut ist, hat er nicht den Dünkel des letzten Worts, wohl aber des besten. Für ihn ist die Substanz des Wissens schwerer in der Mitte als an den Rändern, deren Verwalter der Fachmann ist. Dafür wird dieser alle fünfzig Jahre – jetzt sind es fünf – ausgetauscht. Aber selbst für zwanzig Spezialisten-Kartondeckel kriegt man keinen Gibbon oder Mommsen. Es ist immer das alte Dilemma: ob die Bücher zum Lernen da sind oder zum Wachsen, zum Lehren oder zum Verstehen. Kommentare, Interpretationen sind doch etwas Nebensächliches; was wert ist, erinnert zu werden, kommt selten, und es kommt ungerufen. »Urkunden, Tatsachen, Methoden, Gesichtspunkte«: sie sind es nicht, was das wahre Wissen der Menschheit ausmacht.

Jetzt begegnen uns also die Begriffe des Fortschritts und der Überholtheit in den Wissenschaften. Hier hat Zenon von Elea recht gehabt: Achilles wird die Schildkröte nicht einholen, er wird sogar von ihr überholt. Trotzdem bleibt er der strahlende Held. Und die Schildkröte? Nun, sie ist das Paradigma des stetigen Fortschritts in unkündbarer Stellung.* Allerdings unterscheiden sich da die Geisteswissenschaften von den exakten, den Naturwissenschaften, in mancher Hinsicht.

VIII

Wollte man zynisch sein, so könnte man sagen, daß in den Geisteswissenschaften der Fortschritt hauptsächlich darin besteht, daß immer wieder neue Bücher über alte Themen geschrieben werden. Das ist natürlich eine Übervereinfachung und als solche falsch, denn es können sich z. B. neue Quellen eröffnen: so etwas wie die Oxyrhinchos-Papyri, die Qumran-Handschriften vom Toten Meer, eine neue Komödie von Menander, unerwartete Ausgrabungsfunde oder früher nicht ausgeschöpfte Dokumente, Grund- und Kirchbücher, Testamente, Kaufkontrakte und was nicht alles die französische »Annales«-Schule mit so großem Erfolg verwendet hat. Mehr noch als neue Tatsachen bilden neue Gesichtspunkte ein wichtiges Element der Veränderung. Daß Geschichte auch anders geschrieben werden kann, als wir es in der Schule gelernt haben, und daß Ökonomie und Geographie mindestens so schwer wiegen wie Politik und Dynastie, haben große Gelehrte, wie z. B. Georges Lefebvre oder Ferdinand Braudel, überzeugend bewiesen.

Nur leben wir in raschen Zeiten; was sich so rapide bewegt, ist nicht der Fortschritt im Sinne der Verbesserung, sondern nur im Sinne der Veränderung. Die Menschen

---

* Fern sei es von mir, große Forscher mit Schildkröten zu verwechseln. Dieses bedächtige Tier steht nur für die Gilden, in denen sich Wissenschafter aller Gebiete zusammenschließen, um Unbefugte fernzuhalten. Da die Götter manchmal auch gerecht sind, konnte Wilamowitz-Moellendorf sein letztes großes Werk ebenfalls nicht beenden. Doch steht es fest, daß im Register von »Der Glaube der Hellenen« Burckhardts Name nicht vorkommt.

haben ein immer kürzeres Gedächtnis und immer längere Magnetbänder. Der Begriff der Erziehung, der Bildung ist verschwunden und hat einer Schule Platz gemacht, in der Barbaren mit Spezialkenntnissen fertig gemacht werden für einen Kampf ums Dasein, der, wenn sie dann fertig sind, längst das Schlachtfeld gewechselt hat; und plötzlich sind die Erfordernisse auch ganz verschieden. So wächst die Barbarei bei technischer Vervollkommnung – solang die Schrauben noch in Japan gemacht werden können.

Infolgedessen habe ich den Eindruck, daß es mit den großen Büchern auch in den Geisteswissenschaften zu Ende gegangen ist. Wer will auch zehn oder fünfzehn Jahre auf ein Werk verwenden, das zur Zeit seines Erscheinens überholt sein muß? Veraltet, überholt ist es, weil unsere Welt vergessen hat, daß, was links vom Komma steht, viel wichtiger ist, als was rechts davon steht. Die einzige Art, sich vor dem Veralten zu beschützen, besteht daher darin, sich von Tatsachen ferne zu halten. Neue Tatsachen, oder was als solche bezeichnet wird, sind nämlich die Dezimalen, auf die es dem Fachmann ankommt. Für ihn, könnte man sagen, ist 600,3 viel weniger als 6,333. Eine lange Bibliographie ist daher wertvoller als ein gut gedachter und gebauter Satz. Der Experte hat nämlich einmal gehört, daß das Genie im Detail liegt, und er bestrebt sich, jenes durch dieses zu ersetzen. (In den exakten Wissenschaften mag dies sogar teilweise zutreffen.)

Bei geistigen Schöpfungen muß man mit den Begriffen »richtig« und »falsch« vorsichtig verfahren, und ebenso mit den Wörtern »veraltet« und »modern«, obwohl dieses in seiner Verwandtschaft mit »Mode« die Vergänglichkeit des so Bezeichneten in sich trägt. Da das Allerneueste viel schneller alt wird als das Alte älter, ist dieses sogar die bessere Kapitalsanlage. Nichts ist flüchtiger als der Fortschritt: während man ihn ansieht, ist er schon woanders. So wird das Leben des Menschen ein Wettlauf mit seinem ihn immer überholenden Schatten.

Es gibt wohl wenig Trottelhafteres als die Überzeugung jeder Zeit, auf dem Gipfel der Vollkommenheit zu weilen. »In our enlightened age«, sagten sie im achtzehnten Jahrhundert, während sie die Sklaven auspeitschten. Und von unserer Zeit habe ich immer das Gefühl gehabt, daß die Triumphe der Wissenschaft kein Recht hatten, stattzufinden inmitten all der Greuel. Da jedoch beides sehr wohl miteinander existieren konnte, habe ich mich zu fragen begonnen, ob die Triumphe vielleicht keine sind, denn an der Wirklichkeit der Greuel kann ich nicht zweifeln.

Dabei muß ich mir zurückrufen, daß es in meinen jüngeren Jahren noch mehrere sehr bedeutende, von einzelnen verfaßte Werke gegeben hat, in Geschichte, Philologie, Literaturwissenschaft, Soziologie, Philosophie usw. Aber in den letzten dreißig Jahren ist es sehr still geworden oder die Arbeit hat sich in grauen Kollektiven verkrochen.

IX

»Aber die Naturwissenschaften? Sind sie nicht die eigentlichen Träger des Fortschritts?« Wenn man auf die Handelskammern der Naturwissenschaften hört, sind sie es wirklich. Was sie uns angetan haben, kann nur durch mehr vom gleichen geheilt werden: die Forschung ist eine gewohnheitsbildende Droge. Dennoch glaube ich, daß der Fortschrittsglaube in seiner chiliastischen Form im Absterben ist. Daß es in den Naturwissenschaften einen mit keinem ethischen Wert versehenen Fortschritt geben muß, habe ich schon anfangs erörtert: die Wissenschaften schreiten auf dem Weg fort, den sie gewählt haben. Ist die Richtung einmal festgesetzt, so gibt es schon so etwas wie »falsch« und »richtig«. So war z. B. die von Windaus vorgeschlagene Strukturformel des Cholesterins unrichtig und die später von Rosenheim aufgestellte richtig. Diese Art von Fortschritt gibt es jeden Tag, wenn auch die Tragweite des Entdeckten sehr verschieden sein mag. Es ist möglich, daß die Aufklärung des Blutkreislaufs nicht mehr Scharfsinn und Originalität erfordert hat als die Bestimmung der chemischen Struktur eines Blütenfarbstoffs; dennoch neigen wir dazu, die Bedeutung wissenschaftlicher Entdeckungen einer Rangordnung zu unterwerfen. Ob man das tut oder nicht, jedenfalls wird man mir sagen, daß der Fortschritt in den Wissenschaften darin besteht, daß unser Wissen wächst.

Aber ist das wahr? Was heißt das eigentlich: unser Wissen? Wie mißt und wägt man Wissen? Wo ist es aufbewahrt, und wie wird es überliefert? Die beiden letzten Fragen zu beantworten scheint leicht zu sein. Das Wissen sitzt in den Gehirnen, mit denen es alle paar Jahrzehnte verschwinden würde, gäbe es nicht das Schrifttum und neuerdings auch elektronische Speicheranlagen. Diese haben das Aufbewahrungsvermögen für banale Formen des Wissens enorm vergrößert; aber insofern Wissen auch menschliche Erinnerung ist, wird noch viel Zeit vergehen, bevor ein Computer beim Geruch des Tees, in den eine Madeleine getunkt wurde, Prousts Jugend in allen Einzelheiten wird zurückrufen können; und auch dann würde der schöne, lange Roman ungeschrieben bleiben.

Der in den letzten fünfzig Jahren verzeichnete Fortschritt der Naturwissenschaften, welcher der so rasch vorangetriebenen Forschung zu verdanken ist, hat durch einen enormen menschlichen, apparativen und finanziellen Einsatz zu einer riesigen Anhäufung neuen Wissens aller Arten geführt. Die Wissensindustrie ist gewiß eine der Großindustrien der Welt geworden, und in vielen Ländern bilden die Naturwissenschafter eine neue privilegierte Gesellschaftsklasse.*

---

* Als die National Academy of Sciences in Washington vor kurzem zugunsten Sacharows direkt intervenierte, war das ein Ausdruck sowohl des Privilegs als des Klassencharakters der Naturforschung. Man kann sich nicht vorstellen, daß, sagen wir, amerikanische Briefträger oder Bankbeamte in ähnlicher Weise für einen Kollegen hätten einschreiten können. Selbst das Kardinalskollegium hat wohl niemals beim Synod gegen die Verfolgung eines griechisch-orthodoxen Geistlichen protestiert.

Das auf diese Weise angehäufte Wissen ist jedoch zum größten Teil kein Wissen im menschlichen Sinne. Es wird nämlich nicht gewußt, sondern es liegt parat in den Zeitschriften und Büchern, damit die eine oder andere Forschungsgruppe sich dazu verhilft, um weiteres »Wissen« zu erzeugen. Das kann ewig so weitergehen, denn es ernährt die von mir erwähnte neue Klasse ebenso reichlich, wie der Nil es für die ägyptische Priesterschaft tat. Diese Art von vorläufig-vergänglichem Wissen ist also eigentlich nur das Heizmaterial für die Kessel, in denen das Wissen des nächsten und übernächsten Jahres gekocht wird. Ich habe schon früher darauf hingewiesen, wie deutlich sich diese Veränderung im Tempo der Forschung in den Bibliographien gegenwärtiger Arbeiten abzeichnet.

Man könnte demnach sagen, daß der Fortschritt der Wissenschaften darin besteht, daß alles Neue sofort veraltet und daß die Begriffe »Fortschritt« und »Überholtheit« korrelativ sind. Wenn man nicht nur die Quantität, sondern auch die Qualität der Ergebnisse in Betracht zieht, kommt man vielleicht zu dem Schluß, daß die übermäßige Beschleunigung in der jüngsten Vergangenheit der Forschung geschadet hat, denn viel »Überholtes« ist versunken, lange bevor es ausgeschöpft werden konnte. Es ist sogar denkbar, daß bei einer dem menschlichen Denken und Fühlen besser angepaßten, weniger hektischen Geschwindigkeit die Forschung auf manchen Gebieten andere, bessere Wege eingeschlagen hätte. Wenn zwischen der Veröffentlichung von Hahn und Strassmann und der ersten Anwendung der Kernenergie nicht acht, sondern achtzig Jahre vergangen wären, wer kann sagen, ob es dann auch zu Hiroshima und Nagasaki gekommen wäre?

X

Während wir in sogenannten neuen Tatsachen geradezu ertrinken, leben wir in einem der ignorantesten Zeitalter.

Riesenhaftes Wissen ist nicht nur der Weisheit abträglich, es scheint sogar zu einer weitverbreiteten Unwissenheit beizutragen. Hier denke ich nicht zuvörderst an die Naturwissenschaften, denn angesichts des sich rapide vermehrenden und schnell ausgetauschten Wissensstoffes vermag selbst der Fachmann nur keuchend Schritt zu halten, und dabei begnügt er sich damit, sehr viel über sehr wenig zu wissen; der Laie hingegen, mit mannigfachen kurzlebigen Sensationen beworfen, wüßte gar nicht wo anzufangen. Ich denke vielmehr an andere Kennzeichen der Barbarisierung: die Verrohung der Sitten und des individuellen Geschmacks, die, zumindest in meiner Umgebung, apokalyptische Ausmaße angenommen hat; das Verschwinden der Vorbilder, zu denen der einzelne hinaufzublicken gewohnt war; das Versagen der Erziehungssysteme; das Verblassen des Begriffs der Bildung; die Entfremdung der Sprache.

Eines der schönsten Denkmäler des Fortschrittsglaubens des achtzehnten Jahrhunderts sehe ich in Lessings letztem Werk, der »Erziehung des Menschengeschlechts«. Für ihn war die Bibel gleichsam die Fibel der Menschheit, ein Lehrbuch, das immer neue Seiten enthüllte, während die gerne Erzogenen sich unfehlbar zu strahlenderen Zeiten emporarbeiteten. »Nein!«, rief Lessing aus (§ 85), »nein; sie wird kommen, sie wird gewiß kommen, die Zeit der Vollendung.« Plutonium, dieses Erz der Unterwelt, war damals noch nicht erfunden. Jetzt, da wir reich daran sind – denn Pluto ist auch der Gott des Reichtums –, würde Lessing noch immer seine Zuversicht aufrecht erhalten, oder würde er schaudern vor solcher Vollendung?

Ich beneide diejenigen, die den Heilsverheißungen der Wissenschaft Glauben schenken können. Sie haben etwas, woran man sich halten kann. Mir sind die Verkünder baldiger Segnungen immer als Reklameagenten erschienen. Es gibt aber noch andere, Bedächtigere, und die mögen recht haben, wenn sie sagen, daß historische Veränderungen von so ungeheuren Ausmaßen, wie sie der Fortschritt – der

Fortschritt *ad astra* – verspricht, unendlich langsam vor sich gehen müssen, so daß die paar tausend Jahre, die wir geschichtlich überblicken können, kaum zählen. Darauf kenne ich keine bessere Antwort als die folgenden Worte Schopenhauers:

> Freilich sagen dann unsere hochgebildeten Rationalisten: »Das ist ja aber auch Alles nicht wahr und blosser Popanz; sondern wir werden in stetigem Fortschritt, von Stufe zu Stufe, uns zu immer größerer Vollkommmenheit erheben.« – Da ist's nur Schade, daß wir nicht früher angefangen haben: denn dann wären wir schon da. (5)

XI

Wer den Fortschritt nicht mitmacht, ist rückständig, zurückgeblieben, unterentwickelt. Wieviel anthropozentrische oder technokratische Überheblichkeit und Beschränktheit sich in diesen Bezeichnungen ausdrücken, kann man gar nicht ausmalen. Wenn es einen schnelleren Computer gibt, so daß falsche Fakturen mich einen Tag früher erreichen, und ein Land kann ihn sich nicht leisten, so ist es rückständig; fehlen in einem Institut die schnellste Ultrazentrifuge, der mächtigste Akzelerator, so ist es zurückgeblieben; und wenn ein Volk ohne Coca-Cola oder Psychoanalyse auskommt, ist es unterentwickelt. Der Fortschrittsglaube ist in unserer Zeit eine ideologische Waffe geworden, ein geistiges Giftgas. Der Fortschritt entpuppt sich als die Flucht vor der Verantwortung.

Als Lessing oder Diderot an den Fortschritt dachten, an die Vervollkommnung, die Vollendung, malte sich in ihrem Geist eine weisere, eine friedlichere Welt. Kants edle Schrift »Zum ewigen Frieden« atmet die gleiche Hoffnung. Weil sie selbst unbegrenzt lernfähig waren, glaubten sie an die Belehrbarkeit der Menschheit. Der Zeit der Aufklärung sind die Künste und Wissenschaften gewiß als das hervorragendste Erziehungsmittel erschienen.

Im Erzieherwettbewerb haben die Künste sicherlich verloren, denn auch in besseren Zeiten haben sie eigentlich nur den Glücklichen glücklicher gemacht, oder bestenfalls den seltenen, ihnen Zugänglichen. Auch sind sie, wie schon vorgeschlagen, kaum einem Fortschritt unterworfen. Es bleiben also die Wissenschaften, bei denen man im Gegensatz zu den Künsten zwei verschiedene Arten von Fortschritt unterscheiden muß: Verbesserung der Wissenschaften und Verbesserung durch die Wissenschaften. Was diese zweite Art von Fortschritt anbelangt, so können Beispiele angeführt werden: die Entwicklung der öffentlichen Gesundheitsfürsorge im vergangenen Jahrhundert, die Entdeckung der Antibiotika im gegenwärtigen. Diese und ähnliche Errungenschaften haben unzähligen einzelnen geholfen, haben jedoch auch der Statistik Gelegenheit geboten, sich über den unermeßlichen Bevölkerungszuwachs zu beschweren. Es wird sich also auch in diesem Falle möglicherweise herausstellen, daß die Menschheit aus dem Segen in die Traufe gekommen ist.

An dieser Stelle würde man ein Lob des technischen Fortschritts erwarten, jedoch gewiß nicht von mir. Auch bin ich noch im Begriffe darüber nachzudenken, ob die Billigkeit plastischer Beutel nicht durch die bei ihrer späteren Verbrennung als Müll hervorgerufene Luftverschmutzung aufgewogen wird. Es wird also noch lange dauern, bis ich dazukomme, über Raumfähren und Überschallflugzeuge zu meditieren.

Und der Fortschritt in den Wissenschaften selber? Einiges darüber habe ich schon anfangs gesagt. Ob man behaupten kann, daß z. B. die Naturwissenschaften besser geworden sind, weiß ich nicht. Sie sind sicher dicker geworden oder, wenn man will, voller. Ohne ein festes Bezugssystem, ohne zu wissen, wie die Wissenschaften früherer Zeiten aus dem Leben der damaligen Menschen herauswuchsen, sind Vergleiche und Bewertungen fast unmöglich. Eine jede Zeit sitzt auf ihrem eigenen Gipfel und ist stolz auf die Aussicht. Daß die Menschheit dadurch verbessert wurde, edler gemacht, dafür gibt es keine Anzeichen.

Das war es nämlich, woran Lessing glaubte, als er den Aufstieg des Menschengeschlechts begrüßte. Er war weniger an der Verbesserung der Lehrmittel interessiert als an der der Zöglinge. Er war ein mutiger, klarer Mann und stand auf festem Boden. Sogar jetzt würde er meine Anregung zurückweisen, doch einmal etwas über die Unerziehbarkeit des Menschengeschlechts zu schreiben.

XII

»All progress is based upon a universal desire on the part of every organism to live beyond its income.« (6) So lautet eine treffende Notiz Samuel Butlers (1835–1902) – es ist der zweite Samuel Butler der englischen Literatur, der Verfasser von »The Way of All Flesh«, »Erewhon« und von vielen anderen, jetzt wenig gelesenen Büchern. Wer unsern technischen Fortschritt betrachtet, wird ihm sicherlich recht geben. Aber ich würde den Aphorismus etwas erweitern, indem ich ihn so enden lasse: »to live beyond its income and its capacity«. Denn die ungeheure Wissensexplosion unserer Tage ist nicht nur sehr kostspielig; sie überschwemmt und erstickt die Gehirne. Aus allen Schlünden der Wissensproduktion dringt eine wahrhaft betäubende Masse von Wegwerfwissen. Das gilt besonders für die Naturwissenschaften, die schon längst über ihre vielfachen »Durchbrüche« zu stolpern begonnen haben. In einem andern Kapitel dieses Buches, im Kapitel LUKIAN, habe ich über den Sinn des Wissens nachzudenken versucht.

Es gibt vielleicht eine einfachere und richtigere Art, den Fortschritt und die Überholtheit in den Wissenschaften zu betrachten. Jemand, der Damenkleider entwirft, wird sich wahrscheinlich keine Gedanken darüber machen, ob seine Entwürfe einen Fortschritt darstellen; er folgt der Mode. Seine Kleider sind nur besser, weil sie neuer sind; die des vergangenen Jahres sind überholt, und im nächsten wird es seinen gegenwärtigen Modellen ebenso ergehen. In vielen Wissenschaften geht es nicht anders zu. Wenn ich höre, daß in Washington jetzt Geld zu haben ist für Genmanipulation, aber nicht für Enzymstruktur, so bedeutet das nicht, daß der Weltgeist sich endlich den Geldgebern enthüllt hat, sondern daß sie der Mode gehorchen. Und die Mode? Deren Wesen hätte Heraklit besser verstanden als ich, obwohl es sie damals wahrscheinlich gar nicht gab.*

Die Verehrer und Verkünder des ewigen Fortschrittes haben jedoch etwas anderes im Sinn. Daß die Menschen besser geworden sind, können sie leider nicht behaupten, wohl aber, daß es ihnen besser gehe. Im Dickicht der Statistik ist gut ruhn, und ich will mich auf die nicht schwer zu beschaffenden Gegenbeweise nicht einlassen. Auch scheint der Fortschrittsrausch ein geradezu orphischer Rausch zu sein, und wer etwas dagegen sagt, tritt leicht auf metaphysische Zehen. Seltsamerweise hat ein sonst solchen Fragen abgewandter Dichter darüber nachgedacht. Franz Kafkas Betrachtung Nr. 48 lautet: »An Fortschritt glauben heißt nicht glauben, daß ein Fortschritt schon geschehen ist. Das wäre kein Glauben.« (7) Damit bin selbst ich einverstanden. Worauf aber die keiner Gegenrede zugänglichen Optimisten – und sie sind unter den Naturwissenschaftern besonders stark vertreten – zuerst hinweisen werden, ist die Fülle großer Erkenntnisse und Entdeckungen, die unserer Zeit beschert worden sind. Natürlich ist es leicht Optimist zu sein, wenn man das Paradies einbezieht. Was mich jedoch betrifft, so muß ich sagen: ich sehe das Paradies vor lauter Schlangen nicht.

---

* Vor Jahren habe ich einmal den gewagten Standpunkt vertreten, daß die Mode erst um 1492 in die Welt kam, als der Teufel sein Büro aus China nach Europa verlegte und Amerika entdeckt wurde.

Anmerkungen

(1) E. Delacroix, Journal, 3 Bde. (éd. A. Joubin, Plon, Paris, 1950).
(2) Ch. Darwin, The Origin of Species, 15. Kapitel – Nachdruck der 6. Auflage (World's Classics, Oxford Univ. Press, 1951), S. 560.
(3) Der Antichrist, Nr. 4, in Friedrich Nietzsche, Sämtliche Werke, Kritische Studienausgabe in 15 Bänden (Hrsg. G. Colli und M. Montinari, Deutscher Taschenbuch Verlag, München, und de Gruyter, Berlin, 1980) 6. Bd., S. 171.
(4) Ich entnehme dieses Zitat der vortrefflichen Einführung Werner Kaegis zur Neuausgabe: J. Burckhardt, Griechische Kulturgeschichte, 4 Bände (Deutscher Taschenbuch Verlag, 1977).
(5) Parerga und Paralipomena, Bd. 2 (»Über Religion«).
(6) S. Butler, Notebooks (ed. Keynes and Hill, Cape, London, 1951), S. 191.
(7) F. Kafka, Hochzeitsvorbereitungen auf dem Lande (Schocken Books, New York, 1953), S. 44.

[6]

AMIEL: DAS ZEITALTER DER MITTELMÄSSIGKEIT

I

Am 6. September 1851 machte Henri Frédéric Amiel eine bemerkenswerte Eintragung in seinem Tagebuch, jenem Werk, das bis zum Ende seines Lebens 1881 den Mittelpunkt seiner Tätigkeit bilden sollte. Amiel, damals dreißig Jahre alt, hatte in Berlin Philosophie studiert, war dann in seine Heimatstadt Genf zurückgekehrt, wo er sein stilles Leben lebte, als Professor der Rhetorik und später der Philosophie an der zu jener Zeit kleinen »Académie de Genève«. Er veröffentlichte matte Gedichte, schrieb Aufsätze, die ich allerdings nicht kenne, und hinterließ ein riesiges Tagebuch – 174 Hefte, 17000 Seiten –, das meines Wissens nie vollständig gedruckt worden ist. Er hatte es mit 26 Jahren begonnen und führte es bis zum Tode weiter. Bald nachher erschien die erste Auswahl und ein Jahr darauf eine englische Übersetzung, die von Mrs. Humphry Ward hergestellt war, der Tante Julian und Aldous Huxleys. Die Texte machten einen tiefen Eindruck auf Tolstoi, dessen eigenes Tagebuch mehrere Hinweise darauf enthält; auch schrieb er eine Einführung zu Amiel. (1) Der junge Hofmannsthal veröffentlichte eine längere Studie über ihn (1891), denn nichts war dem Fin-de-siècle-Geist angemessener als die sanfte Introspektion dieses »Willenskranken«. (2) Auf ihn paßte, was Mme. de Chastenay von einem andern großen Tagebuchschreiber, Joseph Joubert, gesagt hat: er sei »eine Seele, die zufällig auf einen Körper gestoßen ist und sich damit abfindet, so gut sie kann«.

Selbst der Auswahl aus dem Riesentext, wenn man sie zusammenhängend zu lesen versucht, entströmt ein Aroma edler Langweile. Tagebücher bieten im allgemeinen keine besonders spannende Lektüre – nur das so erfrischend bösartige »Journal littéraire« des Paul Léautaud bildet eine Ausnahme –, und es ist gewiß nicht dem Konkurrenzneid zuzuschreiben, wenn ein anderer voluminöser Diarist, Julien Green, Amiels Tagebuch als *ennuyeux* bezeichnet. Hier ist nun der Hauptteil der erwähnten Tagebuchnotiz (von mir übersetzt). Amiel hatte gerade damals de Tocquevilles berühmtes Buch über die Demokratie in Amerika gelesen.

> De Tocquevilles Arbeit verleiht dem Geist viel Ruhe, hinterläßt ihm jedoch einen gewissen Ekel. Man erkennt die Notwendigkeit des Kommenden, und das Unvermeidliche hat eine beruhigende Wirkung; aber man sieht, daß ein Zeitalter allgemeiner Mittelmäßigkeit beginnt, und das Mittelmäßige lähmt jegliche Lust. Gleichheit erzeugt Einförmigkeit; und indem man das Vortreffliche, das Bemerkenswerte, das Außerordentliche opfert, wird man das Üble los ... Das Nützliche wird das Schöne ersetzen, die Industrie die Kunst, die Nationalökonomie die Religion, die Arithmetik die Dichtung.
> Die Zeit der großen Männer geht vorbei; die Epoche des Ameisenhaufens, des Massenlebens hebt an. Durch die beständige Nivellierung und die Arbeitsteilung wird die Gesellschaft alles sein und der Mensch nichts.
> Die Statistik wird große Fortschritte verzeichnen, und der Moralist einen allmählichen Verfall; die Mittelwerte werden ansteigen, wie es dem Talboden durch die Entholzung und die Senkung der Berge geschieht. Ein immer weniger gewelltes Plateau, ohne Gegensätze, ohne Widersprüche, monoton: so wird der Anblick der menschlichen Gesellschaft sein.
> Erkauft man nicht das allgemeine Wohlbefinden zu teuer, wenn man es mit dem Verlust der höchsten Fähigkeiten, der edelsten Bestrebungen des Menschengeschlechts bezahlt? Liegt hierin das den Demokratien vorbehaltene

> unselige Geschick? Oder wird sich über der wirtschaftlichen und politischen Gleichheit, auf welche die sozialistische Demokratie hinzielt, ein neues Königreich des Geistes bilden, eine Kirche der Zuflucht, eine Republik der Seelen, worin – weit über dem bloßen Recht und der groben Nützlichkeit – das Schöne, das Unendliche, die Hingebung, die Heiligkeit ihren Kultus und ihre Heimstätte finden werden? Der nur auf Nützlichkeit bedachte Materialismus, die trockene egoistische Legalität, die Vergottung des Fleisches und des Selbst, des Zeitlichen und des Mammons, sind sie das Ziel unserer Mühen? Ich glaube es nicht ... (3)

Eine zaghafte, nach innen gerichtete Stimme, vielleicht etwas larmoyant; aber was sie ausdrückte, muß zur Zeit der Achtundvierzigerrevolution viele Menschen bewegt haben. Ich glaube nicht, daß Amiel das »Kommunistische Manifest« gekannt hat, dessen Prophezeiungen ebenso wie seine eigenen seltsam in Erfüllung gegangen sind: genauso, wie sie es voraussagten, und doch ganz anders. Das entfesselte Klirren der jungen Maschinen, der Baulärm der Gründerpaläste übertönten leicht den summenden Chor von Eumeniden, die nichts voneinander wußten. Aber diese frühen Warner vor alten Verhängnissen bilden eine bewundernswerte Reihe: Joseph de Maistre und Joubert, Carlyle und Schopenhauer, Kierkegaard und Burckhardt, und am Ende – tagsüber Odysseus, nachts Penelope – der verwirrende Nietzsche. Die Reihe geht weiter, fast bis in unsere Zeit, bricht aber ungefähr 1930 ab. Von einigen werden wir noch hören. Amiel wäre überrascht gewesen, sich in solcher Gesellschaft zu finden; aber manches, was er gesagt hat, ist in dieser Art von andern nicht gesagt worden.

II

Der Begriff der Mediokrität – die Übersetzung »Mittelmäßigkeit« wird ihm nicht ganz gerecht – ist uralt. Schon die Römer besaßen ihn; er kommt bei Cicero und Horaz vor – allerdings mehr im Sinne von »gemäßigt, zwischen den Extremen«, wie auch die entsprechenden Wörter des Griechischen, μέτριος, μετριότης. In Caesar findet sich allerdings *mediocris animi*, »von niedriger Gesinnung«.

Im wettkampftrunkenen Griechenland wurden Helden rasch verewigt und rasch vergessen. Die olympischen Sieger bekamen ihre Statuen, aber die Geschicke eines Themistokles, eines Sokrates zeigten, wie wenig der Ruhm vor Unglück schützte. Ich denke jedoch nicht, daß unsere häßliche, besonders in Amerika grassierende Gewohnheit, Menschen als »successes« oder als »failures« einzuordnen, der Antike wirklich verständlich gewesen wäre. Die Anbetung geistiger oder körperlicher Kraftmeierei, der Heroenkult, beginnen erst, wenn es an Helden mangelt, zur Zeit des Niedergangs. Ich würde also sagen, daß es Epochen der Mediokrität waren, in denen Plutarch seine Heldenleben verfassen oder Carlyle jene Reihe von Vorträgen halten konnte, aus denen 1841 das Buch hervorging mit dem Titel »On Heroes, Hero-Worship, and the Heroic in History«.

Immerhin weisen Plutarchs Parallelbiographien eine eindrucksvollere Auswahl von Namen auf, als was Carlyle in schäbigeren Zeiten zustandebrachte. Er teilt die Helden ein: der Prophet (Mohammed), die Dichter (Dante und Shakespeare), die Priester (Luther und Knox), die Schriftsteller (Samuel Johnson, Rousseau und Burns). Auch Goethe hätte er gerne in diese seltsame Liste einbezogen, fand aber den Abstand zu gering, acht Jahre nach des Dichters Tod.

Wenn ich also recht habe, entsprach Carlyles literarische Heldenverehrung durchaus der anfangs erwähnten Befürchtung Amiels, ein Zeitalter allgemeiner Mittelmäßigkeit habe begonnen. Selbst einem scharfsichtigen Beobachter seiner

Zeit werden die Züge des Verfalls erst lange nach dessen Beginn deutlich werden, sogar wenn man es zuläßt, daß derartige Erscheinungen wirklich datiert werden können. Hegels Weltgeist marschiert zwar sicher, aber langsam; so wie Strahlenschädigungen manchmal dreißig oder vierzig Jahre brauchen, um sich zu manifestieren. Wir dürfen demnach annehmen, daß der Anfang des Niedergangs beträchtlich weiter zurückliegt.

Was gab es zu sehen, nah und fern, in jenem Jahre 1851? Einen Napoleon gab es schon lange nicht mehr und kaum einen Metternich. Gerade begann die Farce der Napoleonimitation in Frankreich. Hegel war schon vor Amiels Zeit gestorben, Schelling mit 76 bot ein trauriges Spektakel.* Im Jahre der zuvor angeführten Notiz führt Amiel Klage darüber, daß so viele der großen Männer, die er gekannt habe, schon tot seien; und er nennt Steffens, Mendelssohn, Thorwaldsen, Oehlenschläger, Oersted, Lachmann. Nur Schelling, A. v. Humboldt und Schlosser seien noch am Leben. Weitere von ihm erwähnte bedeutende Zeitgenossen sind: Balzac, Chateaubriand, Dickens, Heine, Hugo, Renan, Sainte-Beuve, Schopenhauer, Stendhal, Taine. Über Baudelaire sagt er nur Banales. Auch Darwin und sein Gegenstück Richard Wagner treten auf – eine gescheite Seite über »Tannhäuser«; Verdi kommt nicht vor.

III

Amiel spricht von der beständigen Nivellierung, und dieser Ausdruck rief mir die Erinnerung an einige viel tiefer einschneidende Feststellungen zurück, die in einem kleinen Buch enthalten sind, das Kierkegaard im Jahre 1846 drukken ließ. »En literair Anmeldelse«, »eine literarische Besprechung«, hieß es. Der erste Teil des Buches besteht aus einer

---

* Die bissige Schilderung von Schellings Berliner Vorlesungen in Kierkegaards einige Jahre früher geschriebenen Briefen ist lesenswert.

bis ins kleinste Detail sorgfältigen, lobenden Besprechung einer soeben erschienenen anonymen Novelle, »Zwei Zeitalter«. Der zweite Teil jedoch ist ein Sektionsbefund – schärfer als je ein Skalpell –, den Kierkegaard nach gründlicher Untersuchung dessen, was damals Gegenwart hieß, zu Papier brachte. Ich glaube nicht, daß die Wirkung groß war. Die lächerliche Figur in der stillen Stadt im kleinen Land wurde zwar nicht wegen Asebie angeklagt, wie es einst Sokrates widerfuhr; aber der peinliche Verstoß gegen die bürgerlichen Grundprinzipien des Wohlverhaltens wurde sicherlich mit dem leicht angeekelten Wegschauen bestraft, das der ältlichen Erbtante zuteil wird, wenn sie etwas angeheitert den Tango tanzt. Den Leuten die Wahrheit zu sagen ist nie leicht gewesen; jetzt kann es in meiner Umgebung nur geschehen, wenn die Wahrheit mit so viel Schmeichelei verhüllt ist, daß sie unsichtbar wird. Z. B. muß jeder Satz mit so etwas wie »in this great land of ours« anfangen.

Dieser zweite Teil seines Buches wurde von Theodor Haecker mit unnachahmlicher Einfühlung ins Deutsche übersetzt, unter dem Titel »Kritik der Gegenwart«. Ich las das kleine Buch gegen Ende meiner Gymnasialzeit, und in seinem immer mehr zerfallenden Zustand hat es mich in meinem Leben begleitet. Die Zitate stammen aus dieser Übersetzung. (4)

Eine redende, verhandelnde, Nachdenklichkeit heuchelnde Zeit ist für Kierkegaard keine Zeit der Aktion. Schon der erste Satz gibt den Grundton: »Unsere Zeit ist wesentlich die verständige, die reflektierende, die leidenschaftslose, die flüchtig in Begeisterung aufbrausende und klug in Indolenz ausruhende.« Wenn ich die ersten beiden Bestimmungen der Definition – Verstand, Reflexion – durch das Partizip »schwätzend« ersetze, trifft sie auch auf unsere Gegenwart zu. Der Neid gegen das Ausgezeichnete wirkt als Triebfeder. »Das sich etablierende Ressentiment ist die Nivellierung, und während eine leidenschaftliche Zeit vorwärts stürmt, erhebt und stürzt, aufrichtet und unterdrückt, tut eine reflektierte leidenschaftslose Zeit das Gegenteil, sie erstickt und verhindert, sie nivelliert ... Ist ein Aufruhr in seinem Maximum wie der Ausbruch eines Vulkans, so daß man sein eigenes Wort nicht hören kann, so ist das Nivellement in seinem Maximum wie eine Totenstille, über die sich nichts erheben kann, sondern alles sinkt ohnmächtig in sie hinab.«

Allerdings kann man heutzutage sein eigenes Wort vor lauter Totenstille nicht hören. Denn es hat sich herausgestellt, daß, wenn man mitten in erstarrter Lava leben muß, auch der Ausbruch eines Vulkans nichts ausrichtet, als noch mehr bald erstarrende Lava hinzuzufügen. Die gegen das Sterben der Zeit nicht gewachsenen Kräuter werden jetzt wissenschaftlich kultiviert; eine Tätigkeit, von der nur die Züchter profitieren, nicht die Zeit.

Die von Kierkegaard betriebene Nekromantie bestand darin, daß er die Lebenden als Tote wiederauferstehen ließ, und, siehe da, jetzt waren sie wirklich tot. Seine Ermahnung, doch endlich zu sich selbst zu kommen, ein jeder zurück zu dem Einzelnen, der er sei, mußte in der Totenstille verhallen. Dennoch hat er recht gehabt; nur ist seine Diagnose, wie es jedem wahren Seher ergeht, der Wirklichkeit etwas vorausgeeilt und gilt für unsere Zeit noch mehr als für seine.

Kierkegaard wollte den Menschen zu sich selbst zurückführen, hinaus aus den schwätzenden Generalversammlungen, in denen er ihn verloren sah. Er kämpfte verzweifelt für die Religiosität des Einzelnen. Was hätte er zu unserer Zeit gesagt, in der die Naturwissenschaften, diese schwätzendsten aller Generalversammlungen, der wirkliche Ersatz der Religion geworden sind? Er hatte sich lustig gemacht über die Verwendung von Mikroskopen und Teleskopen: für ihn war Gottes Welt eine sichtbare Welt. Was hätte er zu einer Zeit gesagt, in der man sich die Augen reibt, wenn man irgend etwas noch *sehen* kann, in der das Abgeleitete zum Absoluten geworden ist, der Schein zum Sein?

Bevor ich jedoch den Sprung in die Gegenwart mache und die Rolle unserer Wissenschaften in der Konstitution der

Mediokrität betrachte, möchte ich noch einen großen Zeitgenossen Kierkegaards zu Wort kommen lassen, einen Mann, der sich über die Ätiologie des Kulturverfalls Gedanken machte. Am 2. Juli 1871 schrieb Jacob Burckhardt an seinen Freund Friedrich von Preen, Stadtdirektor in Bruchsal:

> Das große Unheil ist im vorigen Jahrhundert angezettelt worden, hauptsächlich durch Rousseau mit seiner Lehre von der Güte der menschlichen Natur. Plebs und Gebildete destillirten hieraus die Doctrin eines goldenen Zeitalters, welches ganz unfehlbar kommen müßte, wenn man das edle Menschthum nur gewähren ließe. Die Folge war, wie jedes Kind weiß, die völlige Auflösung des Begriffes Autorität in den Köpfen der Sterblichen, worauf man freilich periodisch der bloßen Gewalt anheimfiel. In den intelligenten Schichten der abendländischen Nationen war inzwischen die Idee von der Naturgüte umgeschlagen in die des Fortschritts, d. h. des unbedingten Geldverdienens und Comforts, mit Gewissensbeschwichtigung durch Philanthropie.
>
> . . .
>
> Die einzige denkbare Heilung wäre: daß endlich der verrückte Optimismus bei Groß und Klein wieder aus den Gehirnen verschwände. Auch unser jetziges Christentum genügt hiezu nicht, da es sich seit 100 Jahren viel zu stark mit diesem Optimismus eingelassen und verquickt hat. Kommen wird und muß die Veränderung, aber nach Gott weiß wie vielen Leiden . . . (5)

Aber könnte ein schwächerer Kopf als Burckhardt nicht einwenden, daß Rousseau zu den nicht seltenen Fällen gehören mag, bei denen es schwerfällt, zwischen Ursache und Symptom zu unterscheiden, und daß Autorität zu der Zeit, da sie bezweifelt wird, schon längst aufgehört hat zu existieren? Auch würde ich hinzufügen, daß »der verrückte Optimismus«, soweit mein eigenes Gedächtnis reicht, immer nur ein Optimismus der Verzweiflung gewesen ist, ein zages Trällern in der einsamen Nacht.

IV

Wenn ich die drei von mir angeführten Zeugen – Kierkegaard, Burckhardt, Amiel –, und vielleicht auch noch den im Hintergrund schwebenden de Tocqueville, befrage, erhalte ich mehr oder weniger die gleiche Auskunft. Die Aufklärung ist an allem schuld: die Philosophen und Staatsrechtler, die Kritiker von Monarchie und Kirche, die Verkünder der Menschenrechte – sie waren die Paten bei der blutigen Taufe der Demokratie. Ohne sie wären der Sturz des Königtums und die Französische Revolution nicht eingetreten. Man hätte weiter die Gavotte getanzt, vielleicht zur Musik Leclairs; es hätte keinen Napoleon gegeben; und die großen amerikanischen Sklavenhalter, anstatt als Befreier ihrer Nation in eine kurze Ewigkeit einzugehen, wären allmählich in den englischen Adelsstand erhoben worden. Die überlebenden Monarchien hätten ihre Legitimität nicht als Kainsmal zu tragen brauchen. Der Bischof Talleyrand hätte die Süße des vorrevolutionären Daseins bis zur Neige auskosten können und wäre vielleicht Kardinal geworden. Wer, der je ein Kind gewesen ist, sehnt sich nicht nach dem Status quo ante? Jedenfalls entsinne ich mich, ein vorzeitiger Zeitungsleser, der gleichen Argumente aus den Jahren 1917 bis 1919, zur Zeit der Russischen Revolution. Seither habe ich gelernt, die Historiker in zwei Kategorien einzuteilen: die einen beweisen mir, daß die Revolutionen immer genau dann eintreffen, wenn sie es müssen; die andern, daß sie nur eintreten, wenn sie nicht länger nötig sind, da alles ohnedies auf dem besten Wege war. Beide haben wahrscheinlich unrecht.*

---

* Mir erscheinen historische Schuld und historische Größe als zwei Seiten derselben Medaille. Als ich ein Kind war, wurde in Wien ein und dasselbe Stück Tolstois

Es gibt viele Menschen, die sich an Schlagwörtern wahrhaft berauschen können; andere sind eher dafür empfindlich, was hinter ihnen steckt. Das Laute siegt und verliert; das Stille überlebt. Dennoch besitzen solche Formeln wie »Freiheit, Gleichheit, Brüderlichkeit« noch immer eine enorme Explosivkraft. Man sollte glauben, daß Phrasen, von so vielen schmutzigen Händen abgegriffen, ihren Glanz verlieren. Es werden aber immer neue Menschen geboren, in deren Herzen sie aufleuchten. Daher die flinke Verwendung der Menschenrechte als politische Waffe, wobei die Regierungen sich nicht darum scheren, ob in ihren eigenen Ländern die Menschen zu ihrem Rechte kommen. Obwohl das Schnurren der Mechanik laut und deutlich ist, fallen viele darauf herein.

Jedenfalls ist der Phrasentaumel, die »Sloganifizierung« des Lebens – unter deren bald eintretender Verschlissenheit der Nachruhm selbst eines so bedeutenden Dichters wie Schiller zu leiden hat –, eines der Kennzeichen der bürgerlichen Epoche, des Zeitalters der Mittelmäßigkeit. Ein weiteres Merkmal ist das allgemeine Verblassen der Religionen und ihre Umwandlung in Debattierklubs und Lobbies, so daß die ihren Platz einnehmenden Naturwissenschaften die einzigen Gegenstände wahren und innigen Glaubens geworden sind. Ein drittes ist das Überhandnehmen und die schließliche Übermacht dessen, was man öffentliche Meinung nennt.

V

Wenn ich mich im Folgenden allzusehr auf die Vereinigten Staaten zu beschränken scheine, so geschieht das aus zwei

unter verschiedenen Titeln gleichzeitig aufgeführt. In dem einen Theater hieß es »Er ist an allem schuld«, in dem andern »Von ihm alle Tugenden«. Das könnten die Aufschriften auf den beiden Seiten meiner Geschichtsmedaille sein. (Bei Tolstoi handelte es sich allerdings um Schnaps.)

Gründen. Erstens habe ich dort den größten Teil meines Lebens verbracht und bin daher berechtigt, aus erster Hand, wenn auch nicht aus wirklichem Verständnis, darüber zu urteilen. Zweitens ist Amerika – eigentlich ein geschichtsloses Land mit kurzen Traditionen – der geeignete Prüfstein, um das Gold oder Blei gesellschaftlicher Formen und Formeln zu überprüfen. Allerdings muß ich gestehen, daß meine eigene Tätigkeit als Goldgräber vorderhand nur dubiose Goldaktien zutage gefördert hat, Anweisungen auf eine Zukunft, die es nie geben wird.

Wären Gefäße nicht kommunizierend, so könnte das Niveau in dem einen hoch, in dem andern niedrig bleiben. Die Kommunikation ist es also, die das Mittelmaß erzwingt; und ungehemmte Kommunikation ist ja einer der Glaubensartikel der Demokratien. Die Kraft, die das bewerkstelligt, heißt öffentliche Meinung, und ihr von der Statistik, also höchst wissenschaftlich, gesalbter Ministrant ist der Durchschnitt. Beide Begriffe sind natürlich fiktiv: weder gibt es eine öffentliche Meinung, noch könnte diese die Meinung des Durchschnittsmenschen widerspiegeln, wenn es ihn gäbe. Der Durchschnitt schneidet den Menschen ohnedies die Köpfe ab und zählt nur das, worauf es wirklich ankommt, also z. B. in Amerika die Scheckbücher oder die Höhe der Bankkonten. Öffentliche Meinung wäre demnach das sich einstellende mittlere Niveau, wenn Geld aus dem höheren Konto in das niedrigere fließt, also z. B. von einer Erdöl- zu einer Fernsehfirma oder aus einem Syndikat in einen Geheimdienst.*

Der Begriff der öffentlichen Meinung tritt anscheinend zuerst im 17. Jahrhundert im Französischen auf, als *l'opinion*

---

* Man sollte folglich erwarten, daß auf diese Weise allmählich das Maximum monetärer Entropie erreicht wird. Das wird dadurch verhindert, daß die Röhre mit dem niedrigeren Niveau einen engen Ausfluß besitzt, während diejenige mit dem höheren Niveau dauernd aus geheimnisvollen Quellen gespeist wird. Solcherart bleibt dem Volk die ihm von der Verfassung garantierte »Suche nach Glückseligkeit« (»pursuit of happiness«) gesichert.

publique oder kurz als *l'opinion*, und später erst im Englischen oder Deutschen, wo es z. B. von Gibbon und Wieland verwendet wird, also eigentlich noch vor dem Überhandnehmen der »nicht zu genierenden Gazetten«. Sogar schon Pascal erkannte, daß die öffentliche Meinung von der Macht erzeugt wird (»Pensées«, Nr. 554, Lafuma), und Chamfort, daß sie häufig »die schlechteste aller Meinungen« ist.

Als Amiel unter dem Eindruck dessen, was er über Amerika las, seine Tagebuchnotiz machte, war der Nivellierungsdruck noch schwach. Er hatte erst in den Dreißigerjahren begonnen, fühlbar zu werden, und zwar zuerst in Frankreich und England, den ersten Versuchsstationen, in denen der Mechanismus der Erzeugung der öffentlichen Meinung untersucht wurde. Durch die wachsende Macht der Presse wurde der Beruf des Journalisten verlockend für viele Schriftsteller, und es begann die Besudelung und Vergiftung der Gehirne; ein Prozeß, der früheren Jahrhunderten unvorstellbar erschienen wäre. Korruption muß es immer gegeben haben, jetzt aber wurde sie industrialisiert. In der Gegenwart nimmt die Macht der Presse eher ab, denn unmittelbarere Vorrichtungen, die sich des Wortes und des Bildes viel eindrücklicher bedienen, sind dazugekommen: Rundfunk und Fernsehen. Der »Untergang der Welt durch schwarze Magie« geht weiter, aber diese ist jetzt mit Primärfarben überzogen, und Gesang und Tanz haben sich als noch wirksamere Mittel zur allgemeinen Verblödung erwiesen. Der korybantische Reigen der Vermittler all dessen, was sich verkaufen läßt – und was läßt sich nicht verkaufen? –, hat die westliche Welt, besonders Amerika, zu einer wahren Technicolorhölle gemacht.

VI

Als Kierkegaard und Burckhardt den Vorgang der Verschlechterung und Erniedrigung zu erkennen begannen, war er noch nicht sehr weit vorgeschritten. Die Generationen der um 1820 und selbst der um 1850 Geborenen umfassen eine beträchtliche Anzahl sehr bedeutender Namen. Dreißig Jahre später sah es allerdings schon anders aus. Nur in den Vereinigten Staaten herrschte von Anfang an, wie de Tocqueville es klarblickend erkannte, die Mediokratie.* Die wenigen, die sie überragten, mußten in andere Länder oder in den Untergang fliehen.

Worin drückt sich ein Zeitalter der Mittelmäßigkeit aus? Sein Ausdruck liegt im Negativen und im Positiven, mehr jedoch in jenem. Zum Beispiel ist, was man als Publikum oder Hörerschaft bezeichnen könnte, fast völlig verschwunden. Ich bin gewiß, daß vom »Hyperion« weniger Exemplare verkauft wurden als von einem Clauren-Roman, und daß ein Stück Kotzebues viel mehr Zuschauer hatte als »Die natürliche Tochter«. So wird es wahrscheinlich immer und überall gewesen sein, selbst im Athen des Perikles. (Dabei fällt mir allerdings ein, daß manche Bücher Grimmelshausens oder Jean Pauls geradezu Bestseller waren, und keineswegs von einer Leserelite getragene.) Jedenfalls gab es in der Vergangenheit neben einer kleinen Schicht erlesenen Geschmackes noch ein weites oder zumindest weiteres Publikum, das nicht nur jener folgte, sondern auch aus eigenem urteilen konnte. An Mozart versagte schließlich eher die Elite als das Publikum. Tatsächlich ist das Verschwinden jeglichen individuellen Urteils eines der hauptsächlichen Merkmale der Mediokrität.

In unserer Zeit hingegen produzierte Valéry eine Lyrik für Professoren, und bei Proust oder Joyce, Kafka oder Musil wird es auch nicht viel anders sein. Die Komponisten schreiben für andere Komponisten, die Maler malen Kapitalsanlagen, die Bildhauer schaffen Verkehrshindernisse. Gäbe es

* Im Englischen drückt das ziemlich seltene Wort *mediocracy* – es ist im großen Webster-, jedoch nicht im großen Oxford-Wörterbuch – den Zustand doppelt glücklich aus: es handelt sich um die Herrschaft der Mediokrität und zugleich um die der Massenmedien.

überhaupt keine Literatur oder Kunst, so würden es nur wenige bemerken. Die einstmals freien Berufe leiten ihre Notwendigkeit lediglich aus ihrer Existenz ab, und diese beruht nur auf der Trägheit aller menschlichen Einrichtungen. Sollte jemand einwenden, daß es immer so gewesen ist, und daß auch Kallimachos eine Lyrik für die Professoren von Alexandria geschrieben hat, so würde ich erwidern, daß dort von Mittelmäßigkeit keine Rede sein konnte, denn es fehlte eine der wichtigsten Vorbedingungen: die Abwesenheit der Druckpresse verhinderte den dickflüssigen Strom des Geschwätzes.

Daß die Gegenwart alles »zerschwatze«, hat schon Burckhardt häufig beklagt; und Kierkegaards Kritik der Zeit enthielt die folgenden Sätze:

> Was ist das, *Schwätzen?* Es ist die Aufhebung der leidenschaftlichen Disjunktion zwischen Schweigen und Reden. Nur der, der wesentlich schweigen kann, kann wesentlich reden, nur der, der wesentlich schweigen kann, kann wesentlich handeln. Verschwiegenheit ist Innerlichkeit. Schwätzen antizipiert das wesentliche Reden, und die Äußerung der Reflexion schwächt durch Vorkauf die Tat . . . (4)

Mit anderen Worten, die Öffentlichkeit – diese verworrene Großmacht, die sich groß macht – erstickt schon an den zu dicken Brocken, bevor sie sie abgebissen hat; ein Phönix, der seine eigene Asche verkauft.*

Mit dem Nivellierungsdruck geht es wie mit dem Luft-

---

* Wenn man die Darbietung der Tagesnachrichten im europäischen und amerikanischen Rundfunk vergleicht, macht man eine seltsame Entdeckung. Während in Europa über jüngstvergangene Ereignisse berichtet wird, bekommt man in den Vereinigen Staaten viel eher die Zukunft als die Vergangenheit zu hören. Man erfährt meistens, was geschehen wird, worauf es natürlich geschehen muß. Ebenso wie die abscheulichen Meinungsumfragen das Ergebnis erzeugen, nicht voraussagen.

druck: man bemerkt ihn erst, wenn er aufhört. Man ist an ihn gewöhnt, denn man war ihm von der Geburt an ausgesetzt; vielleicht sitzt die Adaptation schon in den Chromosomen. Niemand kann den Durchschnittsmenschen beschreiben; trotzdem ist der schon auf das kleinste Kind ausgeübte Druck, einer zu werden, ungeheuer. Unter die Kennzeichen einer mediokren Zeit zähle ich das völlige Verschwinden von Vorbildern. Es ist unmöglich, die Hoffnungen längst vergangener Generationen zurückzurufen, aber ich bin gewiß: ein Katalog der Sehnsüchte unserer Zeit ergäbe ein höchst jämmerliches Dokument. Da alles Vorhandene, alles Geschehende und auch das, was noch im dunklen Schoß der Zukunft ruht, jetzt mit einer Preisetikette versehen ist – man baut ein Zwei-Millionen-Dollar-Haus, man erhält einen 65 000-Dollar-Posten, der Verstorbene war $50 Millionen wert –, da alles, sage ich, jetzt seinen Wert in Bargeld bekennen muß, würde es mich nicht überraschen, wenn selbst die Träume der Kinder inflationsgemäß indexiert wären. Als die drei Könige aus dem Morgenland ihre Gaben darbrachten, ahnten sie die Symbolkraft ihrer Spende? Das Gold dient zum Spekulieren, der Weihrauch der Selbstverherrlichung – und die Myrrhe? Sie ist der bittere Geschmack, den man im Mund verspürt, wenn man unsre Zeit betrachtet.

VII

Daß es eine verwirrte Zeit ist, in der sich nur wenige zurechtfinden, wird wohl nicht geleugnet werden. Kann man sich jetzt noch einen Hegel vorstellen, wie er in souveränem Integrationsanspruch mit dem Weltgeist konversierte? Am 5. Juli 1816 schrieb er an Niethammer:

> Die allgemeineren Weltbegebenheiten und Erwartungen, sowie die der näheren Kreise veranlassen mich meist zu

> allgemeineren Betrachtungen, die mir das Einzelne und Nähere, so sehr es das Gefühl interessiert, im Gedanken weiter wegrücken. Ich halte mich daran, daß der Weltgeist der Zeit das Kommandowort zu avancieren gegeben. Solchem Kommando wird pariert; dies Wesen schreitet wie eine gepanzerte, festgeschlossene Phalanx unwiderstehlich und mit so unmerklicher Bewegung, als die Sonne schreitet, vorwärts durch dick und dünne. Unzählbare leichte Truppen gegen und für dasselbe flankieren drum herum, die meisten wissen gar von nichts, um was es sich handelt, und kriegen nur Stöße durch den Kopf wie von einer unsichtbaren Hand. (6)

Uns ist die Hand nicht verborgen geblieben. Zwei Weltkriege und ein die letzten 65 Jahre fast völlig erfüllendes Gemetzel ohnegleichen haben das Bewußtsein und das Gewissen der Menschen zerstört. Die eine Aufgabe, die die Statistik vortrefflich ausführte, war die Mathematisierung des Entsetzlichen. Keine Namen mehr und keine Gesichter, kein Bluten und Brennen, keine verzweifelten Kinderaugen und keine weinenden Mütter; nur kühle Zahlen in Tabellen, Punkte auf Kurven, ein Plusminus des Abscheulichen. Ein weiteres überaus wirksames Betäubungsmittel sehe ich in der esoterischen Namensgebung: »Holocaust« für die Greuel des nationalsozialistischen Regimes, »Armageddon« für den kommenden Krieg mit Kernwaffen.

Allenthalben sind die Welt und das Leben für den einzelnen zu kompliziert geworden; er ist in einem Gestänge ohne Anfang und Ende hängengeblieben und hat sogar die Kraft zur Verzweiflung verloren. Ob er in einer Kommerzdemokratie lebt oder in einer Volksdemokratie; ob er den hilflosen Mann auf dem Dach seines Hauses Präsidenten nennt oder Sekretär, Marschall oder Generalissimo: sein Leben ist gleichermaßen dumpf und unerweckt. Nur aus dem Privatesten fällt noch hie und da ein bißchen Licht hinein: eines Kindes Laufen, ein leichtes Haar. Aber es steht schlecht um das

Private: ein Höllenlärm hat es ausgelöscht. Denn wir sind in den Fängen einer Reklame, welche die ganze Welt durchsikkert, erweicht und aufgeschwemmt hat. Aufrichtigkeit war vielleicht immer die List der Hinterlistigen; aber jetzt verbirgt sich eine geistlose Automatik hinter einem paradiesischen Grinsen, vor dem man sich fragen muß, was eigentlich es einem verkaufen will. Die Parole ist immer: »ein Mann, ein Schlagwort«. Die schon längst moralisch und finanziell insolvente, par-force-gejagte Kundschaft kann sich nur helfen, indem sie ihren Jägern nachjagt. Ich glaube, daß ein weltweites, auf fünf oder zehn Jahre bemessenes Moratorium für jegliche Art von Werbung die Welt retten könnte. Erst wenn die Menge ratlos wird, weiß der einzelne Rat. Wie unsre Welt jetzt gebaut ist, ist die Wahl zwischen Alternativen nur möglich, wenn es keine Wahl gibt. Was man uns jetzt bietet, ist die Entscheidung zwischen Pest und Cholera oder bestenfalls zwischen zwei ideologisch etwas verschieden gekleideten Teufeln.

Das Reich der Mittelmäßigkeit, das die von mir genannten, höchst unmittelmäßigen Männer ankündigten, ist vielleicht sogar jetzt noch nicht auf seinem Höhepunkt, denn unsre Welt ist unbegrenzt depravierbar. Doch ist sie in den Kernen krank, und ein chiliastisches Ahnen vom Ende verbreitet sich.* Ein unendlich schwerer Bleideckel scheint auf der unentwegt expandierenden Menschheit zu lasten, und wer den Kopf hinausstreckt, dem wird er eingeschlagen. Alles Vorzügliche, wenn es das noch gibt, muß demnach Quartier suchen in dem Schutzkeller der Mediokrität. Hingegen gibt es Säulen in dieser Höhle, eigens errichtet für dazu ernannte Heilige, ob sie nun Schweitzer heißen oder Gandhi, Einstein oder Picasso; die Säulen sind nicht zu hoch gewählt, die Styliten bleiben gut sichtbar.

---

* Auch hier bewährt sich die erwähnte Abwertung durch Namensgebung: in den Vereinigten Staaten spricht man von »prophets of doom«, und man lacht.

VIII

Der Zeitraum, den ich hier kurz und oberflächlich betrachte, ist unter anderem auch durch eine seltsame Veränderung in der Stellung der Völker zu ihren Sprachen gekennzeichnet. War der unheilvolle Anstieg des Nationalismus im 19. Jahrhundert dafür verantwortlich? Auch er war ein Ausdruck der überhandnehmenden Mediokrität und wurde bald zu ihrem Werkzeug. Jedenfalls kann man sich in jener Epoche nicht mehr die Definition vorstellen, die Samuel Johnson etwa hundert Jahre früher in einem Gespräch mit Boswell (7. 4. 1775) vorschlug. Er sagte, Patriotismus sei die letzte Zuflucht des Schurken. Dabei ist es noch weit vom Patriotismus zum Nationalismus oder gar zum Chauvinismus. Zu diesem scheint jedoch die Demokratie in fast allen Ländern, die es sich leisten konnten, geführt zu haben. Besonders in Amerika ist der schäbige Mißbrauch der Landesflagge offenkundig.

Am Anfang waren Französisch und Latein noch sehr weit verbreitet, jenes als die Verkehrssprache zwischen den Völkern, dieses als die Sprache der Gelehrten. Beide sind Sprachen mit einem festen grammatischen Gerüst und mit einem streng definierten Vokabular, das es einem schwer macht, in das Wolkenreich der Beiläufigkeiten aufzusteigen. Das Französische gestattete den Zugang zu großer Dichtung und herrlicher Prosa. Wer Latein konnte, las nicht nur Lukrez, Sallust, Catull, Vergil, Horaz, Tibull, Properz, Tacitus usw., sondern er konnte gewöhnlich auch Griechisch und hatte damit den Weg offen zur strahlendsten Dichtung, zur leuchtendsten Philosophie, die die Geschichte Europas kennt. Ich kann mir Goethe nicht ohne Homer vorstellen oder Hölderlin ohne Pindar und Sophokles. Erst zur Zeit der Romantik trat ein Strangulationsprozeß ein, obwohl gerade aus dieser Bewegung die ersten großen Sprachforscher hervorgingen. Vielleicht war es wirklich die Spezialisierung, die die Barbarisierung allmählich herbeiführte.

Jetzt sieht die Lage hingegen ganz anders aus. Mit Latein als Gelehrtensprache ist es zu Ende; leider – denn wenn die Kernphysiker und die Molekularbiologen einen Teil ihrer Zeit mit dem Nachsuchen unregelmäßiger Perfektkonjunktive hätten verbringen müssen, wäre viel Unheil vermieden oder zumindest hinausgeschoben worden. Die internationale Sprache der Wissenschaften ist jetzt das Englische, wohl die Sprache, die am wenigsten schreit, wenn man sie malträtiert. Unglücklicherweise ist das meistens der Fall, und ich glaube nicht, daß die Mehrzahl der sich des Englischen bedienenden Wissenschafter jemals ein richtiges englisches Buch gelesen hat. Sie lesen ihre gegenseitigen Arbeiten, was nicht zur Sprachverbesserung beiträgt. Da überdies mehr als die Hälfte aller wissenschaftlichen Arbeiten aus Amerika kommt, gibt eine depravierte Form des amerikanischen Englisch den internationalen Ton an.

Die Verunstaltung der Sprachen geht jedoch viel weiter. Natürlich ist der Bereich, den ich zu überblicken vermag, sehr klein, und ich mag mich wohl irren. Aber ich habe den Eindruck einer fortschreitenden Aphasie bei allen Völkern. Sprachen nähren sich aus dem Boden der Einfachheit; die Gebildeten verderben sie eher. Jeder Eingriff in das Individuelle, das Persönliche, das Private; jede Krümmung des Weges zwischen Gefühl und Ausdruck; jeder Zwang, den Gedanken durch eine Prothese oder eine Fertigpackung zu ersetzen: all das muß eine Verfälschung des Gesprochenen und des Geschriebenen bewirken. Rundfunk, Fernsehen, Werbung und die Schnelligkeit des Verkehrs führen zu einer Verflachung, einer Nivellierung des Sprachvermögens, zu einer Erschlaffung der Ausdruckselastizität, wie sie früher undenkbar gewesen wären. Eine Pidginsprache erzeugt Pidgingedanken, und diese wieder verkrüppeln den Geist. Etwas sagen zu müssen, was man nicht sagen kann, und, umgekehrt, etwas sagen zu können, was man nicht sagen darf: das erzeugt eine Spannung zwischen dem Gemüt und dem Wort, unter der beide leiden. Es gibt so etwas wie eine Berechtigung zu einem Gefühl, einem Gedanken, einem Ausdruck; und diese Zensur ist uns ausgeschaltet worden.

IX

Wenn ich Amiels Vermutung als berechtigt anerkenne, nämlich, daß in den letzten 150 Jahren die Mittelmäßigkeit sich breitzumachen begann – vielleicht parallel zu der Entwicklung des bürgerlichen Zeitalters –, wobei Schaffens- und Einbildungskraft allmählich erstickten, muß ich mich fragen, ob nicht auch jene Epoche Leistungen von hohem Rang aufzuweisen hat. Dabei will ich von einzelnen, zweifellos höchst bedeutenden Werken absehen – wie etwa »Oblomow«, »Krieg und Frieden« oder »Die Brüder Karamasow« –, die es bis 1914 einige Male gegeben hat, und nach mehr in die Tiefe und Breite gehenden Bewegungen, nach allgemeinen Geistesrichtungen Ausschau halten. In der Kunst gibt es etwas Derartiges: das Aufblühen des französischen Impressionismus in der zweiten Hälfte des vergangenen Jahrhunderts. Ich denke nicht, daß irgendwer Degas oder Cézanne, Manet oder Renoir als Mediokritäten bezeichnen wird.

Vielen jedoch wird ein anderer, in denselben Zeitraum fallender Aufschwung noch eindrucksvoller vorkommen: das Wachstum der Naturforschung und der auf ihr beruhenden Wissenschaften. Allerdings muß der Vergleich geistiger Schöpfungen mit denen der Wissenschaften oberflächlich und hinkend sein, denn in jenen fängt man immer vom Anfang an, ein jeder auf seinem eigenen Boden, während diese eine Bevölkerung von Zwergen auf Riesenschultern darstellen. Mit dieser Unterscheidung ist eigentlich schon alles gesagt. Wie ich vor kurzem schrieb: »Kein Naturforscher war jemals so allein wie Cézanne, wenn er ein Stilleben malte.« (7)

Es wäre demnach durchaus denkbar, daß die Naturforschung in ihrer kribbelnden Ameisenbelebtheit der wahre

Ausdruck eines Zeitalters der Mittelmäßigkeit ist. Jedenfalls ist sie die Tätigkeit, bei der es besonders schwer ist, Größe und Rang zu erkennen. Dies ist nicht immer so gewesen. Im vorigen Jahrhundert und am Anfang des gegenwärtigen heben sich bedeutende Namen deutlich ab, nämlich solange es sich um die Betätigung einiger weniger handelte. Allerdings brauchte man nur im Boden zu kratzen, um wahrhaft mykenische Schätze der Naturerkenntnis zu enthüllen; die Aufstellung in Vitrinen konnte dann den wenigen Assistenten überlassen werden. Als es jedoch deren viele wurden, begann das Auslagenarrangement eine übermäßig große Wichtigkeit anzunehmen. Jetzt ist es mehr als jede andere diese Geschicklichkeit, die den berühmten Naturforscher stempelt. Da unsere Zeit von der Reklame bis in die Träume vergiftet ist, schminkt diese die weit leuchtenden Gesichter der Berühmtheiten, errichtet sie die Sockel für das einer meistens anderswohin blickenden Menge gebotene Schauspiel. Die Staatsmänner unserer Zeit können die Wissenschaften höchstens als Staffage gebrauchen, denn die Politiker der Mittelmäßigkeit sind ja nur die Laufburschen riesiger anonymer Körperschaften: das, was man im Wurstelprater meiner Jugend »Watschenmann« nannte, eine zum Auslassen des Zornes dienende Figur.

Ich sehe jedoch die Zeit kommen, in der die Naturforscher selber die Prügelknaben einer völlig unregierbaren Welt sein werden. Denn es hat sich herausgestellt, daß die Naturwissenschaften in ihrer technischen Anwendbarkeit und Anwendung das wirksamste Werkzeug zur fortschreitenden Komplizierung der Welt sind; eine als Medikament figurierende Infektion. Allerdings ist der Zustand der Unerträglichkeit schon längst erreicht; aber allzu große Schmerzen betäuben, und es ist eine schlafende Menschheit, die ins Verderben stürzt.

X

Die Betäubtheit der Welt zeigt sich in ihrer Ausdruckslosigkeit. Eine allgemeine »Anomie«, ein Normenschwund, eine Erschlaffung der normalen menschlichen Reaktionen scheint sich aller Geister bemächtigt zu haben. Vielleicht gibt es noch zornige Männer in Albanien oder Afghanistan oder irgendwo in Afrika; aber wo sonst? Jetzt wird Polemik von 9 bis 17 Uhr betrieben; sie ist ein Job, den man gerne mit einem andern vertauscht, denn eigentlich ist es nicht schön, wenn man unhöflich ist zu den Mitmenschen. Man braucht nicht weit zurückzugehen, um den Unterschied gegenüber früheren Zeiten zu erkennen. Sogar vor 1930 gab es ihn noch, den Zorn, der Menschen rühren konnte. Vielleicht waren es nur die letzten Zuckungen vor der völligen Anästhesie; aber da waren Bloy, Péguy und Bernanos, Theodor Haecker und Karl Kraus, Hilaire Belloc, H. L. Mencken. Auch Trotzki sollte ich nennen, wenngleich er mehr *pro domo* als *pro mundo* sprach. Was ist aus einer ehrenvollen Linie geworden, die bis in längst vergangene Zeiten reicht? Was hätte der junge Karl Marx zu Hitler gesagt, Swift zu Hiroshima, Courier zu Seveso, Lichtenberg zur Psychoanalyse, Alexander Pope zu Kissingers Nobelpreis, Aristophanes zu Jimmy Carter? Oder Martial, Juvenal, wären sie »investigative reporters« geworden, Sensationstrüffelschweine?

Als einst der Mensch in seiner Qual verstummte, war er beredter als all die vorgefertigten Phrasen, die ihm jetzt sagen, wie er leidet. Jedenfalls scheint unsere Gesellschaft allen Künsten die Rede verschlagen zu haben. Selbst im ersten Drittel unsres Jahrhunderts sah es viel besser aus, obwohl die Heimatlosigkeit fast allgemein war; ein Zustand, der allerdings schon zur Zeit der Französischen Revolution eingesetzt haben dürfte. Auch Georg Büchner oder Rimbaud waren sicher nicht bei sich zu Haus, aber es konnte sie geben. Unsere Zeit scheint jedoch über Vorrichtungen zu verfügen, die nicht nur die Wahrnehmung, sondern sogar die

Entstehung bedeutender Schöpfungen unmöglich machen und die Genialität ganz auf das Gebiet der Banküberfälle und Terrorakte verweisen. Wenn man ein Optimist sein will, was kaum nötig ist, könnte man sagen, daß jetzt so viel Asche herumliegt, daß die Geburt eines Phönix jeden Augenblick erwartet werden muß. Schließlich verbrannte aber auch dieser Wundervogel endgültig.

Nur unserer abgebrühten Zeit konnte das Böse banal erscheinen. »Das is eben die List von denen Spionen!« heißt es in den »Letzten Tagen der Menschheit« anläßlich der schwachsinnigen Entlarvung einer Spionin, die keine ist. In der Einfachheit liegt eben des Teufels Kunst. Kein Knoten ist zu gordisch für ihn, daß er ihn nicht aufs eleganteste löste. Und so hat er uns gelehrt, alle Motive auf den einfachsten Nenner zu bringen, und der ist dort, wo ich lebe, die Habgier oder vielleicht besser die Verbrauchsgier. Tatsächlich ist die Unterschätzung des Bösen – denn »Mensch'n, Mensch'n san mir alle!« – ein übles Zeichen: nur dem Schlechten erscheint das Schlechte als banal. Was er eigentlich sagen will, ist, daß es nicht wissenschaftlich fundiert ist; und da hat er recht. Aber ich habe schon lange den Eindruck, daß die furchterregend anwachsende Kriminalität in Amerika eine Flucht aus der Komplikation des Lebens ist, ein Wegspülen der Menschenseele in den Kanal der Blindheit, eine Kapitulation des nie zu sich Gekommenen. Ohne Bewußtsein kein Gewissen, und jenes ist den meisten geraubt worden.

Warum die unwiderstehlich vorrückende »gepanzerte, festgeschlossene Phalanx« es unseren Generationen vorbehalten hat, als erste den Kern zu spalten – den Kern der Stoffe, den Kern des Lebens – und so einer zweiten Sintflut, dieses Mal ohne Arche, den Weg zu eröffnen, weiß ich nicht. Es ist statistisch unwahrscheinlich, aber nicht unmöglich – darüber entscheidet nicht die Statistik –, daß gerade wir berufen sind, an dem Untergang des Lebendigen auf Erden teilzunehmen. Von einer Zeit, die an vielen Orten genug Material aufgehäuft hat, um die Bewohner der Welt mehrfach zu vernichten, kann alles erwartet werden. In einem Land, das die Neutronenbombe als eine technische Herausforderung betrachtet, das die Kernwaffen mit dem niedlichen Kosenamen *nukes* versehen hat, das zähnefletschend grinsende Alte-Buben-Masken als Ikonen verehrt, in so einem unglücklichen Land kann alles geschehen.

Daß eine so ungeheure Kraft in so kraftlose Hände gelegt ist, daß Hühnergehirne das Universum beschmutzen und zumindest einen Planeten erschüttern können, mag als die Apotheose siegreicher Mittelmäßigkeit angesehen werden. Diese erstreckt sich jedoch auch auf diejenigen, die den Missetätern die Kraft und die Macht verliehen haben. Ich will keine Namen nennen; aber wenn ich die Demiurgen der Kernenergie mit den Physikern und Chemikern der Vergangenheit vergleiche, erscheinen sie mir als Pygmäen. Vielleicht ist das nur eine optische Illusion, ein verfehlter Heroenkult; ich weiß es nicht.

Das aber weiß ich. Kein Biologe, sondern der rätselhafte Seher William Blake endete ein Buch mit einem vom Standpunkte der Wissenschaft höchst unoriginellen Satz über das Leben. Eines seiner schönsten Bücher, von ihm selbst illustriert, gestochen und illuminiert, »The Marriage of Heaven and Hell« (1790), endet mit den Worten: »Denn alles was lebt ist Heilig.« Die ungewöhnliche Majuskel war Blakes Art auszudrücken, wie wichtig ihm das war.

Anmerkungen

(1) Tolstois Tagebuchnotizen über Amiel sind vom 1. und 7. 10. 1892, 22. 12. 1893, 27. 10. 1900, 16. 1. und 15. 9. 1904, 26. 7. 1909.

(2) H. v. Hofmannsthal, Das Tagebuch eines Willenskranken, in Reden und Aufsätze I, (Fischer Taschenbuch, Frankfurt am Main), 1979, S. 106.

(3) H. F. Amiel, Fragments d'un journal intime, (éd. B. Bouvier, Stock, Paris, Georg et Cie., Genève), 1927, Bd. 1, S. 29f.

(4) S. Kierkegaard, Kritik der Gegenwart, übersetzt und mit einem Nachwort von Theodor Haecker, 2. Aufl., (Brenner-Verlag, Innsbruck), 1922.

(5) J. Burckhardt, Briefe, (Hrsg. M. Burckhardt), (Schwabe & Co., Basel, Stuttgart), 1963, 5. Bd., S. 130.

(6) Briefe von und an Hegel, (Hrsg. J. Hoffmeister), (Felix Meiner, Hamburg), 1961, 2. Bd., S. 85f.

(7) E. Chargaff, Unbegreifliches Geheimnis, (Klett-Cotta, Stuttgart), 1980, S. 138.

[7]

NIETZSCHE: DER ABSTURZ IN DAS UNBEKANNTE

I

Einmal in der Woche danke ich Gott in der Früh, daß er mich nicht so gescheit gemacht hat wie den Dr. J. oder den Dr. E. Es gibt nämlich Fragen in der Wissenschaft, in denen man nicht recht haben möchte. Dazu gehören zum Beispiel die Forschungen, die mir mit mathematischen, psychologischen und sonstigen Eseleien haarscharf beweisen, daß manche Menschen klüger sind als andere. Das hat schon Jakob gemerkt, wenn er den Esau anschaute; und sicherlich haben die großen Betrüger der Weltgeschichte nicht erst auf die Erfindung des Intelligenzquotienten zu warten gebraucht. Jetzt kann man aber, was einer angeblich im Kopf hat, in Ziffern ausdrücken, d. h. auf wissenschaftlich einwandfreie Weise; und da ich ein glückliches Elternhaus gehabt habe, kriege ich acht Punkte abgezogen. Mit diesem Handikap überholen mich sogar Molekularbiologen.

Vielleicht war die Welt immer ein Jammertal für Langstreckenläufer, aber erst der in den letzten hundert Jahren besiegelte Sieg der Naturwissenschaften hat sie agonal gemacht. Durch viele hunderttausend Jahre hatten die Menschen sich durchgewurstelt, bevor ihnen enthüllt wurde, sie hätten es in ihrer Eigenschaft als die Tüchtigsten geschafft. Die müssen sich gewundert haben!

Die wissenschaftliche Neugier wuchs mit der Unfähigkeit, den Gegenstand der Neugier zu begreifen. Eine Wissenschaft, die durchaus in der Lage ist, die chemische Zusammensetzung der Exkremente zu ermitteln, versagt, wenn sie sich dem Geist nähert, es sei denn, sie behandle diesen auch als ein Exkrement. Das ist eine Form generalisierter Koprophilie, die in der Branche jetzt Reduktionismus genannt wird. (Nicht, daß mir diejenigen, denen der entgegengesetzte Zettel aus dem Mund hängt – die immer seltener werdenden Vitalisten –, viel lieber wären.)

Jedenfalls kann ich wenig Begeisterung dafür aufbringen, daß einer hingeht und die Menschen einteilt: in Klügere und Dümmere, in Geeignete und Ungeeignete; daß er den einen das Glöckchen *Fama* anhängt und den andern das Glöckchen *Fames*. Sie sind, wie sie sind, und laßt sie in Ruh!

Inruhlassen wäre aber unwissenschaftlich, denn die krabbelnde Rastlosigkeit, die sich der Menschheit bemächtigt hat, seit die Aufklärung alle Gardinen hinaufzog, kann nicht mehr stillestehen. Alles dreht sich; nur wissen wir nicht, ob im Kreis oder auf einer Spirale, und wenn auf dieser, ob hinauf oder hinunter. Das macht aber nichts, denn der Konsens nährt sich von Meinungsverschiedenheiten. Solange die Menschen in den Ketten ihrer Freiheit lebten – d. h. bis zu der Zeit, da Gutenbergs Entdeckung sie zur Freiheit ihrer Ketten berief –, waren die Wissenschaften ein so winziges Minoritätsunternehmen, daß nur sehr wenige ihre Existenz zur Kenntnis nehmen konnten. Auch nachher ging es in den ersten vierhundert Jahren nur sehr langsam voran. Die sehr kleine Forschung hatte fast keinen Einfluß auf die kleine Technik. Der Alchimist pantschte und entdeckte, der Astronom oder der Geometer maß und rechnete, die Handwerker schreinerten oder schmiedeten. Erst in der zweiten Hälfte des vorigen Jahrhunderts begann die gleichsam gyroskopische Kontrolle menschlicher Handlungen nachzulassen, und jetzt, würde ich sagen, ist sie ganz außer Kraft gesetzt. Hunderte Jahre vergingen, bis die Elektrizität das wurde, was sie jetzt ist; zwischen Otto Hahns Veröffentlichung und Hiroshima und Nagasaki liegen keine acht.

Ich bin kein Erklärer, viel eher ein Beschreiber; und die Frage »warum?« kann ich meistens überhaupt nicht beantworten. So weiß ich auch nicht die Gründe, warum die alte Volksweisheit, daß die Bäume nicht in den Himmel wachsen, gerade in unserer Zeit ungültig geworden ist. Wir sehen den Himmel vor lauter Bäumen nicht; allerdings sind es synthetische Plastikbäume, und jetzt fressen sie uns schon das Ozon weg.

Übrigens hat es mit den Erklärungen in den Naturwissenschaften eine eigene Bewandtnis. Sie tragen alle ein meistens nicht eingestandenes Verfallsdatum. Eigentlich ist in der Naturforschung jede Antwort auf eine Frage wertlos, wenn sie nicht eine neue Frage mit enthält. Es ist so wie bei manchen philosophischen Völkern, die Fragen nur mit Fragen beantworten. Das ist auch der kunstvolle Weg, der die Naturforschung grenzenlos erhält: sie webt, sie trennt. (Daher habe ich einmal vom Penelopekomplex der modernen Naturwissenschaften gesprochen. Früher erzeugte man dauerhaftere Naturgesetze.)

II

Man hört es manchmal sagen – und ich glaube, ich habe es auch getan –, die Naturwissenschaften seien der Mythos unserer Zeit. Jedes Mal, wenn ich so etwas sage, zieht mein Gewissen den Zügel kürzer, denn im Gegensatz zu mir hat mein Gewissen ein gutes Gedächtnis, und es erinnert sich an den Mythos von Blut und Boden und an viele andere schönen Mythen, denen es kaum gelingen wird, den allgemeinen Leichengestank zu verhüllen. Zwischen der furchtbaren Göttin Kybele und der *Cloaca Maxima* bestehen geheimnisvolle Zusammenhänge, vor denen sogar der aromatische Spürsinn des Mythenforschers zurückschrickt.

Gemäß meiner wissenschaftlich sicherlich nicht hinreichenden Definition ist ein Mythos eine mit religiöser Kraft vorgetragene und geglaubte Begebenheit, Geschichte, Fabel usw. Bei häufiger Wiederholung nützen sich Kraft der Erzählung und Festigkeit des Glaubens ab, und am Ende wird es ein Dekameron der Götter. Überreste der Tiefe und der Glut der griechischen Mythologie finden sich noch in

Hesiod und Homer; aber im allgemeinen werden Mythen erst aufgeschrieben, wenn man nicht mehr an sie glaubt. Will man Teile der Bibel als mythisch betrachten, so bilden sie in dieser Beziehung eine Ausnahme, denn sie wurden gewiß von innig Gläubigen verfaßt.

Nun muß man bei der Verwendung des Wortes und seiner Ableitungen ein bißchen aufpassen, denn sein Sinn ist vielen Wandlungen unterworfen. Zur Zeit der Romantiker haben Männer wie Görres oder Bachofen das Wort Mythos sehr ernst genommen, und in der berühmten, obwohl für mich unbrauchbaren Definition: »Der Mythus ist die Exegese des Symbols« hat Bachofen dem Wort sozusagen eine Basler Bürgerkrone aufgesetzt. Aber was kann man zum »Mythos des 20. Jahrhunderts« sagen? Von dieser Rosenberg-Delikatesse wurden wahrscheinlich mehr Exemplare verkauft, verschenkt oder aufgedrängt als von den gesammelten Werken der Creuzer, Görres, Jacob Grimm und Bachofen zusammengenommen. Überhaupt hat sich in unserer Zeit, zumindest im Deutschen, das Wort Mythos ins Windigaufgeblasenerhabene erhoben, etwa in den Schriften des Georgekreises, so daß man es nur mit den allerskeptischsten Gummihandschuhen anfassen möchte. Wenn man von jemandem sehr wenig wußte, aber ein Buch über ihn schreiben wollte, erklärte man ihn zum Mythus; dann konnte man faseln.*

Der Glaube der Griechen scheint ohne Theologie, ja ohne heilige Bücher und ohne Tempelväter ausgekommen zu sein; dafür gab es eine Unzahl von Heiligen besonderer Art. Auch scheint kein Numerus clausus für neue Götter bestanden zu haben, deren verschiedene Opfererfordernisse sich nach dem

---

* Eine knappe, kühle Betrachtung des Ausdruckes in seiner literarischen Bedeutung findet sich bei André Jolles (1). Die Wörter »myth« (engl.) oder »mythe« (franz.) haben übrigens einen vielfachen Bedeutungswandel durchgemacht (2). Wenn man jetzt in Amerika hört »that is a myth«, so heißt das, es sei erfunden und daher unwahr, denn die Leute halten wenig von Erfindungen, die kein Geld einbringen.

Geschmack und den Bedürfnissen ihrer verschiedenen Priesterschaften richteten, während in den sonst vergleichbaren unzähligen Kliniken Kaliforniens die Zahlungsbedingungen einheitlich, die Todesarten jedoch höchst mannigfaltig sind.

Glaube ohne Theologie in der Antike, Theologie ohne Glauben in der Gegenwart – gilt das auch für die Naturwissenschaften, oder sind sie ein Glaube eigener Art? Dabei muß man vielleicht unterscheiden zwischen den Ausübenden, den Naturforschern, und ihrem Publikum. Es könnte sich z. B. herausstellen, daß der Glaube an die Naturforschung unter den Laien viel stärker ist als unter den Forschern selbst. Ich weiß nicht, wie es damit steht; Befragungsaktionen wären gewiß nicht nützlicher als Erkundigungen nach eventueller Heiligkeit. Jedenfalls habe ich nicht gehört, daß jemand sich bereit erklärt habe, sein Leben für die Gültigkeit des Zweiten Lehrsatzes der Thermodynamik zu opfern. Daß dieser derart auch nicht beweisbar wäre, zeigt vielleicht, daß es zahlreiche Rangstufen von Wahrheit gibt: so hoch oben, daß man sie nicht sehen kann, *die* Wahrheit, und darunter allerhand Wahrheiten mit verschiedenen Attributen der Wahrnehmbarkeit. Daß kleinere Wahrheiten billiger en gros sind, wissen unsere heutigen Wissenschafter sehr gut.

III

Nietzsches Nachlaß, erst vor wenigen Jahren aus dem Försterkostüm des »Willens zur Macht« befreit, enthält manchen ungeschliffenen Edelstein, leider zugleich mit vielem andern. Die folgende Stelle stammt aus dem Nachlaß der achtziger Jahre (3). Nietzsche stellt eine Liste der Elemente auf, die zum Nihilismus der Gegenwart beitragen; dazu gehört die Naturwissenschaft:

> Die nihilistischen Consequenzen der jetzigen Naturwissenschaft (nebst ihren Versuchen, ins Jenseitige zu ent-

> schlüpfen). Aus ihrem Betriebe *folgt* endlich eine Selbstzersetzung, eine Wendung gegen *sich*, eine Anti-Wissenschaftlichkeit. Seit Copernikus rollt der Mensch aus dem Centrum ins x.

X, nehme ich an, steht für das Unbekannte; und wenn ich auf Nietzsche und noch manche anderen mythopoietischen Stimmen hören will, so befand sich, bevor Kopernikus sie ins Rollen brachte, die Menschheit nahe dem Mittelpunkt. Der Verlust des geozentrischen Weltbildes habe sie dann so erschüttert, daß sie nicht mehr zur Ruhe kommen könne. Was ist also damals geschehen? Sind die Menschen auf eine schiefe Ebene geraten oder in ein Zentrifugalfeld? Ist die Antiwissenschaftlichkeit eine Folge des Rollens oder eine Reaktion darauf? Die Menschheit ist, so heißt es, seit jener Zeit auf eine Reise ins Ungewisse, ins Unbekannte gesandt worden und ist aus dem Rollen nicht mehr herausgekommen; sie leide sozusagen an einem ewigen metaphysischen *jet lag*. Ist das wahr?

Wenn ich etwas erörtern will, schaue ich meistens nicht zuerst in einem Buch nach, sondern versuche, meine Antwort aus den eigenen beschränkten Mitteln zu bestreiten. Trotz aller wissenschaftlichen Noblesse, die, fürchte ich, auch mich obligieren sollte, muß ich sagen, daß für mich die Sonne noch immer am Morgen aufgeht und am Abend unter. »Und sie bewegt sich doch!« ruft der Laie in mir aus und meint die Sonne. Als man mir – vielleicht war ich drei Jahre alt – enthüllte, es sei nicht so, habe ich es sicherlich mit bedauerlicher Indolenz und ganz ohne Schwindelgefühle zur stumpfen Kenntnis genommen und bin dann zu Wichtigerem übergegangen. Ich habe überhaupt den Eindruck, daß die großen konzeptionellen Umwälzungen der Naturwissenschaften die Menschen zwar berühren – manchmal angenehm, manchmal unangenehm –, aber in ihr Gemüt kaum Eingang finden. Das gilt für Galilei ebenso wie für Newton, Darwin oder Einstein, nicht aber für große historische oder technische Ereignisse. Die Buchdruckerkunst, die Entdeckung Amerikas, die Dampfmaschine, die Französische Revolution, die Elektrizität, das Automobil, die Atombombe, die »Pille« usw. haben der rollenden Menschheit gewaltige Stöße zugefügt.* Die Ebene wird immer schiefer.

Was mich etwas nachdenklich macht, ist, daß der Mythos von der Naturwissenschaft zu den wenigen Mythen gehört, die man wachsen hören kann. Das mag daher kommen, daß er jung ist, aus einer Zeit stammend, da es schon die Buchdruckerei gab. Die lautesten Jubelrufe über das Wunderwerk des heliozentrischen Weltsystems kommen vielleicht von Goethe. »Sonntag Abend, 27. Februar 1831« unterhielt er sich mit Kanzler von Müller (4):

> Die größten Wahrheiten widersprechen oft geradezu den Sinnen, ja fast immer. Die Bewegung der Erde um die Sonne – was kann dem Augenschein nach absurder sein? Und doch ist es die größte, erhabenste, folgereichste Entdeckung, die je der Mensch gemacht hat, in meinen Augen wichtiger als die ganze Bibel.

Schon früher hatte er die Folgen des wissenschaftlichen Umsturzes eingehender betrachtet, nämlich in der »Geschichte der Farbenlehre, Sechzehntes Jahrhundert, Zwischenbetrachtung« (5):

> Doch unter allen Entdeckungen und Überzeugungen möchte nichts eine größere Wirkung auf den menschlichen Geist hervorgebracht haben als die Lehre des Kopernikus. Kaum war die Welt als rund anerkannt und in sich selbst abgeschlossen, so sollte sie auf das ungeheure Vorrecht Verzicht tun, der Mittelpunkt des Weltalls zu sein. Vielleicht ist noch nie eine größere Forderung an die

---

* Sogar die Mitteilung, er sei eine Art von Affe, hat, glaube ich, den Menschen weniger berührt als die Illusion, daß, angesichts der Austauschbarkeit von Automobilbestandteilen, auch seine eigenen Organe ersetzt werden können.

Menschheit geschehen: denn was ging nicht alles durch diese Anerkennung in Dunst und Rauch auf: ein zweites Paradies, eine Welt der Unschuld, Dichtkunst und Frömmigkeit, das Zeugnis der Sinne, die Überzeugung eines poetisch-religiösen Glaubens; kein Wunder, daß man dies alles nicht wollte fahren lassen, daß man sich auf alle Weise einer solchen Lehre entgegensetzte, die denjenigen, der sie annahm, zu einer bisher unbekannten, ja ungeahnten Denkfreiheit und Großheit der Gesinnung berechtigte und aufforderte.

Ebenso bemerkenswert wie den Inhalt finde ich den mit dem Worte »Vielleicht« anhebenden, eines Panthers würdigen Riesensatz, der, über ein ganzes Zeitalter hinüberspringend, eine Periode von zweitausend Jahren in einer klar und schön gefügten Periode beschreibt und bestattet. Unsere kurzatmige, zerbröckelte Zeit bringt so etwas nicht mehr zustande.

IV

Wissenschaftliche Revolutionen sind stille Revolutionen. Anfangs rollen keine Köpfe, keine Tränen weint das Vaterland. So ist es kein Wunder, daß, sagen wir, der Dreißigjährige Krieg tiefere Spuren in der Dichtung hinterlassen hat als Kopernikus, Galilei, Kepler. Ich kenne nur einen großen Dichter, welcher der Trauer über den endgültigen Untergang der sachlichen Sonne der Antike ergreifenden Ausdruck gegeben hat. Mir sind zwei Gedichtstellen bekannt, in denen John Donne, wohl einer der unübersetzbarsten Vertreter einer unübersetzbaren Kunst, der Lyrik, den Sieg der »Neuen Philosophie« beklagt.* Er hatte, wie es sich auch in

* Ich finde es bemerkenswert, daß die großen, den Untergang des ptolemäischen Weltbildes besiegelnden astronomischen Entdeckungen schon damals als »*Neue* Philosophie« bezeichnet wurden. Der Kult des Neuen, des Modernen scheint im Mittelalter eingesetzt zu haben, obwohl ich sicher bin, daß er nicht einen solchen

seinen Predigten und anderen Prosawerken, besonders in »Ignatius His Conclave«, zeigt, ein seismisches Gefühl für das Schwanken seiner Zeit. In einem seiner Briefe in Versen, »To the Countesse of Bedford«, findet sich die folgende Stelle (6):

> Oh! to confesse wee know not what we should,
> Is halfe excuse; we know not what we would:
> Lightnesse depresses, emptinesse fills,
> We sweat and faint, yet still goe down the hills.
> As new Philosophy arrests the Sunne,
> And bids the passive earth about it runne,
> So wee have dull'd our minde, it hath no ends;
> Onely the bodie's busie, and pretends;
> . . .

Dieses Gedicht stammt wahrscheinlich aus dem Jahr 1609. In einem andern Gedicht, einem im Jahre 1611 geschriebenen tiefsinnigen Katalog der Welt, »The First Anniversarie – An Anatomy of the World«, erscheint die Klage über die abhanden gekommene stille Harmonie des Weltalls noch eindringlicher (7):

> And new Philosophy cals all in doubt,
> The element of fire is quite put out;
> The sunne ist lost, and th'earth, and no mans wit
> Can well direct him, where to looke for it.
> And freely men confesse, that this world's spent,
> When in the Planets, and the Firmament
> They seeke so many new; they see that this
> Is crumbled out againe t'his Atomis.

Gipfel der Dummheit erreichte wie in der Gegenwart, da sich jeder Schund als neu anbieten muß, damit er gekauft wird: »nouveaux philosophes«, »nouvelle droite«. Daß nichts schneller altert als das Neue, hätte jedoch Ekklesiastes besser verstanden als die Schöpfer des *dolce stil nuovo* in der Dichtung und der *Ars nova* in der Musik.

'Tis all in pieces, all cohaerence gone;
All just supply, and all Relation:
. . .*

Ein Schauder vor der grauen Unsinnlichkeit des neuen Bildes, eine Trauer über die verlorene Sicherheit der jetzt auf ewig gesprengten Kristallsphäre der antiken Welt finden sich an vielen Stellen dieses keineswegs ästhetisierenden großen Dichters. Daß seine standhafte Sinnenwelt ihn im Stich ließ, nahm Donne auf, wie ein Maler es täte, stünde er einer gänzlich entfärbten Erde gegenüber. Auch das wird noch kommen.

Die Zitate haben es gezeigt: die drei von mir aufgerufenen Zeugen sind der gleichen Meinung, was die ungeheure Wichtigkeit der wissenschaftlichen Umwälzung angeht; dann aber gehen die Meinungen auseinander. Donne tritt für die Anklage auf, Goethe für eine siegesbewußte Verteidigung. Nietzsche ist wie fast immer polyvalent; bedeutsamer ist ihm die Voraussage, daß die Wissenschaft im Begriffe ist, sich mit ihren eigenen Petarden in die Luft zu sprengen. Irgendwie haben alle drei recht, aber ganz gegen meine Gewohnheit stimme ich für Nietzsche.

Nur finde ich, daß in dieser Einschätzung der sich aus den theoretischen Naturwissenschaften ergebenden Folgerungen ein Element der Übertreibung liegt, eine Überschätzung der philosophischen Bedürfnisse der Menschheit. Oft handelt es sich nur um Revolutionen für Professoren. Das ist mir zu meiner Zeit besonders klar geworden angesichts der Heiligsprechung Einsteins (9) durch die Zeitungen – eine Zeit, in der es fast *per definitionem* keine Helden geben kann, weil wir sofort mehr über ihr Heldentum hören müßten als ein wahrer Held vertragen kann, synthetisiert eben ihre eigene Art

* Der Versuch, die beiden Donne-Zitate zu übersetzen (8), ist natürlich unsinnig. Donne ist noch weniger übersetzbar als Shakespeare. Jedes seiner Wörter schwingt zwischen mehreren Bedeutungen, deren jede, einmal festgehalten, sofort nicht mehr stimmt.

von Helden –; aber das gleiche gilt wahrscheinlich für Darwin, Newton, Galilei. Es ist nämlich so, daß entgötterte Zeiten zuerst Götzenpriester erzeugen, und diese erst dann Götzen.

V

Das endgültige Idol, um das es also hier geht, ist die Naturwissenschaft oder, besser, ihr bewaffneter Arm, die Naturforschung. Mir wird von allen Seiten versichert, daß die gegenwärtigen enormen Erfolge der Forschung einen Triumph des Intellekts darstellen, die einzige Großtat, deren sich eine sonst recht schäbig gewordene Welt rühmen kann. Jedes Mal, wenn es mir nicht gelingt, in einen im Innern völlig schwarzen Waggon der New Yorker Subway einzusteigen, weil die Tür sich nicht öffnen kann, verweist man mich auf die hochinteressanten Details der Saturnringe, die ein Weltraumschnüffler soeben zur Erde gefunkt hat. Mag schon sein, aber davon wird die Arbeitslosigkeit in Harlem nicht besser. Dabei fällt mir ein treffender Satz Ferdinand Ebners ein: »Denn das ist ja das Charakteristische unserer Zeit überhaupt: daß alle ihre Triumphe und Siege ihre Niederlage bedeuten.« (10) Ist also Pyrrhus das Symbol unserer Zeit? Wahrscheinlich war er es immer, denn schon Heraklit muß erkannt haben, daß wir auf einer Schaukel sitzen, wenn er sie vielleicht auch nicht als dialektisch angesehen hätte.

Götzendiener machen Götzen: das habe ich früher angedeutet; aber wie kommt es zur Entstehung der Diener? Bevor es Käufer gibt, muß es Verkäufer geben. Wie ich vor einiger Zeit gesagt habe: das erste Tier, das Werkzeuge herstellte, wurde ein Mensch; aber der zweite Mensch begann bereits, die Werkzeuge zu verkaufen. Ich nehme an, daß der dritte dann eine Aktiengesellschaft gründete.

Spaß beiseite!, sagt die Humorlosigkeit und will mit Daten gefüttert werden. Nun sind Daten das Billigste auf der Welt –

sie liegen in allen Bibliotheken herum, und ich bin bereits von einem Rezensenten meines Buches, »Das Feuer des Heraklit«, gerügt worden, weil ich mich ihrer nicht genügend bediene –; aber sie haben den Nachteil, daß sie fast sofort durch andere, oft gegenteilige ersetzt werden. Darin besteht ja der Fortschritt der Wissenschaft, und hier ist auch der hauptsächliche Unterschied, der sie gegenüber, sagen wir, der Priesterschaft des alten Ägypten auszeichnet: diese sangen immer die alten Hymnen.

Ich glaube, daß der Mythos von der Allmacht der Naturwissenschaften lange im Kommen war, er ist ein recht altes Gewebe. Donne mag geweint haben über die Zerstörung des alten Weltbildes, aber ich denke nicht, daß er an der Richtigkeit des neuen zweifelte, vielleicht aber an der Wichtigkeit. Schon im Jahre 1657, also nur 24 Jahre nach der Verurteilung Galileis, tadelt der fromme Katholik Pascal, im 18. Brief seiner »Provinciales«, das Kardinalskollegium: *choses de fait* dürften nicht mit Gegenständen des Glaubens verwechselt werden. Allerdings mag Pascal als nicht völlig abtrünniger Naturforscher gehandelt haben: er beklagte zwar die Eitelkeit alles Irdischen, bezweifelte aber nicht seine wissenschaftlich ermittelten Eigenschaften. Von da war es nur ein Schritt – allerdings ein sehr langer Schritt – zur Erklärung, die Sektion eines Spatzen in der Hand sei einem lieber als die Betrachtung eines Heers von Engeln auf dem Dach.

Die Hochachtung, ja Verehrung, vor einem der Forschung, dem Nachdenken gewidmeten Leben ist eine uralte menschliche Eigenschaft. In der Scholastik, in der Renaissance und sogar bis zum Ende des vorigen Jahrhunderts wurde der Gelehrte mit Ehrfurcht betrachtet, mit einem Respekt, dem manchmal vielleicht etwas Spott oder Mitleid beigemengt war. Sein Bild, schwankend zwischen Selbstaufopferung und Pedanterie, zwischen Gedankentiefe und Federfuchserei, war neben dem des Mönches, der Nonne, des Priesters, das einzige, das als Vorbild für ein dem Geldgewinn oder dem Kriegsgewerbe abgewandtes wünschenswertes Leben dienen konnte. Obwohl Minimalalphabetismus nicht ganz so verbreitet war wie jetzt, verfügte der Gelehrte über ein relativ größeres Publikum als heute, denn es gab noch den Begriff der Bildung.

Mit dem Anwachsen der Industrialisierung, des Kapitalismus und der verschiedenen als Ismen verschrienen gesellschaftlichen und ökonomischen Lehren; mit dem – sei es als Ursache, sei es als Wirkung – damit verbundenen Absinken der Religionen änderte sich auch das Bild der Wissenschaften. Sie wurden Werkzeuge der Gesellschaft und begannen, sich als deren Triebkräfte aufzuspielen. Bald nach dem Aufkommen einer neuen Weltmacht, der sich als öffentliche Meinung gebärdenden Presse, erschien der Fachmann, dem jene durch ihr Exequatur den Zugang zur herrschenden Schicht ermöglichte (11). Weil der Fachmann die Gesellschaft braucht, braucht diese den Fachmann, denn er ist so in sie eingebaut, daß er unentbehrlich zu sein scheint. Wie ich schon früher gesagt habe, ist er der einzige, der eine Lizenz besitzt, Fehler zu machen. Er ist der Sündenbock, dem alle Sünden von Geburt an vergeben sind. Seine Sprache ist die Statistik; er exorziert Katastrophen, indem er sie erklärt.

VI

Hier scheiden sich nun die Wege. Es gibt Wissenschaften, die so »unnütz« sind, daß sie noch schön bleiben konnten. Beispiele sind die Philologie, die Archäologie, die Musikgeschichte, ja vielleicht alle Wissenschaften, die sich nur mit den Werken der Menschheit und nicht mit dem Wirken der Welt befassen. Bei den Naturwissenschaften und den andern Wissenschaften, die gerne auch exakt und anwendbar wären, liegt es anders (12). Diese leiden schon seit langem unter einem enormen und von den Weltkriegen unseres Jahrhunderts immer mehr angeheizten Bevölkerungsdruck. Nun weiß ich nicht, ob der Ansturm von Bewerbern an sich hinreicht, um ein Bedürfnis nach ihren Leistungen zu erzeugen. Die Unterscheidung zwischen Ursache und Wirkung ist mir immer schwergefallen, außer vielleicht in der garantiert seelenlosen Chemie.

Ganz so wie bei dem Ei und der Henne kann man solche Vorgänge erst betrachten, wenn sie bereits einige Zeit im Gange sind. Die gegenwärtige Biologie, die alles genau weiß, bis sie vielleicht später das Gegenteil noch genauer wissen wird, würde sicherlich für das Ei stimmen, allerdings für ein durch den Zufall zusammengepantschtes und noch dazu – woher, weiß man nicht – zufällig befruchtetes Ur-Ei. Allerdings befindet sich gerade jetzt die sprichwörtliche Henne mitsamt ihrem proverbialen Ei in einer Krise, die auf ein Erschlaffen der mythischen Funktion der Naturforschung schließen lassen könnte. Ich möchte diese Krise von zwei Seiten betrachten: vom Standpunkt derjenigen, die in die Naturwissenschaften verwickelt sind, und von dem des sich an ihnen erfreuenden oder unter ihnen leidenden Publikums. Natürlich sind die Grenzen verschwommen: der Chemiker, der sich in seinem Laboratorium vor beißenden Gasen zu schützen weiß, hustet nicht weniger als der Laie vor dem Mordsgestank auf den Freeways von Los Angeles.

Bis etwa zur Mitte unseres Jahrhunderts war die Zahl der sich der Naturforschung Widmenden sehr gering – ich rede nicht von der Technik –; und es ist nicht verwunderlich, daß ein gewisser Filtriereffekt stattfand: die meisten, die diesen Beruf wählten, taten es, weil er sie anzog, und waren willens, große Entbehrungen um seinetwillen auf sich zu nehmen. Ich denke nicht, daß viele Forscher sich bewußt waren, Träger oder Nutznießer eines Mythos zu sein. Der allgemeine Auftrieb des viktorianischen Optimismus mag sie beseelt haben, obwohl seit 1914, und sogar früher, kritische Stimmen nicht selten waren. Aus dem Beruf eine Berufung ableitend, genossen die Forscher den allen Gelehrten vorbehaltenen gesellschaftlichen Respekt. Dieser mag viel zur Entstehung des Fachidioten beigetragen haben; und so mancher Esel konnte sein Anrecht auf eine reichliche Lieferung von Heubündeln daraus ableiten, daß er sich als Buridan verkleidete. Alles in allem war es jedoch eine gemäßigte Zeit, für welche die folgenden maßvollen Worte nicht uncharakteristisch sind. Der große theoretische Physiker Ludwig Boltzmann hielt 1902 in Wien seine zweite Antrittsvorlesung »Über die Prinzipien der Mechanik« (13):

> Zum Schluß möchte ich die Frage aufwerfen, ist die Menschheit durch alle Fortschritte der Kultur und Technik glücklicher geworden? In der Tat eine heikle Frage. Gewiß, ein Mechanismus, die Menschen glücklich zu machen, ist noch nicht erfunden worden. Das Glück muß jeder in der eigenen Brust suchen und finden.
> Aber schädliche, das Glück störende Einflüsse hinwegzuschaffen, gelang der Wissenschaft und Zivilisation, indem sie Blitzgefahr, Seuchen der Völker und Krankheiten der einzelnen in vielen Fällen erfolgreich zu bekämpfen wußte. Sie vermehrte ferner die Möglichkeit, das Glück zu finden, indem sie uns die Mittel bot, unseren schönen Erdball leichter zu durchschweifen und kennen zu lernen, den Aufbau des Sternenhimmels uns lebhaft vorzustellen und die ewigen Gesetze des Naturganzen wenigstens dunkel zu ahnen. So ermöglicht sie der Menschheit eine immer weiter gehende Entfaltung ihrer Körper- und Geisteskräfte, eine immer wachsende Herrschaft über die gesamte übrige Natur und befähigt den, der den innern Frieden gefunden hat, diesen in erhöhter Lebensentfaltung und größerer Vollkommenheit zu genießen.

Wieviel Sich-selbst-gut-zureden, ja wahre Verzweiflung sich hinter diesen ruhigen Worten verbergen, ermißt man, wenn man erfährt, daß der aus den Naturwissenschaften bezogene »innere Friede« nicht dazu hinreichte, Boltzmann davor zu bewahren, vier Jahre später Selbstmord zu begehen.

Gerade weil Boltzmanns Worte so anständig und zurückhaltend sind, so frei von dem widerlichen Reklamegeschwätz, das heutzutage aus allen Handelskammern der Wissenschaften erschallt, aus den Akademien, Fachorganisationen, populären Journalen, Interessenvertretungen usw.; gerade deshalb, sage ich, können seine Worte dazu dienen, einige Elemente des Mythos, wie er sich im Geist eines großen Naturforschers darstellte, herauszubringen.

1. Der Naturforscher erweist sich als Jünger des Epikur: er bringt den Menschen Glück oder hilft ihnen, es zu finden. (Jetzt, wo wir das Glück in Klarpackung überall erstehen können, wissen wir vielleicht, daß es damit nicht weit her ist.)

2. Zwischen Naturwissenschaft und Technik wird nicht unterschieden. (Bringt die Technik Unglück, so ist sie daran schuld, nicht die Wissenschaft. Diese ist bekanntlich wertfrei. Wenn die Technik jedoch Nutzen bringt, so sagt man, sie wäre ohne wissenschaftliche Grundlage nicht denkbar. Tatsächlich war es die Technik, die die Wissenschaften antrieb; erst in den letzten zweihundert Jahren wurden die Rollen vertauscht, wahrscheinlich nicht zum Vorteil der beiden Partner.)

3. Die Naturwissenschaften sind ein wichtiges Werkzeug des Fortschritts. (Dieser, nehme ich an, ist als eine Bewegung nach oben, zum Bessern gedacht, wobei dieses Bessere als »erhöhte Lebensentfaltung und größere Vollkommenheit« definiert zu sein scheint.* Zur Zeit Boltzmanns waren die Scheuklappen fester angewachsen, aber selbst damals muß die Absurdität des Fortschrittsglaubens offenkundig gewesen sein. Schließlich sind Männer wie Schopenhauer oder Burckhardt, Carlyle oder Peacock, de Maistre oder Bloy nicht darauf hereingefallen.)

* Hier beißt der Mythos in seinen eigenen Schwanz. Zyklon B mag vollkommener gewesen sein als andere Ausrottungsmittel, trug aber kaum zur erhöhten Lebensentfaltung der ihm Ausgesetzten bei. Was dem einen sein Fortschritt, ist dem andern seine Vernichtung.

4. Der Segen der Naturwissenschaften ist vielfältig: Blitzableiter, Epidemienbekämpfung, Medizin. (In der Tat haben die unbesungenen Hygieniker des vorigen Jahrhunderts mit Wasserversorgung, Kanalisation usw. mehr für die Menschen getan als die großen Naturforscher, deren Namen in aller Mund sind.)

5. Reisen bringt Glück, und das haben die Wissenschaften ermöglicht. (Ich leugne das eine wie das andere.)

6. Die Kenntnisnahme der Naturgesetze hilft den Menschen, ihre körperlichen und geistigen Fähigkeiten zu vergrößern. (Ich glaube, daß das Gegenteil eher der Fall ist; Wissenschaft als Zuschauersport wirkt verdummend.)

7. Die Naturwissenschaften ermöglichen eine immer wachsende Herrschaft über die gesamte übrige Natur. (Hier zeigt der Teufel seinen jetzt bereits motorisierten Pferdefuß. Der Wunsch des Nestroyschen Holofernes, sich einmal mit sich selbst zusammenzuhetzen, »nur um zu sehen, wer der Stärkere ist, ich oder ich«, wird sich als ein dummer Wunsch herausstellen, die Sucht zu herrschen als eine blöde Sucht.)

VII

Während die Sage vom großen geistigen Einfluß der Naturwissenschaften, von ihrer mächtigen Wirkung auf das Denken der Menschen schon lange in Fabrikation war, ist ihr ökonomischer Unterbau erst vor kurzem deutlich geworden: eine bedeutende Gesellschaftsklasse, die der Wissensproduzenten, findet dank dem weit verbreiteten Wissenschaftsglauben ihren Unterhalt. Man kann jedoch Nutznießer eines Mythos sein, ohne für ihn als Sprecher oder Lobhudler aufzutreten. Früher mag das anders gewesen sein, genauso wie im 17. Jahrhundert die meisten Priester auch Theologen waren. Jetzt würde ich jedoch sagen, daß für die meisten Naturforscher die Arbeit nicht anders verläuft als für andere Angestellte. In der Früh gehen sie ins Labor und kommen am Abend nach Hause. Ihrer mythischen Würde und Verpflichtung sind sie sich kaum bewußter als, sagen wir, ein Postbeamter. Für das Trompeten sorgen die schon früher erwähnten Interessenvertretungen und vielleicht auch die Presse, der Rundfunk, das Fernsehen und in manchen Ländern die einschlägigen Ministerien. Auch diese erzählen dem Publikum nichts anderes, als was es hören will, nämlich, daß es etwas Höheres gibt auf der Welt als das Geldverdienen, und daß es Menschen gibt, die berufen sind, sich diesem Höheren gegen Salär zu widmen. Warum allerdings ein Antikörper wichtiger und unterstützungswürdiger ist als ein griechischer Zirkumflex, ist nicht leicht klarzumachen, es sei denn durch Andeutungen einer nebulösen praktischen Anwendbarkeit.*

Daß in unserer Zeit die Naturwissenschaften eine Art von Religionsersatz geworden sind oder es bis vor kurzem waren, daran sind eigentlich die Nichtwissenschafter, das Publikum, schuld. In der Theogonie des Hesiod haben die Götter die Menschen erschaffen, in der des Feuerbach geht es umgekehrt zu. Was die Naturwissenschaft als Mythos angeht, würde ich sagen, daß beide Mythologien recht haben: keine Menschen ohne Götter, keine Götter ohne Menschen.

Daß die Mythe von der Allmacht der Naturforschung eine falsche, irreführende Mythe ist, darüber darf man von den Forschern selbst keine Aufrichtigkeit erwarten; ihre Aufrichtigkeit geht ganz auf ihre Arbeiten auf. Für den Kundenverkehr bezahlen sie als Stand, der sie sind, eigene Sprecher; und deren Werbehymnen werden immer lauter, in dem Maße wie der Glaube an die Heilsbotschaft abnimmt. Ob es nun DDT ist, die Pille, Dioxin, Blei, Quecksilber; ob es

---

* Muß denn alles auf der Welt anwendbar sein? Als Kind las ich irgendeine alte »Völkerkunde«, und da wurde mir Schauderndem mitgeteilt, daß der erste Wilde, dem man eine Uhr zeigte, sie in den Mund steckte. So wild war er! Die Haltung der Völker gegenüber der angewandten Naturforschung ist eigentlich nicht anders: auch sie stecken alles in den Mund. Und was noch schlimmer ist, sie werden von den Forschern selbst dazu aufgemuntert.

Strahlungen sind oder die Vergiftung des Wassers, der Erde, der Luft; ob es um das Aussterben von Tier- und Pflanzenarten geht oder um die Verödung des Geistes und die Rodung des menschlichen Gewissens, immer hört man die abgespielte Leier: die Schäden, die die Wissenschaft gemacht habe, können nur von mehr Wissenschaft behoben werden. Daß der Schleier der Maja, einmal zerrissen, immer mehr Löcher aufweisen muß, je mehr man ihn spannt, das scheint niemand zu erkennen. Wenn wir unsere Welt unbewohnbar gemacht haben, werden wir einfach in das Universum übersiedeln; dann kann der Dreck von neuem anfangen.

VIII

Keine Religion, die nicht aus ihrem eigenen Schoß eine Reformation hervorbrächte. Das ist auch in den Naturwissenschaften der Fall gewesen oder zumindest in denen von einer naturimperialistischen, kolonisatorischen Observanz. Wie zu erwarten, wird Abtrünnigkeit mit besonderer Bitterkeit erwidert, um so mehr als die Naturforschung heute in allen Ländern die einzige Staatsreligion darstellt. Da jetzt wohl auch das ärmste Nomadenvolk der Dritten Welt einen Forschungsrat besitzt, ist Forschung oft die einzige Zuflucht vor dem Hunger. Aus dem Innern der Forschung unternommene Versuche, den überhitzten Wissenschaftsbetrieb abzukühlen, sind zum Scheitern verurteilt. Die Forschung ist ein Politikum geworden, wie etwa der Mieterschutz oder die Altersversicherung; aber da sie bei Bedarf sich in höhere Sphären der Erhabenheit zurückzuziehen vermag, was z. B. der Postbetrieb nicht kann, hat sie es leicht, je nachdem die Fassade der Nützlichkeit mit der der Uneigennützigkeit zu vertauschen. Demgemäß haben die Naturwissenschaften begonnen, besonders viele Janusköpfchen anzulocken, die das Aroma der Forschung stark verändert haben.

Wer Götzenbilder zerschlägt, läuft manchmal Gefahr,

unersetzliche Kunstwerke zu vernichten. Das gilt auch für die Naturforschung: viele reiche und tiefe Menschenleben sind ihr gewidmet worden, auch sie hat Wertvolles zur Erbschaft der Menschheit beigetragen. Aber wie alle menschlichen Institutionen unterliegt sie einem rätselhaften Gebot des »Stirb und werde!« – und ich fürchte, jetzt ist sie einmal wieder beim ersten der beiden Imperative angelangt.

Was aber die Menschen angeht, die nicht Naturwissenschafter sind – und ich hoffe, es ist immer noch die große Mehrheit –, so werden sie sich auch diesen Mythos, den von der Macht und Wohltätigkeit der Naturforschung, abgewöhnen müssen. Wenn das Werkzeug zum Tyrannen wird und die Hand festhält, die es halten sollte, so ist der Rat, die Hand abzuhauen, leicht gegeben und schwer befolgt. Das ist auch nicht, was ich meine. Es gibt nur ein Heilmittel gegen einen wild gewordenen Mythos, und das ist Skepsis. Genauso wie das Automobil oder das Fernsehen – trotz allem ursprünglichen Anspruch auf Nützlichkeit – jetzt mehr Menschen versklavt, als alle Feudalherren des Mittelalters zusammen es vermochten, hat auch das edle Gewerbe des Forschens nach Wahrheit in der Natur sein Versprechen nur zu gut gehalten: wir wissen das Gute, wir tun das Böse.

IX

Wie lebt ein Mythos? Ein wirkliches, im Gemüt des einzelnen fortdauerndes Leben kann er wahrscheinlich nur so lange besitzen, wie er ein noch wirksames und nicht dem bloßen Wissensstoff eingegliedertes Symbol verkörpert. Man führte einen Regentanz auf, und dann regnete es; das war fein. Sobald man Regentänze veranstaltete, damit es regne – also die Art von Induktion, die man jetzt als die Vorhersagungsfähigkeit der Naturwissenschaft preist –, muß es mit dem Mythos und dem Regen bereits gehapert haben. Der Glaube an die Macht der Naturforschung hat angefangen, lange bevor sie ihre Macht beweisen konnte. In der Signatur der Dinge, in der Harmonie der Sphären, im Herzen eines Paracelsus oder Kepler, mag der Mythos wirklich gelebt haben. Aber mit der Erfüllung muß die Ernüchterung gekommen sein; und in unserer Zeit, da die Forschung zu einem seiner Fesseln beraubten Ballon aufgeblasen wurde, ist es schwer, zwischen dem Riesengeschrei einer Werbekampagne und der ehrlichen Überzeugung einzelner zu unterscheiden. Wenn so viele Menschen ihr Leben einer Sache gewidmet haben, möchten sie natürlich, daß es eine gute Sache sei. Zur Zeit der Alchimie war jedoch der Mythos von der Macht und der Wohltat der Forschung wahrscheinlich lebendiger, als er es jetzt ist.

Viel ließe sich sagen über die Rolle, die solche Institutionen wie der Nobelpreis in der Galvanisierung eines abgelebten Mythos gespielt haben. Von der Informationsindustrie unterstützt heben sie einen jeden, der mit einem blutigen Stückchen Scheinnatur in der Hand ertappt wird, in das grelle Licht des Zweiminutenruhms. Die einander jagenden Durchbrüche werden mit Trommelwirbeln geehrt, die eigentlich dem Begräbnispomp der sterbenden Natur angehören. Das verwirrte Publikum begnügt sich gerne mit der ihm unbegreiflichen, aber von Fachleuten attestierten Großartigkeit der Forschungserfolge.

Wie sterben Mythen? Kein plötzlicher Tod ereilt sie, sondern sie verblassen und werden verdrängt. Auch in diesem Falle ist der Vorgang langsam: sogar bei dem größten Beispiel, dem Verlöschen des hellenischen Glaubens vor dem Christentum, dauerte es Hunderte von Jahren (14). Die mythische Verehrung der Naturforschung, von der noch allenthalben Reste zu finden sind, vor allem in USA und UdSSR, ist der Ausdruck einer gegen die Natur gerichteten kolonisatorischen Zivilisation. Mit der Veränderung der gesellschaftlichen Konstellationen erfolgt das Erschlaffen des Mythos. Dieses Mal wartet aber kein Christentum vor den Toren.

Anmerkungen

(1) A. Jolles, Einfache Formen, 3. Aufl. (Niemeyer, Tübingen, 1965), S. 91.
(2) R. Williams, Keywords (Oxford Univ. Press, New York, 1976), S. 176.
(3) F. Nietzsche, Sämtliche Werke, Kritische Studienausgabe, Hrsg. G. Colli und M. Montinari (Deutscher Taschenbuch Verlag, de Gruyter, 1980), Bd. 12, S. 126f.
(4) Kanzler von Müller, Unterhaltungen mit Goethe (Böhlau, Weimar, 1959), S. 177.
(5) Goethes Naturwissenschaftliche Schriften, Hrsg. G. Ipsen (Insel, Leipzig, o.J.), Bd. 2, S. 567.
(6) J. Donne, The Satires, Epigrams and Verse Letters, ed. Milgate (Clarendon Press, Oxford, 1967), S. 95ff., Zeilen 33–40.
(7) J. Donne, The Epithalamions, Anniversaries and Epicedes, ed. Milgate (Clarendon Press, Oxford, 1978), S. 22ff., Zeilen 205–214.
(8) Die beiden Donne-Zitate lauten in beiläufiger Übersetzung: 1.) »O, zu gestehn, daß wir nicht wissen was wir sollen, ist eine halbe Entschuldigung; wir wissen nicht was wir wollen: Leichtheit bedrückt uns, Leere erfüllt, wir plagen uns und ermatten, und doch geht es bergab. Wie die neue Philosophie die Sonne zum Stehen bringt, der trägen Erde jedoch befiehlt, um die Sonne zu irren, so haben wir unsern Geist stillgelegt, er hat kein Ziel, während der Leib schafft und sich vordrängt; . . .« – 2.) »Und die neue Philosophie zieht alles in Zweifel, das Element des Feuers ist ganz ausgelöscht, die Sonne ist verloren und die Erde, und keines Menschen Verstand vermag ihn dorthin zu lenken, wo er sie finden kann. Und offen bekennen die Menschen, daß die Welt aufgebraucht ist, wenn sie in den Planeten und im Firmament nach so vielen neuen (Planeten) suchen; sie sehen, daß diese Erde wieder in ihre Atome zerbröckelt ist. Alles ist in Stücken, aller Zusammenhang ist verloren, alles ist nur Zusatz, alles abgeleitet: . . .«
(9) E. Chargaff, Ein Monument für Albert Einstein, in »Unbegreifliches Geheimnis« (Klett-Cotta, Stuttgart, 1980), S. 122.
(10) F. Ebner, Schriften (Kösel, München, 1963), Bd. 1, S. 86.
(11) E. Chargaff, Ein kurzer Besuch bei Bouvard und Pécuchet oder Der Laie als Fachmann, in »Unbegreifliches Geheimnis« (Klett-Cotta, Stuttgart, 1980), S. 97.
(12) Vergleiche dazu, E. Chargaff, »Das Feuer des Heraklit« (Klett-Cotta, Stuttgart, 1979), S. 201ff., 209ff., 226ff., und an vielen anderen Stellen. Auch E. Chargaff, Über die Unfähigkeit Brot zu backen. Bemerkungen zur reinen Wissenschaft, in »Unbegreifliches Geheimnis« (Klett-Cotta, Stuttgart, 1980), S. 51.
(13) L. Boltzmann, Populäre Schriften, Hrsg. E. Broda (Vieweg, Braunschweig – Wiesbaden, 1979), S. 197f.
(14) J. Geffcken, Der Ausgang des griechisch-römischen Heidentums (Wissenschaftl. Buchges., Darmstadt, 1972).

[8]

KARL KRAUS: VERSCHWUNDENES EINVERSTÄNDNIS DER GEDANKEN

I

Die Stellung der Völker zu ihren Sprachen und überhaupt dazu, was der jetzt ein bißchen in Verruf geratene Ausdruck »Kultur« umfaßt, hat zu meinen Lebzeiten große Veränderungen durchgemacht. Einige der unmittelbaren Ursachen können leicht mit Daten bezeichnet werden – 1914 bis 1918, 1933 bis 1945 –, bei andern, den wahrhaft wesentlichen und grundlegenden, ist das nicht so leicht. Der Aufstieg der Naturwissenschaften und des Kapitalismus; die industrielle Revolution; der explosive Anstieg der Weltbevölkerung; das Aufkommen des Nationalismus und seines mongoloiden Bruders, des Chauvinismus; gewaltige Umstürze, die drei große Völker, Rußland, Deutschland, China, von ihren uralten, in Jahrhunderten, ja Jahrtausenden gewachsenen Grundfesten trennten: all das hat in den Geist der Menschheit tiefe Furchen gegraben, die sich vielleicht niemals, vielleicht erst in einem – ich fürchte, radioaktiven – Millennium glätten werden. Wie schön, trotzdem, die Welt war, wird die Ameise erst merken, wenn alles vorbei ist.

Hier will ich mich an die Sprache halten, denn sie ist das wahre Fieberthermometer des menschlichen Geistes; nur muß man es zu lesen verstehen. Darin habe ich einen guten Lehrmeister gehabt, zu dem ich bald kommen werde. Außerdem reicht die Sprache, über deren Ursprung viele ähnlich haltlose Hypothesen gesponnen worden sind wie über den Ursprung des Lebens, weiter als irgend etwas im menschlichen Leben, vom Lallen des Kindes oder des Politikers bis zu den Versen eines Aischylos oder Hölderlin. In dem Machwerk, das mir morgens ein Flugbillett oder eine Rasierseife verkaufen will, reimen sich »bright« und »night« wie in einem herrlichen Gedicht des William Blake. Sogar Hitlers Wortschatz hatte mit dem von Gryphius oder Goethe viel gemeinsam. Es kommt also auf die Unterschiede an.

Man könnte darüber streiten, ob die Sprache, gerade weil sie die Himmel mit den Kloaken verbindet, sich weniger zum Indizienbeweis eignet als, sagen wir, die bildenden Künste oder die Musik. Das mag schon wahr sein, aber ich verstehe nicht genug von diesen beiden; auch erfassen sie einen viel kleineren Kreis. Allerdings räume ich ein, daß heutzutage wahrscheinlich viel weniger Leute Gedichte lesen, als Musik hören, und daß Bach oder Haydn, Chardin oder Goya mehr Menschen ansprechen, als die Gedichte eines Günther oder Thomas Gray es tun. Mit andern Worten, gerade wegen ihres allgemeinen Gebrauches sind die Sprachen mehr abgewetzt, beschmutzt, aber auch mehr mit Assoziationen beladen.

Es ist jedoch anzunehmen, daß, was die schöpferische Ausdrucksfähigkeit angeht, alle Künste, einschließlich der sich des Worts bedienenden, in ihrer Pathologie ähnlich sind; d. h. in einem bestimmten geographischen und sozialen Bereich und zu einer bestimmten Zeit sind die Veränderungen zum Bessern oder Schlechtern, denen die Erzeugnisse des Geistes unterliegen, wenn nicht synchronisiert, so doch in ihrem gestaffelten Rhythmus verbunden.* Wenn der Brunnen vergiftet ist, siechen alle Trinkenden.

Man sollte natürlich fragen, was mit »besser oder schlechter« gemeint ist, und da kann ich nur antworten, was ich oft gesagt habe: »Der Mensch ist der Maßschneider aller Dinge.« (1) Auch er und sein Geschmack sind dem ewigen Wandel unterworfen. Dennoch denke ich, daß es so etwas gibt wie ein Gesetz der Erhaltung der geistigen Energie; auch sie kann nicht vernichtet werden, noch auch aus nichts

---

* Seltsamerweise scheinen die Naturwissenschaften von diesem Rhythmus ausgenommen zu sein. Es ist jedoch möglich, daß ich mich darin täusche.

entstehen. Sie ist da. Was von ihr in ein Werk geflossen ist, kann nicht verlorengehen. Natürlich gibt es ein Verdikt der Zeit über das Bessere und das Schlechtere, es gibt die Mode oder, wie es jetzt Mode ist zu sagen, das Paradigma, und diese müssen sich ändern.* So wie die Welle über den Felsen braust und ihn verdeckt, dann aber kommt die Ebbe, und der Felsen ist noch immer da, wird mancher Ruhm verblassen, später aber strahlender zurückkehren.

Wird er es wirklich? Oder sind wir in eine Zeitenwende eingetreten, da alles immer nur blasser und elender werden kann, in einen Zustand geistiger und moralischer Verwesung, in den zweiten Tod des Lazarus?

II

Viel spricht dafür, daß dem so ist, obwohl es natürlich nicht ein plötzlicher Vorfall gewesen sein kann. Seit fast zweihundert Jahren geht ein Frösteln durch die Welt, das sich Ausdruck geschaffen hat, zuerst in einer noch fiebrigeren Tätigkeit und dann in einem zunehmenden Erschlaffen, in einem allgemeinen Gefühl der Heimatlosigkeit, des Nichtdazugehörens. Das wenige, was ich dazu zu sagen habe, habe ich bei früheren Gelegenheiten gesagt. (2, 3) Eigentlich bin ich der Aufgabe nicht gewachsen.**

Die Entfremdung der Völker von den geistigen Erzeugnissen ihrer eigenen Zeit wird begleitet von einer fast noch

* Als die Ältesten der Pariser Kirche Ste. Geneviève in der Mitte des 18. Jahrhunderts beschlossen, ihr Gebäude sei zu gotisch, und es durch einen neuen Bau ersetzten, das jetzige Pantheon, ahnten sie nicht, daß »gotisch«, zu ihrer Zeit ein Schimpfwort, sich in ein Attribut des höchsten Lobes verwandeln werde.

** Hier ein Beispiel aus einer anscheinend ganz andern Sphäre. Tatsächlich handelt es sich immer um die gleiche Sache. In seinem faszinierenden Buch über die Sozialgeschichte des Todes schreibt Ariès: »Dès la seconde moitié du XIXe siècle, quelque chose d'essentiel a changé dans la relation entre le mourant et son entourage.« (4)

größeren Entfernung von ihrer Vergangenheit. Dabei soll man sich nicht täuschen lassen durch den enormen Fortschritt in der Herstellung von Reproduktionen künstlerischer oder musikalischer Werke. (Walter Benjamin (5) war wohl nicht der erste, der sich darüber Gedanken gemacht hat.) Wenn man die Schriften eines Winckelmann, Lessing, Diderot, Ruskin oder Baudelaire mit Büchern unsrer Zeit vergleicht, wird man kaum den Eindruck gewinnen, daß jene wegen der dürftigen Informationsquellen, über die sie verfügten, im Nachteil waren.

Vollends bei literarischen Werken war die technische Reproduzierbarkeit schon seit der Erfindung des Buchdrucks gewährleistet. Trotzdem macht sich gerade in der Literatur ein Rezeptionssturz bemerkbar, der etwa in die Mitte unsres Jahrhunderts fällt. Ich brauche nur an meine eigene Jugend zurückzudenken und an die Bedeutung, die die sogenannten Klassikerausgaben damals hatten. Sie waren billig und weitverbreitet: zuerst kamen Cotta und Hempel – das war vor meiner Zeit –, dann die Goldene Klassikerbibliothek, Meyers und Hesses Klassiker und die besonders schönen Inselausgaben, nicht zu reden davon, daß fast alles bei Reclam zu haben war. Ebenso in England die »Oxford Standard Authors«, »Everyman's Library« und »World's Classics«, und in Frankreich die »Classiques Garnier«. Ähnlich sah es in Italien und Spanien aus. Jetzt ist die Lage ganz anders, möglicherweise mit Ausnahme von Frankreich. Es ist, als wenn der feste Boden sprachlicher Tradition völlig verschwunden wäre: einige wenige Werke sind fast zu leicht zugänglich, häufig als Wegwerfprodukte mit eingebauter Selbstzerstörung, als Taschenbücher*, viele sind verschwunden. Eine ähnliche Erscheinung habe ich übrigens in Amerika bei Schallplatten klassischer Musik beobachtet: die

---

* Ich will keine Namen nennen, aber so manches Taschenbuch hat sich zu entblättern begonnen, als ich es zum ersten Mal öffnete. Es war fortschrittlicherweise mit ewigem Leim verklebt und nicht mit Fäden geheftet, wie die überholten Alten es taten.

Kataloge werden immer dicker, aber es sind immer weniger Werke zu haben, dafür doppelt soviel Aufnahmen als vorher von, sagen wir, der »Eroica«. Es besteht eine Art von künstlerischer Monopolbildung, begleitet von der Vernichtung der kleineren Unternehmen. Selbst von den bedeutenden Filmen der Vergangenheit – und dabei handelt es sich um eine sehr kurze Vergangenheit – ist immer weniger zu sehen.

Dazu paßt es auch, daß Goethe, der den Einschnitt überbrückt, Ende zugleich und Anfang, den gegenwärtigen Generationen abhanden gekommen zu sein scheint. Er war durch mehr als hundert Jahre der wahre Trost derjenigen gewesen, die die deutsche Sprache liebten.*

III

In meinem früher erwähnten Buch (2) findet sich auf S. 235 die folgende Fußnote: »Ist es wirklich ein Zufall, daß es in unserer Zeit gewesen ist, und fast gleichzeitig, daß Reim und Vers aus der Dichtung verschwanden, die Melodie aus der Musik, und die erkennbare Form aus der Malerei und der Skulptur?« Das war natürlich eine rhetorische Frage, denn ich denke nicht, daß die fast gleichzeitige Abwendung aller Künste von einer plötzlich banal erscheinenden Wirklichkeit zufällig erfolgt ist. Auch lag nicht mehr Übermut darin und *épatement du bourgeois,* als jeder jungen Generation ansteht. Der Sturm und Drang oder die Romantik waren nicht weniger ungestüm als der Surrealismus, der Expressionismus oder Dada. Warum also ein Bruch, der zumindest mir größer vorkommt, als was in der Vorzeit geschah?

---

* Es ist wahr, besonders im Alter war er ein schrecklicher Bonze, und die kritische Reserve eines Herder, Jean Paul, Börne ist leicht zu begreifen. Aber wer denn sonst hat die »Pandora« geschrieben, den Helena-Akt, »Selige Verzweiflung«? Wenn hingegen Friedrich Hebbel 1845 in seinen Tagebüchern schreibt (6): »Im zweiten Teil des Faust verrichtete Goethe doch nur seine Notdurft«, so muß man es bedauern, daß nicht auch Hebbel ähnliche Ausscheidungen beschieden waren.

Nun bekomme ich, wenn ich derartige Fragen stelle, zur Antwort, daß es so nicht weitergehen konnte. Man verweist auf die zweite Hälfte des vorigen Jahrhunderts: alle Formen erschöpft, Epigonen überall, ein erschlafftes und zugleich virulent gewordenes Biedermeier, Mirza Schaffy, Hidigeigei, Ahasverus. Aber außer Bodenstedt, Scheffel, Hamerling gab es auch Adalbert Stifter, Gottfried Keller, Theodor Fontane. Daß Baudelaire und Freiligrath, Rimbaud und Ganghofer, Joseph Conrad und Sudermann Zeitgenossen waren, mag freilich verwunderlich erscheinen. Aber es war die Zeit der großen Romanschöpfungen in Rußland, England und Frankreich, die wunderbare Epoche des Aufblühens der impressionistischen Malerei. Alles in allem, keine schlechte Zeit; dennoch saß Fäulnis in all den schimmernden Früchten. Es war, als hätte Überspannung zum Verlust der Elastizität geführt. Man begann, ängstlich aus dem Fenster zu blicken: es nahte das Jahr 1914.

Das mag richtig gesehen sein oder falsch. Auch will ich gerne zugeben, daß auch in unsern Tagen ein jeder, dem es verhängt oder beschieden worden ist, ein Dichter, Maler, Komponist zu sein, in seine Werke nicht weniger geistige Energie einströmen lassen möchte, als es seinen Vorgängern vergönnt war. Aber irgendwie geht es nicht. Man ist Bergsteiger im Flachen, Fisch im Trocknen, Singvogel mit Bronchitis. Die Schalheit, die Öde, die Dürftigkeit kann nur unter Exzentrizität verborgen werden; Hamlet monologisiert, halb in einem Misthaufen vergraben; König Lear auf einer Kinderschaukel; Phädra auf der Couch des bärtigen Scharlatans. Die Gnade aber, das Herzklopfen, der kalte Schauder über den Rücken, der warme Atem aus dem dunklen Wald: sie sind weggegangen, Auschwitz hat sie geschluckt; oder war es Belsen, war es Buchenwald? Und nicht nur dieses Höllenalphabet: die ganze Welt erscheint jetzt als ein Vernichtungslager im vorläufigen Ruhestand.

IV

So fliehe ich gerne in die Vergangenheit, sie liegt gar nicht so weit zurück, zu meinem alten Lehrer. Daß er die Unmenschlichkeit nicht nur beklagen, sondern anklagen konnte, zeigt, daß er noch aus menschlichern Zeiten kam; etwas, was ich von mir nicht sagen kann. In der »Fackel« vom 16. November 1916 brachte Karl Kraus ein recht langes Gedicht, 57 Zeilen, das den Titel trug »Der Reim« (7). Es besteht, mit Ausnahme der letzten Strophe, aus teils männlich, teils weiblich gereimten, vierhebigen, jambischen Zweizeilern; eine von Kraus oft verwendete Form, besonders für Gedichte gnomischen Charakters. Hier sind die ersten sieben Strophen:

Der Reim ist nur der Sprache Gunst,
nicht nebenher noch eine Kunst.

Geboren wird er, wo sein Platz,
aus einem Satz mit einem Satz.

Er ist kein eigenwillig Ding,
das in der Form spazieren ging.

Er ist ein Inhalt, ist kein Kleid,
das heute eng und morgen weit.

Er ist nicht Ornament der Leere,
des toten Wortes letzte Ehre.

Nicht Würze ist er, sondern Nahrung,
er ist nicht Reiz, er ist die Paarung.

Er ist das Ufer, wo sie landen,
sind zwei Gedanken einverstanden.

Es folgen noch weitere 43 Zeilen. Vielleicht wird ein unfreundlicher Mensch sagen, das Gedicht sei zu lang, der Leser habe schon längst verstanden, worum es geht; in seinem gehäuften *parallelismus membrorum* sei es viel eher eine Litanei der Poetik. Er hätte aber unrecht, dieser unfreundliche Mensch; er ist nicht der richtige Leser; Gedichte liest man nicht wegen ihres Informationsgehalts. Außerdem gibt es neben dem Leser auch den Hörer, und dieser konnte in meinen jungen Jahren nicht genug davon bekommen. Ich habe Karl Kraus die meisten seiner »Worte in Versen« vorlesen hören, und sie hatten eine unvergeßlich große Wirkung, mit ihren Bewußtsein und Gewissen gleichermaßen aufstörenden, oft wiederholten Hammerschlägen.* Außerdem liest der richtige Leser von Lyrik, wenn es ihn noch gibt, mehr mit dem Ohr als mit dem Verstand, obwohl es nicht der Wohlklang im romanischen Sinne ist, den er in deutschen oder englischen Gedichten zu finden erwartet.

Die letzte der früher zitierten Strophen muß Kraus besonders wichtig und lehrreich erschienen sein, denn er wählte sie als Motto für einen längeren Aufsatz, den er elf Jahre später unter demselben Titel, »Der Reim«, erschienen ließ (8). Es ist eine ästhetische Untersuchung seltener Art, für die Hamann oder Herder sicherlich mehr Verständnis gehabt hätten als, sagen wir, Andreas Heusler, dessen »Deutsche Verslehre« in drei Bänden mir auf meinem Gestell die Aussicht versperrt auf bessere Bücher, die nur dahinter Platz gefunden haben. Mit andern Worten, jener Aufsatz muß des Fachmanns Schreck sein, ein Insult für jegliche Poetik, Metrik, Prosodie, der zur sofortigen Aberkennung der *venia scribendi* hätte führen müssen. Die Probleme des Schreibens werden meistens von dazu kongenital Unfähigen, also von Fachleuten, behandelt. Mit der bemerkenswerten Ausnahme des Jean Paul, ist es erst in der Gegenwart anders geworden. Dabei denke ich nicht an die schrecklichen Meister der *écriture,* denen es gelungen ist, sogar das Französische zu

* Ich habe die berühmten Kraus-Vorlesungen bereits früher zu schildern versucht (2). Übrigens erinnere ich mich, daß beim Vorlesen der zweiten Strophe des hier zitierten Gedichts Karl Kraus durch eine Handbewegung den jähen Sprung des Satzes bezeichnete.

kastrieren, sondern an Dichter wie Franz Kafka, Paul Valéry, A. E. Housman oder T. S. Eliot. Gottfried Benns Überlegungen erscheinen mir hingegen eher wirr: der Höhepunkt des deutschen Nationalsozialismus war keine gute Zeit, um über Lyrik nachzudenken.

V

Soviel ich weiß, begann Karl Kraus erst recht spät – so um die vierzig Jahre –, Gedichte zu schreiben, oder, wie er sie mit stolzer Bescheidenheit nannte, Worte in Versen.* In den ersten zwölf Jahren der »Fackel«, bevor Kraus sie ganz allein zu schreiben unternahm, brachte die Zeitschrift viel Lyrik: Richard Dehmel, Albert Ehrenstein, Jakob van Hoddis, Else Lasker-Schüler, Detlev v. Liliencron, Otto Stoessl, Berthold Viertel, Frank Wedekind und die ersten Veröffentlichungen Franz Werfels. Daß Georg Trakl, von dem Kraus eine sehr hohe Meinung hatte und dem er zusammen mit seinem Freund Adolf Loos zu helfen versuchte – aber ihm war nicht zu helfen –, in der »Fackel« nicht gedruckt wurde, muß davon kommen, daß die Zeitschrift zu jener Zeit keine Beiträge anderer mehr aufnahm.

Ob alle Gedichte, die Kraus in den neun Bänden der »Worte in Versen« versammelte – außerdem erschien noch je ein Band »Epigramme« und »Zeitstrophen« –, zuerst in der »Fackel« veröffentlicht wurden, kann ich nicht sagen, halte es jedoch, mit Ausnahme der im letztgenannten Buch vereinigten Zusatzstrophen, für wahrscheinlich. Ob eine kritische Durchsicht der Varianten in den verschiedenen Drukken bereits durchgeführt worden ist, weiß ich nicht.

---

* Das erste gedruckte Gedicht ist meines Wissens ein zweistrophiger Text, der unter dem Titel »Widmung des Werkes« als Teil des Vorabdrucks der Aphorismensammlung »Pro Domo et Mundo« auf S. 33 der »Fackel«, Nr. 317–318 (28. Februar 1911) erschienen ist. Derselbe Text, doch mit dem Titel »Widmung des Wortes«, steht im ersten Band der »Worte in Versen« (S. 66) und auf S. 56 der in Anmerkung (7) erwähnten Sammlung.

Wenn man die gesammelten Gedichte durchblättert, gewinnt man den Eindruck, daß Kraus, wie seine großen Zeitgenossen George und Rilke, den Reim bevorzugt. Daneben finden sich auch mehrere, zum Teil sehr lange Stücke in ungereimten Blankversen und einige Gedichte im antiken Stil, z. B. die Ode an seinen Lehrer und das schöne Gedicht »Gebet an die Sonne von Gibeon«. In vielen seiner Werke tritt eine sexuelle Metapher auf: die Vereinigung, die Paarung, das Zueinanderwollen, das Zueinandermüssen, der Drang nach der Befriedung; aber auch das Immerwiederaufgestörtsein, die Suche nach der andern Hälfte, die es nicht gibt, aber geben muß. Deshalb auch die selige Unruhe der Schöpfung, die ewige Unzufriedenheit mit dem Geleisteten, die Sehnsucht – dieses schöne Wort –, in unerreichte Fluren dehnt es sich; davon gibt es kaum eine Entsprechung in andern Sprachen. Hier sind die ersten Sätze des Aufsatzes »Der Reim«:

Er ist das Ufer, wo sie landen,
sind zwei Gedanken einverstanden.

Hier sind sie es: die Paarung ist vollzogen. Zwei werden eins im Verständnis, und die Bindung, welche Gedicht heißt, ist so für alles, was noch folgen kann, zu spüren wie für alles, was vorherging; im Reim ist sie beschlossen. Landen und einverstanden: aus der Wortumgebung strömt es den zwei Gedanken zu, sie ans gemeinsame Ufer treibend. Kräfte sind es, die zu einander wollen, und münden im Reim wie im Kuß. Aber er war ihnen vorbestimmt, aus seiner eigenen Natur zog er sie an und gab ihnen das Vermögen, zu einander zu wollen, zu ihm selbst zu können. Er ist der Einklang, sie zusammenzuschließen, er bringt die Sphären, denen sie zugehören, zur vollkommenen Deckung. So wird er in Wahrheit zu dem, als was ihn der Vers definiert: zum Ziel ihrer spracherotischen Richtung, zu dem Punkt, nach dem die Lustfahrt geht. Sohin gelte der Grundsatz, daß jener Reim der dichterisch stärkste sein wird, der als Klang zugleich der Zwang ist, zwei Empfindungs- oder Vorstel-

> lungswelten zur Angleichung zu bringen, sei es, daß sie kraft ihrer Naturen, gleichgestimmt oder antithetisch, zu einander streben, sei es, daß sie nun erst einander so angemessen, so angedichtet scheinen, als wären sie es schon zuvor und immer gewesen ... Die Notwendigkeit des Reimes muß sich in der Überwindung des Widerstands fühlbar machen, den ihm noch die nächste sprachliche Umgebung entgegensetzt ... Die gesellschaftliche Auffassung freilich, nach der der Dichter so etwas wie ein Lebenstapezierer ist und der Reim ein akustischer Zierat, hat an ihn keine andere theoretische Forderung als die der »Reinheit«, wiewohl dem praktischen Bedürfnis auch das notdürftigste Geklingel schon genügt ... Wenn man den ganzen Tiefstand der Menschheit, über den sie sich mit ihrem technischen Hochflug betrügt, auf ihre dämonische Ahnungslosigkeit vor der eigenen Sprache zurückführen darf, so möchte man sich wohl von einer kulturellen Gesetzgebung einen Fortschritt erhoffen, die den Mut hätte, die Untaten der Wortmißbraucher unter Strafsanktion zu stellen und insbesondere das Spießervergnügen an Reimereien durch die Prügelstrafe für Täter wie für Genießer gleichermaßen gefahrvoll zu machen.

Der Leser wird es bemerkt haben: die Prosa ist aus Quadern gefügt. Entfernt man den einen oder andern, um ihn genauer zu betrachten, so bricht nicht nur das Bauwerk zusammen, sondern der herausgehauene Quader zerbröckelt. Aus einem Kraus-Text kann man nur lange Stücke zitieren. Das habe ich hier getan, indem ich den ersten Absatz des Essays mit wenigen Auslassungen hergesetzt habe, und selbst diese haben blutende Ränder hinterlassen. Die erbarmungslos logische und zugleich ekstatische Wortfolge eines Sprachmystikers treibt die Sätze vor sich her wie Haufen eng aneinandergeketteter Sklaven. Dem hier zitierten Aufsatz fehlt zwar die polemische Wucht anderer Schriften, aber trotz der dem lyrischen Thema geziemenden Sanftheit hört man drohend dumpfes Trommeln aus dem Hintergrund.

VI

Sprachwerdung war für Kraus der Anfang der Menschwerdung, und in der Sprachverrohung seiner Zeit sah er das untrügliche Kennzeichen für den einsetzenden Entmenschungsvorgang. Gerade der Umstand, daß das Jahr 1933 ihn nicht überraschte, machte ihn verstummen. Er starb wenige Jahre später, 1936, und wie nichts anderes erweist sein vorzeitiger Tod ihn als Lieblingskind der Vorsehung. Es war nie laut um ihn zugegangen, aber ich habe den Eindruck, daß es jetzt besonders still um ihn geworden ist. Glücklicherweise scheint er nicht ein Gegenstand der Herausgeber- und Interpretationsindustrie geworden zu sein. An seiner Prosa würden selbst die Dekonstruktionswunderkinder ihre Milchzähne ausbeißen. Mit seinen Gedichten konnte sogar seine eigene Zeit nicht viel anfangen.

Dennoch kann die Kraft seiner Wortperson nicht verloren sein, denn er lebte durch das Wort, er atmete im Wort wie kein anderer Dichter, zumindest seit den Zeiten des Barocks. Schreiben war für ihn die Reise nach einem Kythera, das es nur im Kindertraum geben kann, die wehevolle Lustfahrt in ein Paradies, das unter den welkenden Bäumen der Vergangenheit bald auffunkelte, bald verschwand: ewig gesucht, nie erreicht, und gänzlich frei von den wohlbekannten blauen Blumen der Romantik. Es ist nicht die Art von Gedichten, die man trällern möchte. Viel eher hat man das Gefühl, daß ein scharfer Intellekt am Werke ist, wie bei den großen Dichtern des Barocks: Donne, Marino, Góngora, d'Aubigné, Gryphius. Um so ergreifender die Eröffnung gegenüber der Natur und dem Glück der Kindheit: Traum, Jugend, Slowenischer Leierkasten, Fahrt ins Fextal, Thierfehd am Tödi, Vallorbe – »du Thal der Thäler du, traumtiefes Thal der

Orbe!«. »Thal« steht nicht als Druckfehler hier, denn die schöne »Elegie auf den Tod eines Lautes« beklagt das Verschwinden der von den »Ortografen« verjagten alten Rechtschreibung.

Wer jetzt die gesammelten Gedichte von Karl Kraus durchblättert, wird wahrscheinlich den Eindruck davontragen, daß er einem alten Dichter gegenübersteht, einem in das technisch-schreierische, kriegsautomatisierte Gewirr des 20. Jahrhunderts versetzten Claudius oder Goecking. Kraus war stolz darauf, eine Epigone zu sein, kein »kundiger Thebaner«.* Wenn er aber ein Claudius war, so einer, der Lichtenbergs satirische Schärfe mitbekommen hatte. Modernität um jeden Preis lehnte Kraus ab, er verabscheute die Neutöner, mit behutsamstem Werkzeug grub er nach den uralten verborgenen Kristallen der Sprache. Von Wortassoziationen gejagt, rettete er sich in ein Paradies der jungen Sprache, als die Wörter noch blank und frisch waren; und dort, fürchte ich, ist er ganz allein. Jetzt sind alle unsere Wörter so abgegriffen, daß nichts von ihnen übrigbleibt, wenn man versucht, die auf ihnen abgelagerte dicke Schmutzschicht abzukratzen. Sie eignen sich nur mehr für Gebrauchslyrik, für Denksprüche einer des Denkens unfähig gewordenen Zeit.

Es ist möglich, daß das Gedichtwerk des Kraus nicht vergessener ist als alle Lyrik, die weiter zurückliegt als die letzten fünfzig Jahre. Eine Tradition von Jahrtausenden ist uns verloren gegangen, sie überlebt nur in den ungelesenen Schriften der Fachleute, für die alles Stroh ist, um es zu dreschen.

---

* Es mag erwähnt sein, daß diese Haltung des Kraus von Thomas Mann geteilt wurde. Sonst stand er Kraus mit Abneigung und Unverstand gegenüber, aber in einem Brief vom 17. Mai 1954 (9) zitiert er zustimmend das darauf bezügliche Gedicht »Bekenntnis« (S. 79 der in Anmerkung (7) erwähnten Sammlung). Der Brief ist auch sonst sehr lesenswert.

VII

Wie überlebt etwas in der Dichtung? Da alle paar tausend Jahre eine Bibliothek von Alexandria unumstößlich zu verbrennen verdammt ist, scheint die Antwort leicht: bevor es den Buchdruck gab, konnte überleben, was dem Brand entgangen war und Kopisten fand. War das Verschwinden so viel großer Literatur der Antike also dem öden Zufall zuzuschreiben oder einem ebenso öden Paradigmenwechsel? Oder dem Umstand, daß die Goten und Awaren ihre Mettwurst in eine unwiederbringliche Seite des Aischylos oder Sophokles einwickelten? Aber wo es Barbaren gab, gab es auch Byzanz. Worauf die Antwort erfolgen könnte: wo es Türken gibt, gibt es kein Byzanz. Wie dem auch sei, seit der Erfindung des Buchdrucks sind Bücher wahrscheinlich nicht unersetzlich, und trotzdem sind manche, vielleicht sehr viele, verschwunden. Vielleicht weint ihnen niemand nach, und doch sind sie ein Beispiel für die ewige Vergänglichkeit.

Wenn es um die Manuskripte eines zu Lebzeiten nicht oder spärlich gedruckten Dichters geht, so kann sein Name leicht verwehen. Hätte es keinen Max Brod gegeben, und wäre die Gestapo zehn Jahre früher nach Prag gekommen, wieviel wäre von Franz Kafka übrig geblieben? Und wenn wir schon dabei sind: wie viele unwiederbringliche Schöpfungen sind vor Verdun oder in Mauthausen, in Hiroshima oder Dresden der Menschheit verloren gegangen? Da die Menschheit gerade dabei ist, sich in die Luft zu sprengen – mit einem blöden Grinsen auf dem Kollektivgesicht –, kann ihr das gleichgültig sein. Das wird noch etwas ganz anderes werden als der Brand der Bibliothek von Alexandria!

Jedenfalls, wenn ich bedenke, daß ein Orwell oder ein Tucholsky mir als die großen satirischen Genies unsrer Zeit vorgestellt werden, und die Gestalt des Karl Kraus dagegenhalte, kann ich unsre Zeit nur bedauern. Wenn mir gesagt wird, Wien sei eben ein zu kleiner Rahmen gewesen, so erwidere ich, daß der Rahmen nie klein sein kann für eine große Gestalt, die ihn zuerst ausfüllt und dann sprengt. Wenn ich die Fackelhefte der zwanziger und dreißiger Jahre durchblättere, so sind die versunkenen phantasmagorischen Gestalten, denen man darin begegnet, mir noch immer lebendig, denn ich habe damals dort gelebt. Aber ich bin überzeugt davon, daß sie überleben werden in der Glorie ihrer Vernichtung, wenn es unsere Welt, so gebrechlich und zerfranst, noch einige Zeit gibt. Wie viele Eintagsfliegen haben Horaz oder Juvenal im Bernstein ihrer Verse erhalten! Gegen den Juden Apelles – *Iudaeus Apella* – war selbst Hitler machtlos.

Da ich gerade jetzt zwei große römische Dichter genannt habe, muß ich mich fragen: gibt es sie noch, haben *sie* überlebt? Hat der Panzer ihrer tönenden Hexameter sie bewahrt oder war er zu schwer? Ich weiß keine Antwort; so wie ich mich überhaupt frage, ob es noch ein Publikum für irgend etwas gibt. Die lebenden Sprachen, die der Quantitätsmetrik entsagt haben, eignen sich wenig für Hexameter und Pentameter, trotz aller Überredungskunst unserer Klassiker. Was vollends den Reim betrifft, so mußte das fehlende Einverständnis der Gedanken ihn zum Tod verurteilen. Wer hat jetzt noch Zeit, zwei Gedanken auf einmal zu haben?*

VIII

Der Reim ist ein Geschenk der katholischen Kirche. Schon lange vorher muß der Einklang vieler Wörter beobachtet worden sein, aber in der antiken Literatur war der Reim bestenfalls nur ein rhetorischer Schnörkel. Selbst in den ersten Jahrhunderten der religiösen Dichtung fehlte der

* Allerdings sollte ich anmerken, daß einige bedeutende Dichter, welche die dreißiger Jahre überbrücken, viel in Reimen geschrieben haben. So z. B. Eliot, Brecht, Auden. Bei den beiden ersten wird man jedoch feststellen, daß auch sie seit der Hitlerepisode dies seltener getan haben.

Reim, besonders solang das Quantitätsbewußtsein beim Skandieren vorhielt und die Abspaltung der romanischen Tochtersprachen noch nicht weit fortgeschritten war. So schreibt der heilige Ambrosius (ca. 400):

> Aeterne rerum conditor,
> noctem diemque qui regis
> et temporum das tempora,
> ut alleves fastidium. (10)

Oder ca. 600 Venantius Fortunatus in einer mächtigen Hymne:

> Vexilla regis prodeunt,
> fulget crucis mysterium,
> quo carne carnis conditor
> suspensus est patibulo. (11)

Über herrlichere Klänge verfügte auch nicht der Einklang des Reimes: pródeúnt, cónditór. Eine ganze, feierlich schreitende Prozession liegt in diesen Tönen.

Es geht weiter, zuerst schüchtern über Assonanzen, die aber innerhalb eines Liedes nicht immer eingehalten werden. Die folgende, Rabanus Maurus wahrscheinlich zu Unrecht zugeschriebene Hymne (ca. 850) hat Gustav Mahler in seiner Achten Symphonie vertont:

> Veni, creator spiritus,
> mentes tuorum visita,
> imple superna gratia,
> quae tu creasti, pectora. (12)

Im zwölften und dreizehnten Jahrhundert erschallt dann der volle Orgelton der durchwegs gereimten, wunderschönen Hymnen und Sequenzen. Einer der größten Dichter jener Zeit war der Bretone Adam von St. Victor (ca. 1140):

Heri mundus exsultavit
et exsultans celebravit
Christi natalitia;

Heri chorus angelorum
prosecutus est caelorum
regem cum laetitia. (13)

Aus einer etwas späteren Zeit stammen die wohlbekannten Lieder *Dies irae* und *Stabat mater*. Viele hundert Jahre mußten also vergehen, bevor die Gedanken – und was für Gedanken! – bereit waren, in frommen Paaren die Arche des Reimes zu betreten. Mit der Renaissance ging diese Art von hoher lateinischer Literatur zu Ende, denn die Völker waren der Sprache entfremdet, das religiöse Gefühl war schwächer geworden, und die unterdessen entwickelten Sprachen Europas übernahmen das Geschäft der Dichtung.

Wenn ich es zu unternehmen wage, die Kriterien des Aufsatzes »Der Reim« von Karl Kraus auf die mir bekannten Werke anzuwenden, so würde ich sagen, daß die europäische Reimdichtung mit wenigen Ausnahmen – die Provence, Dante, Ariost – erst um das Jahr 1600 wieder die Höhe und Kraft der lateinischen Dichtung des Mittelalters erreichte. Ich habe zwar immer behauptet, alle Dichtungen seien die besten; und es muß ja nicht alles gereimt sein. So sind wahrscheinlich »Das fließende Licht der Gottheit« der Mechthild von Magdeburg oder »Der Ackermann« des Johannes von Tepl bedeutendere Dichtungen als irgendeine Reimproduktion von Hans Sachs. Aber man braucht nur ein Gedicht von Skelton oder Wyatt mit einem Shakespeare-Sonett zu vergleichen, um zu verstehen, was ich meine.

In der deutschen Dichtung fällt fast alles, was in Betracht kommt, in die zwei Jahrhunderte zwischen etwa 1630 und 1830, wobei für meinen Geschmack die Barockzeit und der späte Goethe die Höhepunkte bezeichnen.* Es war, politisch

* Es hat einmal eine wertvolle, von Heinrich Fischer zusammengestellte Antholo-

und sozial gesehen, keine glückliche Zeit für Deutschland: der Dreißigjährige Krieg, absolutistische Kleinwirtschaft, das fragwürdige Getue Friedrichs des Zweiten, die Napoleonischen Kriege. Aber welch eine Blüte in der Musik, zwischen Schütz und Beethoven, und in der Dichtung, zwischen Gerhardt und Goethe!

IX

Die große Lyrik des Mittelalters, und nicht nur die kirchliche, lebte, atmete in der Musik. Dabei war der Reim ein übermächtiger Akkord. Wer in einem Requiem, ob von Victoria oder Cherubini, einer Strophe des *Dies irae* gelauscht hat – wie etwa: *Mors stupebit et natura, / cum resurget creatura / iudicanti responsura* –, wird den dumpfen geheimnisvollen Klang »-ura« nicht leicht los. Darin zittert mehr als ein einzelnes Herz, mehr als einverstanden sind die sich darin Ausdruck verschaffenden Gedanken.

Damit war es zu Ende: der Dichter stand allein, er wurde allmählich ein Kleingewerbetreibender und bestenfalls ein »Lebenstapezierer«. Oft wurde er ein spirituelles Möbelstück, ob er nun den bürgerlichen Familienabend verschönte oder die Erfüllung des Fünfjahresplans, ob er die Attacke der Leichten Brigade im Krimkrieg besang oder das Kommunistische Manifest in Verse zwängte. Schon daß man »besingen« sagen kann, zeigt, wie falsch das Ganze geworden war: der Dichter singt nicht, er fügt Wörter zusammen; wobei er sich dem Maler unterlegen fühlen muß, denn das Wort ist – trotz Rimbaud – kein Farbtupfen. Dafür ist es vieles andere. Zum Beispiel kann ein Wort eine Unzahl assoziativer Brükkenschläge bewirken, von einer Art, wie es kein Ton, keine Farbe vermag. Als die Malerei poetisch und die Lyrik musikalisch wurden, war es schlecht um sie bestellt; immerhin

gie gegeben, die fast alles enthielt, was Karl Kraus aus der vorgoethischen deutschen Lyrik für seine Vortragsabende auswählte. (14)

noch besser als jetzt, da jene sich als Investition empfiehlt (für den Käufer) und diese als Psychotherapie (für den Dichter). Die Künste, höre ich allerdings, sind hermetisch geworden, was einer Konservendose besser ansteht als ihnen.

Natürlich erfolgte der Verfall nicht über Nacht. Ich würde sagen, daß die große Tradition lyrischer Dichtung mit Brentano, Eichendorff, Platen, Mörike – wenn man will, kann man auch Lenau dazurechnen – zu Ende ging. Dann folgte eine elende Periode; und erst gegen Ende des letzten Jahrhunderts kamen mehr oder weniger erfolgreiche Versuche, die große Tradition wieder aufzunehmen. Es war ein letztes Flackern. Bevor die deutsche Literatur an der abscheulichen Bräune tödlich erkrankte, waren Stefan George und Rainer Maria Rilke vielgelesene Dichter, Karl Kraus und Rudolf Borchardt waren es nicht; Hugo von Hofmannsthal hörte früh auf, Gedichte zu schreiben. Einflüsse vieler Art und von sehr verschiedener Qualität betonen den epigonenhaften Charakter der Dichtungen: Dante, Mallarmé, Rimbaud, Laforgue, Swinburne, D. G. Rossetti, William Morris, aber auch der späte Goethe, und bei Kraus, wie schon gesagt, Barock und Rokoko. Später, bei den Expressionisten, war es dann Hölderlin.

Ein berühmter expressionistischer Dichter, der wenig von Vorbildern beeinflußt erscheint und einen unverkennbaren eigenen Stil aufweist, war Gottfried Benn. Kurzatmige, oft bizarr gereimte Litaneien; traumhafte Kataloge schlecht verdauter Natur- und Rassenforschung; hie und da aber auch sehr schöne Verse, darin die alte Sprache ihn an der Hand zu nehmen scheint: trotz allem jedoch ein Beispiel völliger Reimerweichung, in der die abstrusesten Partner zusammengejocht sind. Hier ist der Anfang des Gedichtes »Grenzenlos« (15):

> Blüte des Primären,
> genuines Nein

dem Gebrauchs-chimären,
dem Entwicklungs-sein,
kosmisch akausale
Arbeitsaversion
dämmernd das Totale
einer Vorregion.

Das liest sich wie ein tollgewordenes Fremdwörterbuch: der Eskimo tanzt mit dem Aschanti zur Druidenmusik. Es ist schwer sich vorzustellen, daß rhythmische Verstopfung noch weiter gehen konnte. Der vielleicht ungewollte »reiche« Reim »Primären – chimären« wirkt noch besonders verarmend. Tatsächlich bleibt Ungereimtes besser ungereimt, und sogar die unangenehmsten ekstatischen Hymnen, so häufig in den Anthologien des Expressionismus, sind ohne die unpassend beschuhten Versfüße weniger beleidigend.

X

Man kann den Zustand, in den in unsern Tagen die Dichtung geraten ist – und nicht nur sie, sondern alle Künste –, man kann ihn historisch, politisch, ökonomisch, soziologisch, philosophisch, theologisch usw. zu erklären versuchen, und alle Erklärungen werden etwas Richtiges enthalten und allen wird etwas Wesentliches fehlen. Ja, es wird sogar manche geben, die überhaupt leugnen werden, daß man von einem besondern Zustand sprechen könne; das ewig Menschliche habe sich nicht verändert, und wenn dichterisches Singen – da haben wir es schon wieder, das Singen! – zu den menschlichen Bedürfnissen gehöre, werde es immer Dichter geben. Nun gut – aber »immer« ist ein langes Wort – ich gebe zu, daß es wahrscheinlich auch in der Zukunft Leute geben wird, die sich als Dichter bezeichnen. Aber werden sie es deswegen sein, sind sie es jetzt? Ist der Doktor noch ein Arzt, erforscht der Naturforscher noch die Natur? Leben wir nicht in der Zeit des Glaubenmachens, des Hoffenmachens, der von der Beruhigungsindustrie gesteuerten Indolenz? War es früher, auf dem Höhepunkt des Bürgertums, die Aufgabe des Dichters, himmlische Rosen in den irdischen Dreck zu weben, um ihn zu verdecken, so fehlen eben jetzt nur die Rosen, sie waren ohnedies gemalte Attrappen, der Rest ist unverändert.

Tatsächlich ist er es nicht. Denn unterdessen hat sich das Publikum verlaufen. Damit die »Fleurs du mal« wirklich Blumen und wirklich böse waren, mußte es jemanden geben, den es darob wohlig schauderte, der aber auch die dunkelleuchtende Veloursqualität der Verse bewundern konnte. Ohne Zuschauer kein Spektakel, ohne Auferstehung kein Kreuz, ohne Verdammte kein Jüngstes Gericht.

Das aber ist unser gegenwärtiger Zustand: die Apokalypse ohne Johannes. Wir sind bereit, den Weltuntergang als ein verpfuschtes chemisches Experiment hinzunehmen oder als eine verfehlte Reklamekampagne. Wir wählen Leute, die wir nicht wählen; wir lesen Bücher, die wir nicht lesen; wir glauben nichts, was wir hören; wir glauben alles, was wir nicht glauben. Wir sind auf der Höhe unserer Zeit, nur ist sie eine niedrige Zeit.*

In dieser allgemeinen Verwirrung der Geister, mitten in der Zersetzung des Kerns, des Marks aller Sprachen, kann die Dichtung, können alle Künste nicht anders sein als sie sind. Was die Dichtung betrifft, so haben sich die jetzt

* Gerade jetzt, wie ich das schreibe, ist mein, unser, aller Präsident (Mr. Reagan) von einer kleinen Reise zurückgekommen. Dazu bediente er sich des »Doomsday plane«, der sogenannten »Weltuntergangsmaschine«, eines Flugzeugs also, das ihm dazu dienen wird, sich in die Lüfte zu erheben – hoch über den bekannten pilzförmigen Wolken –, während sein Volk, euer Volk, alle Völker dem historisch bedeutsamen, persönlich aber höchst quälenden Atomtod verfallen. Diese hirnverbrannten Allegoriker verwenden also für ihr Kommandoflugzeug den mehr als tausend Jahre alten Namen, den die englische Sprache dem Jüngsten Gericht gegeben hat. Daß der amerikanische Präsident im »Jüngsten Gericht« Platz genommen hat, wird vielleicht sogar Thomas von Celano, den Verfasser des *Dies irae*, zum Lachen bringen, wenn er aus dem Paradies in die Hölle blicken kann.

geschriebenen Werke, soweit ich sie kenne, in eine private Sphäre zurückgezogen, in die der Leser weder eindringen kann noch will. Die Texte sind eminent interpretierbar: es ist eine Lyrik für die Professoren. Nun gibt es zwei Arten von Dunkelheit. Der Gedanke, das Gefühl können so tief sein, die von ihnen beschrittenen Wege so verschlungen, ihre Wortwerdung so unerwartet, daß das spärliche Licht des Lesers sie nicht zu erhellen vermag. Dann muß er sich an die Brust oder besser an den Kopf klopfen und sich eingestehen, daß er einfach zu dumm ist, denn wo er liest, bleibt es finster. Oder er kann sich sagen: man muß nicht alles verstehen. Die andere Dunkelheit besteht darin, daß der Dichter sich in ein Labyrinth zurückzieht, nachdem er alle dorthin führenden Brücken abgebrochen hat; nun sitzt er in dem Bau, in dem er selbst sich kaum auskennt, und dort wollen wir ihn sitzen lassen.

Wenn es wahr ist, wie Paul Valéry gesagt haben soll, daß in einem Gedicht die erste Zeile von Gott kommt, so muß ich sagen, daß in den jetzt geschriebenen Gedichten diese erste Zeile meistens fehlt. Sie aber ist oft die einzige Brücke zu dem Rest des Werks. Schreiben die Dichter so, weil sie kein Publikum haben, oder haben sie kein Publikum, weil sie so schreiben? Ich würde eher die erste Hälfte des Fragesatzes bejahen. Das Wort »Bildung« hat jetzt einen unangenehmen, heuchlerisch streberischen Klang. Es bedeutet die Art von Bildung, die sich in die »Duineser Elegien« vertiefte, zu einer Zeit, als sie das Wort »Auschwitz« hundertmal an die Tafel hätte schreiben sollen. Dieses professionell gebildete Publikum ist nicht gemeint, wenn ich sage, daß das Publikum für Literatur und Kunst sich seit 1914 verlaufen hat. Ich bezweifle sogar, daß es eines gibt für »King Lear«, »Phèdre« oder »Faust II«. Kann man leugnen, daß »Figaros Hochzeit« oder die »Zauberflöte« ihrer Zeit etwas ganz anderes bedeuteten und anders aufgenommen wurden als jetzt, sagen wir, Alban Bergs »Lulu«? Wenn ich vom Publikum spreche, denke ich demnach viel eher an die Leute, die das Globe-Theater füllten oder an die Frankfurter, die 1793/4 vierundzwanzig und mehr Vorstellungen der »Zauberflöte« nötig machten, denn »das Hauss muss jedesmahl schon vor 4 uhr auf seyn – und mit alledem müssen immer einige hunderte wieder zurück die keinen Platz bekommen können – das hat Geld eingetragen!« (16)

XI

Es ist leichter, hundert Gründe für den Verfall anzuführen als einen. Ähnliches sagt Tolstoi, wenn er in einem der zahlreichen, in »Krieg und Frieden« eingefügten historischen Exkurse den Grund für Napoleons Überfall auf Rußland im Jahre 1812 erwägt. Jeder einzelne Grund wirkt unzureichend; das Geheimnisvolle jedoch ist, daß sie alle miteinander zusammenfallen. Man muß also seine Zuflucht zur Vorsehung nehmen, die es einem aber nicht leicht macht und auf die dumme Frage »Warum?« überhaupt nicht antwortet. Der Aspekt ist trostlos: wenn man jung ist, kann man wenigstens über die alten Trottel lachen; im Alter geht auch das nicht, man ist selbst einer.

Trotzdem will ich es mir nicht nehmen lassen, darüber nachzudenken, ob die Verkümmerung des sprachlichen und künstlerischen Gefühls mit dem Aufstieg der Naturwissenschaften und der Technik zusammenhängt. Es ist vielleicht ein Charakteristikum unserer Zeit, daß es so schwer geworden ist, zwischen Ursachen und Symptomen zu unterscheiden, vielleicht weil die Symptome alter Übel sofort zu Ursachen neuer werden. Kein Land ist derart mit Technik und Naturwissenschaft durchtränkt wie die Vereinigten Staaten, und vielleicht haben die Brutalisierung der Sprache und der völlige Zerfall des Ausdrucksvermögens nirgendswo anders einen derartigen Gipfel erreicht. (Die Sowjetunion und Japan wären andere Kandidaten, aber ich kenne sie nicht genug.) Ein weiteres Element der Vulgarisierung und Brutalisierung ist allerdings auch die Reklame und ihre Anhängsel, wie Fernsehen, Rundfunk, Presse usw. Trotzdem zögere ich, einen direkten Zusammenhang zu behaupten. Gäbe es heute einen Shakespeare, so denke ich, daß er selbst in einem Jet zu den *still-vex'd Bermoothes* fliegen und doch den edlen Prospero ersinnen könnte. Aber vielleicht kann es eben darum keinen Shakespeare mehr geben? Ich bin weiß Gott kein Freund der Statistik und wüßte auch nicht, wie mir Auskunft zu verschaffen. Aber entweder werden in unserem Jahrhundert keine Genies mehr geboren, oder wir haben einen überaus wirksamen Mechanismus geschaffen, um ihr Auftauchen zu verhindern. Sie können doch nicht alle unter die Terroristen gegangen sein oder sich durch vorzeitigen Drogengebrauch umgebracht haben. Wo ist Shakespeare, Michelangelo, Rembrandt, Bach, Mozart, Goethe? Wo ist Pascal, Galois, Gauß, Kierkegaard? Wo ist Rimbaud, Cézanne, Bartók?

Genies kommen in allen Formen und Farben, besonders wenn man ihnen nicht zuschaut; jetzt aber scheinen sie aufgehört zu haben. Einiges habe ich darüber schon früher gesagt (17). Nun weiß ich wohl, daß der Begriff Genie schwierig und viel mißbraucht ist; er ist ein Bestandteil des bürgerlichen Geistesmobiliars geworden und schmückt meistens eine Art von Gartenlaube, worin es genial zugeht, eben wie man sich ein Genie vorstellt. Beethoven, der sicher eines war, und einige andere, haben uns die Vorstellung verdorben: man gibt zuviel auf sekundäre Geniemerkmale, die oft täuschen. Außerdem, gerade weil die Genies verschwunden zu sein scheinen, werden Talente oder Begabungen irrigerweise dazu erklärt. Der Hausrat muß komplett erhalten werden.

Selbstverständlich bin ich bereit einzuräumen, daß Genies oft sehr spät, lange nach ihrem Tod anerkannt werden; aber auch dann nur, wenn sie von einigen Zeitgenossen genügend hoch geschätzt waren, so daß ihre Werke sie überleben konnten. Die meisten werden versunken sein, ohne Gedenken. Genies sind die Heiligen der Bourgeoisie. Es ist wahrscheinlich kein Zufall, daß der Geniebegriff im achtzehnten Jahrhundert aufkam, parallel zum Aufstieg dieser Klasse. Deshalb höre ich gegenwärtig diese Bezeichnung meistens in der Form »er ist ein Finanzgenie«. Das ist aber nicht die Art, an die ich denke.

Von Fachleuten, denen ich wenig Liebe entgegenbringe, weil sie alles wissen, aber alle fünf Jahre das Gegenteil, von Fachleuten also wird mir versichert, daß auch unsere geistigen Fähigkeiten in unserer Desoxyribonukleinsäure programmiert seien. Ich halte das für falsch; aber wäre es so, dann müßte in der besten aller möglichen Welten die Verteilung von Genies und von Talenten zu verschiedenen Zeiten mehr oder weniger gleichartig sein, nur eine Funktion der Bevölkerungszahl. Da es jetzt viel mehr Menschen gibt als je zuvor, müßte es auch viel mehr Genies geben. Das ist sichtlich nicht der Fall. Es ist jedoch möglich, daß die Lebensumstände der Gegenwart – Vergiftung und Bestrahlung – auf jene Erbfunktionen schädlich eingewirkt haben, die zu den Voraussetzungen für die Entstehung eines Genies gehören, natürlich ohne diese zu gewährleisten. Wenn dem so ist, so könnte man als eine der Konsequenzen erwarten, daß die Menschen immer dümmer werden. Ich halte das für wahrscheinlich, den Beweis anzutreten würde jedoch einen archimedischen Punkt erfordern, der uns fehlt.

Daß unsere geistigen Fähigkeiten, soweit sie sich in der Sprache ausdrücken, verändert und verringert worden sind – mit oder ohne das Blei des Motorauspuffs und die Mutation durch Strahlen und Chemikalien –, erscheint mir zweifellos. Handelte es sich dabei nur um die deutsche Sprache, so wäre es nicht schwer, hinreichende historische Gründe für den Verfall anzuführen. Aber die Verblassung, die Versandung, der Zerfall haben alle mir zugänglichen Sprachbereiche erfaßt. Es ist, als wäre eine schalldichte Wand errichtet worden zwischen dem Menschen und seinem Wort: er hört sich nicht mehr. Er kann die Wörter zwar anwenden, wie er ein Werkzeug anwendet; aber sie liegen außerhalb, nur geeignet verschoben zu werden. So ist die Rede eine Collage von Floskeln. Wenn das wirklich so ist, dann ist mehr verloren gegangen als der Reim im Gedicht, mehr als das milde Einverständnis der Gedanken.

XII

Was aber ist ein Gedicht? Eine befriedigende Antwort kann nicht gegeben werden; sie wird gewiß nicht von einer Lektüre von Heideggers Hölderlininterpretationen kommen, noch auch von Hegels Ästhetik oder einem Lehrbuch der Poetik. Inwiefern ist Claudius ein besserer Dichter als Heine? Es hat nichts mit Aufrichtigkeit zu tun: einige besonders schlechte Dichter waren besonders aufrichtig. Es hat auch nichts mit dem Lehrgehalt zu tun; ich würde sogar sagen: je mehr man über ein Gedicht reden kann, um so fragwürdiger das Gedicht. Ich kann also nur tangential davon sprechen.

Das Gedicht ist kein Dokument; es ist die Verknotung der Urmasse, eine immer wieder vollzogene Erschaffung der Welt. Das Gedicht ist ein Gesicht: das eine ist schön, das andere häßlich, und ich kann nicht sagen, warum. Natürlich gibt es Menschen, die durch die Versicherung, daß sie »wie eine Blume« sind, im Herzen getroffen werden. Ich kann mit ihnen nicht diskutieren, sie tun mir leid. Ich würde jedoch sagen, daß man aufpassen muß, wenn man in einem Gedicht allzuvielen mit »wie« eingeleiteten Vergleichen begegnet. Metaphern in allen Ehren, aber sie dürfen nicht ein Substitut der Wirklichkeit sein. Wenn man nicht ausdrücken kann, was eine ist, sagt man, sie sei wie eine Blume. Wäre ich ein besonders dummer Dissertant, so würde ich einen Vergleich anstellen, wie oft diese Art von »wie« in Goethes Gedichten vorkommt und wie oft in denen Rilkes. Im Buche Genesis wird erschaffen, nicht verglichen.

Da man über Geschmack bekanntlich nicht disputieren darf, wird mancher vielleicht den Ausweg parat haben, daß ein Werk, das durch lange Zeiten die Herzen bewegt, gut sein muß; er wird also das Merkmal des Überlebens betonen, worüber ich schon früher in diesem Kapitel gesprochen habe. Ein hunnischer Feldwebel mag hingereicht haben, um ein Meisterwerk zu zerstören. Das könnte so gedeutet werden, daß zwar nicht alles Gute überlebt, aber alles Überlebende gut ist. Keine befriedigende Folgerung, denn es ist möglich, daß nach dem nächsten Weltkrieg als einziges Schriftstück ein Exemplar des Telephonbuchs von Melbourne übrigbleibt; und selbst wenn später, einige Jahrhunderte nach der zweiten Erfindung des Rades, eine kritische Ausgabe davon gemacht wird, bleibt es doch nur ein Telephonbuch.

Wie dem auch sei, ich leugne nicht, daß wir bedeutende Schriftwerke der Vergangenheit noch immer erkennen können. Homer, die Tragiker, Vergil, Horaz und noch einige andere haben ihren hohen Rang nicht eingebüßt. In dieser Beziehung sind Leser besser daran als Hörer, denn die Menschen scheinen alle paar Jahrhunderte ihre Ohren umzutauschen. Die Musik, die bei Trimalchios Gastmahl ertönte, würde uns weniger eingehen als der Text des Petronius.

Die Dichtungen des Altertums lebten von den Rhythmen ihrer Metrik, darin die Quantität der Silben, nicht die gewöhnliche Betonung der Wörter maßgebend war. Der Wohlklang muß also den Sinn überwältigt haben. Die Verse schritten, erhöht über das Alltagsleben, auf Kothurnen einher. Bei unsern Sprachen ist das ganz anders: da die natürliche Betonung verbleibt, herrscht der Sinn vor. Dafür übernahm der Reim die Aufgabe der Erhöhung, der Entrückung. Er lieferte den notwendigen Sockel der Unnatürlichkeit.

Jetzt hat man aufgehört, entrückbar zu sein, außer durch Gurus zweifelhafter Qualität. Von Dichtern wird erwartet, daß sie technische Probleme der *écriture* lösen, daß sie Texte schreiben, um den Hermeneutikern was zum Verdienen zu geben. (In diesem Sinne wäre das Telephonbuch von Melbourne sehr geeignet: die alphabetische Anordnung sollte Strukturalisten ansprechen.) Seltsamerweise scheinen die meisten von dieser Nichtproduktion recht gut zu leben.* Daß man Dichtern, die nichts geschrieben haben, Preise gibt, ist ganz in Ordnung, denn nur bei ihnen besteht die Möglichkeit, daß man auf diese Weise ein Genie fördert.

Was ist aber unterdessen aus der Sprache geworden, dieser Großen Mutter des menschlichen Geistes? Empfängnis und Zeugung ist sie in einem, diese wahre Schöpfung des *creator spiritus*, dieser unwiderlegliche Gottesbeweis. Das ist es, was uns an einem Gedicht bewegt: die ergreifende Erinnerung an die Zeit, da das Nichts in das Sein sprang. Denn der Reim ist der Frieden der Seele, er ist die Besiegelung des Bündnisses, das der Schöpfer einst schloß mit dem Geschöpf. Wir sind dieser Zeugenschaft unwürdig geworden.

---

* Das erinnert an die Spitäler in Amerika, die nur solvent sind, wenn sie keine Patienten aufnehmen.

Anmerkungen

(1) E. Chargaff, Bemerkungen, S. 60 (Klett-Cotta, Stuttgart, 1981).
(2) E. Chargaff, Das Feuer des Heraklit (Klett-Cotta, Stuttgart, 1979).
(3) E. Chargaff, Voices in the Labyrinth, Perspectives Biol. Med., *18,* 251, 313 (1975). – Zum Teil in deutscher Übersetzung, Scheidewege, *7,* 83 (1977).
(4) Ph. Ariès, L'Homme devant la mort, S. 554 (Seuil, Paris, 1977). – »Seit der zweiten Hälfte des 19. Jahrhunderts hat sich etwas Wesentliches in der Beziehung des Sterbenden zu seiner Umgebung verändert.«
(5) W. Benjamin, Das Kunstwerk im Zeitalter seiner technischen Reproduzierbarkeit, in Schriften, Bd. 1, S. 366 (Suhrkamp, Frankfurt, 1955).
(6) F. Hebbel, Tagebücher, Hrsg. Krumm und Quenzel, Bd. 2, S. 223 (Hesse & Becker, Leipzig, o. J.).
(7) K. Kraus, Die Fackel, Nr. 443–444, S. 31 – Jetzt auch in K. Kraus, Worte in Versen, S. 80 (Kösel, München, 1959).
(8) ibid., Nr. 757–758, S. 1 (April 1927). – Jetzt auch in K. Kraus, Die Sprache, S. 388 (Kösel, München, 1956).
(9) Th. Mann, Briefe 1948–1955, S. 340 (S. Fischer Verlag, 1965).
(10) The Oxford Book of Medieval Latin Verse, Hrsg. F. J. E. Raby (Clarendon Press, Oxford, 1959), S. 8. – »Ewiger Schöpfer der Welt, der du Nacht und Tag lenkst und die Jahreszeiten einander folgen heißt, um den Überdruß zu erleichtern.«
(11) Wie in Anm. (10), S. 75. – »Des Königs Fahnen schreiten voran, es leuchtet das Geheimnis des Kreuzes, kraft dessen des Fleisches Schöpfer mit seinem Fleisch am Galgen hängt.«
(12) Wie in Anm. (10), S. 116 – Goethes Übersetzung:
Komm, Heiliger Geist, du Schaffender,
Komm, deine Seelen suche heim;
Mit Gnadenfülle segne sie,
Die Brust, die du erschaffen hast.
(13) Wie in Anm. (10), S. 229. Siehe auch Adam von Sankt Viktor, Sämtliche Sequenzen, Lateinisch und Deutsch, Hrsg. F. Wellner (Kösel, München, 1955). – »Gestern hat die Welt gejubelt und jubelnd Christi Geburtstag gefeiert; gestern ist der Engel Chor freudig dem Himmelskönig gefolgt.«
(14) Die Vergessenen, ausgewählt von H. Fischer (Paul Cassirer, Berlin, 1926).
(15) G. Benn, Gesammelte Werke, Hrsg. D. Wellershoff, Bd. 3, S. 121 (Limes Verlag, Wiesbaden, 1960).
(16) Die Briefe der Frau Rath Goethe, Hrsg. A. Köster, 7. Aufl. (Insel-Verlag, Leipzig, 1956) S. 227f., 290.
(17) E. Chargaff, Unbegreifliches Geheimnis (Klett-Cotta, Stuttgart, 1980) S. 122ff.

[9]

KAFKA: RAUM OHNE TÜR

I

Wer ist das Ich im folgenden Stück, ist es Gott, ist es Herr Klamm? Das Du ist wahrscheinlich Franz Kafka. Gott kommt selten vor in seinem Werk, er läßt sich verleugnen oder unwürdig vertreten, meistens durch Bürokraten ohne richtiges Büro, manchmal durch Torhüter, deren Tore nirgendswohin führen. In diesem Fragment, wahrscheinlich aus dem Februar 1918, gibt es überhaupt keine Türen. (1)

> Du willst fort von mir? Nun, ein Entschluß, so gut wie ein anderer. Wohin aber willst du? Wo ist das Fort-von-mir? Auf dem Mond? Nicht einmal dort ist es und so weit kommst du gar nicht. Also warum das alles? Willst du dich nicht lieber in den Winkel setzen und still sein? Wäre das nicht etwa besser? Dort in den Winkel, warm und dunkel? Du hörst nicht zu? Tastest nach der Türe. Ja, wo ist denn eine Tür? So weit ich mich erinnere, fehlt sie in diesem Raum. Wer dachte damals, als dieses hier gebaut wurde, an so weltbewegende Pläne, wie es die deinen sind? Nun, es ist nichts verloren, ein solcher Gedanke geht nicht verloren, wir werden ihn durchsprechen in der Tafelrunde, und das Gelächter sei dein Lohn.

Kafka war ein Dichter voller Fragen, aber er erwartete keine Antwort; oder, besser, die Frage war die Antwort. Im geheimnisvollen Gewebe seiner Welt warf nur der Schatten Licht. Man hat ihm Kasuistik vorgeworfen, seltsamerweise sogar Atheismus; man hat ihm die ungeahnten Greuel, denen, mit vielen Millionen, auch seine drei Schwestern später zum Opfer fielen, in die armen Taschen geschoben.

Was hat man ihm nicht alles vorgeworfen! Und doch ist er ein großer Dichter, vielleicht der größte Dichter der Sprachlosen, der Sprachzigeuner, und seine Werke sind unübersetzbar, sogar ins Deutsche, in dem sie herrlich geschrieben sind. Eigentlich wäre der andere große Nachtschreiber, Karl Kraus, der einzige gewesen, der das hätte würdigen können, aber selbst Herakles mußte vielleicht den Diamanten im Stall des Augias übersehen. (2) In der Sprachlandschaft der Zeit des Karl Kraus sah es nicht nach Edelsteinen aus.

Hier noch eine weitere Frage, dieses Mal ein Fragment des Jahres 1920, das in seiner Sprachmelodie mehr als nur eine Antwort enthält. (3)

> Wer ist es? Wer geht unter den Bäumen am Quai? Wer ist ganz verloren? Wer kann nicht mehr gerettet werden? Über wessen Grab wächst der Rasen? Träume sind angekommen, flußaufwärts sind sie gekommen, auf einer Leiter steigen sie die Quaimauer hinauf. Man bleibt stehn, unterhält sich mit ihnen, sie wissen mancherlei, nur woher sie kommen, wissen sie nicht. Es ist recht lau an diesem Herbstabend. Sie wenden sich dem Fluß zu und heben die Arme. Warum hebt ihr die Arme, statt uns in sie zu schließen?

Überall in Kafkas Schriften erklingt diese Kantilene der Ausweglosigkeit, immer ist die Erlösung um die Ecke, aber sie tritt nicht ein, sie hat sich in der Tür geirrt. Arme werden gehoben, aber sie sinken wieder. So auch am Schlusse von »Der Prozeß«.

> Seine Blicke fielen auf das letzte Stockwerk des an den Steinbruch angrenzenden Hauses. Wie ein Licht aufzuckt, so fuhren die Fensterflügel eines Fensters dort auseinander, ein Mensch, schwach und dünn in der Ferne und Höhe, beugte sich mit einem Ruck weit vor und streckte die Arme noch weiter aus. Wer war es? Ein Freund? Ein

guter Mensch? Einer, der teilnahm? Einer, der helfen wollte? War es ein einzelner? Waren es alle? War noch Hilfe?

Man sieht, auch hier befinden wir uns in Picassos »Guernica«, rechts oben auf dem Bild. Dennoch wird die Hinrichtung des Josef K. clownesk vollzogen. Endlose, trostlose Melodien, immer aber fehlt die Dominante.

II

Ich habe natürlich weder die Absicht noch das Recht, der Überfülle von Interpretationen eine weitere hinzuzufügen, denn ich bin weiß Gott kein Kafkafachmann. Das Anschwellen der Hermeneutik in unserer Zeit, der enorme Zuwachs von literarischen Auslegehennen – besonders die Vereinigten Staaten sind ein riesiger interpretativer Hühnerhof – erscheint mir als eine glücklose Nachahmung der experimentellen Wissenschaften, die sich ja ihrerseits mehr und mehr zu Erklärungswissenschaften haben erniedrigen lassen. Allerdings ist es noch immer schwerer, über Cholesterin zu schwätzen als über Rilkes Engel, d. h. jenes gibt nicht so viele mühelose Druckseiten her als diese. Dabei denke ich nicht so sehr an die manchmal nützlichen, sachlichen oder grammatischen Behelfe und Worterklärungen wie an den Versuch mir zu sagen, was sich der Dichter vorgestellt hat, und mich zu befähigen, es ihm aufs feinste nachzuempfinden. Jedenfalls sind die Mißverständnisse, die eine unbeaufsichtigte Lektüre verursachen mag, wahrscheinlich fruchtbarer als die genaue Kenntnis der Umstände, unter denen das Kunstwerk geschaffen wurde.

So ist es zum Beispiel ein Glücksfall, daß wir wenig über die Art wissen, in der Pascal an seiner »Apologie de la religion chrétienne« arbeitete; davon blieben dann die unerschöpflichen »Pensées« übrig: das unausgeführte Unternehmen, ein Himmelsgewölbe zu errichten, führte zu einer

Milchstraße von Gedanken. Natürlich bieten sich uns Führer an, die aus den Fragmenten ein Labyrinth zusammengeklebt haben, jeder sein eigenes, durch das sie uns geleiten wollen. Aber es hilft nichts: hier ist der Teil immer größer als das Ganze. Ja, es ist sogar wahrscheinlich, daß das Buch, hätte Pascal es vollenden können, weniger eindrucksvoll gewesen wäre als die von ihm versammelten Bausteine. Jedenfalls ist die Abwesenheit intimer Details begrüßenswert. Als Pascals Schwester die kurze Biographie schrieb, war das Bohren in der Seele noch nicht aufgekommen. Der Schriftsteller lag auf dem Papier der Schriften und nicht auf der Couch der Schnüffler. Daß manche Wissenschaften dabei zu kurz kommen, indem sie die normale Diät von »Pascal als Meister der Barockprosa« nicht durch Enthüllungen über sein Sexualleben zu würzen vermögen, ist ein zusätzlicher Gewinn.

Über Kafka, würde ich sagen, wissen wir hingegen zuviel: vier Briefbände und ein Tagebuchband, wovon nur zwei – die Briefe an Felice und die an die Familie – anständig ediert sind;* dazu noch Gespräche, Erinnerungen samt einem unübersehbaren Troß von Sekundärliteratur. Es besteht demnach die Gefahr, jeden Text als Dokument zu behandeln und jedes Dokument als dichterischen Text. Davon habe ich mich frei zu halten versucht, denn meine Ehrfurcht vor großer Dichtung – eigentlich gibt es keine andere – ist zu groß, als daß ich sie als Heizmaterial für die literaturwissenschaftlichen Suppentöpfe vergeudet sehen möchte. Dichtung wird geschrieben von denen, die sie schreiben müssen, wobei allerdings das Können noch dazu kommen muß. Für Kafka war Schreiben eine Form des Gebets; das Gedrucktwerden war ihm nicht wichtig. Er verschenkte, verstreute, verbrannte seine Manuskripte, und er trug das Brandmal des

* Angesichts der Fülle von Veröffentlichungen über Kafka ist es bemerkenswert und bezeichnend für das Übel der Verwissenschaftlichung, daß der Text der Werke selbst nur in unzureichender Form zugänglich ist. Auch die schönen »Briefe an Milena« bedürfen dringend einer besseren Ausgabe.

wahren Schöpfers: die stetige Unzufriedenheit mit der Leistung. Das platonische Jagen nach dem Schatten an der Höhlenwand, nie kann es sich zufriedengeben mit der erhaschten Kontur: es fehlt immer etwas.*

Das meiste ließ er, kaum angefangen, liegen, immer wieder spann er immer kürzere Fäden. Dabei verfuhr er wie ein nur in inspirierter Ekstase arbeitsfähiger lyrischer Dichter. Während es jedoch manchem geschickten Herausgeber Hölderlins gelungen sein mag, einige synthetische Hymnen zusammenzusteppen, würde das bei Kafka kaum gelingen. So liegen viele Stücke herum, undatiert und mit zahlreichen Lesefehlern. Am meisten tut es mir leid, daß Kafka seinen ersten Roman, »Amerika« oder besser »Der Verschollene«, nicht beendete. Vielleicht hätte uns dieses Werk, trotz allem und mitten in Oklahoma, den Himmel eröffnet, gemäß dem schönen Aphorismus: »Die Krähen behaupten, eine einzige Krähe könnte den Himmel zerstören. Das ist zweifellos, beweist aber nichts, denn Himmel bedeuten eben: Unmöglichkeit von Krähen.« (4) Wir leben in einer Welt, in der es Himmel gibt und Krähen, aber die Himmel sind nicht für die Krähen.

III

Als der anfangs zitierte Text geschrieben wurde, war ich in der dritten Klasse eines Wiener Gymnasiums. Als Kafka starb, hatte ich gerade die Universität bezogen. Seine Epoche ist also von der meinen durch weniger als eine Generation geschieden; und bis auf den Umstand, daß die Verarmung des Mittelstandes durch die Nachkriegsinflation in Wien viel heftiger war als in Prag, war meine soziale Lage

* Das Ärgste ist: zu müssen und nicht zu können. Daran mußte ich schon vor Jahren denken, als ich ein gerade damals erschienenes großes Buch las: Hermann Brochs »Der Tod des Vergil«.

der seinen nicht unähnlich. Ich habe mich daher gefragt, warum es so lange gedauert hat, bis sein Name zu mir drang, denn als junger Mann las ich sehr viel und war überhaupt geistig beweglicher als in späteren Jahren. Es gibt mehrere Erklärungen, aber die hauptsächliche ist wahrscheinlich, daß Prag sich mir nicht geradezu als ein Zentrum der deutschen Literatur empfahl, und daß der Lärm solcher Leute wie Franz Werfel und Max Brod die stillere und echtere Stimme übertönen mußte. Außerdem war ich damals ein Sklave der »Fackel«, die ja wenig lobte, was lebte.

Übrigens denke ich nicht, daß Kafkas Schriften, deren Hauptteil erst postum veröffentlicht wurde, anfangs viel Beachtung gefunden haben. Der einzige bedeutende Schriftsteller, der noch zu Kafkas Lebzeiten auf ihn aufmerksam wurde, scheint, durch seine eigene Prager Vergangenheit prädisponiert, Rilke gewesen zu sein. (In einem gewissen Grade auch Musil, während Thomas Mann ihn sogar viel später hauptsächlich wegen seiner »Schnurrigkeit« rühmte.)

So kam es, daß der Name Kafka mich erst in Paris erreichte, während meines Aufenthalts 1933 und 1934. Es muß der Anfang der großen Welle gewesen sein, die, von Frankreich ausgehend, während der nächsten fünfzehn Jahre seinen Namen weltberühmt machen sollte. Ich glaube, daß da gewisse Mißverständnisse mithalfen – Kafka ist anders und besser, als er ihnen erschien –, aber es hat wahrscheinlich mit der Heiligsprechung durch André Breton angefangen, und diese wurde dann durch viele andere sanktioniert, z. B. Gide, Blanchot, Sartre, Camus, wobei die letzten beiden sicherlich auch um die Komplettierung ihrer eigenen Ahnengalerie bemüht waren. Camus ist ja schließlich eine Art von

---

* Es ist erwähnenswert, daß Paul Claudel sich schon im August 1935 in seinem »Journal« auf »Das Schloß« bezieht. (Pléiade-Ausgabe, 1969, 2. Band, S. 105) Am 12. Dezember 1939 schreibt er, ebenfalls im Tagebuch (2. Band, S. 296), über das »Satan geweihte Deutschland« und zählt als Beispiele für *l'imagination germanique* die

Kafka für geistig Unbemitteltere geworden.* Damals gab es also noch die Möglichkeit übersprachlicher Rettungsaktionen: die Bestialisierung der Muttersprache wurde durch eine andere, höher entwickelte und geistigere Sprache gutgemacht und überwunden. Das könnte sich in unseren Tagen kaum wiederholen: das Verschwinden der Alternativen ist eines der Kennzeichen der Gegenwart.

Jedenfalls erstand ich, kaum in New York angekommen, einige Teile der ersten Ausgabe der »Gesammelten Schriften«, die 1935 (Band 1 bis 4) in einem behördlich geduldeten Ghettoverlag in Berlin zu erscheinen begannen; Band 5 und 6 waren dann »untragbar«, und deren Verlag mußte von einer Prager Firma übernommen werden, die sie 1936 und 1937 herausbrachte. Seit jener Zeit bin ich mit Kafkas Schriften vertraut, und ich weiß sehr gut, wieviel geblendete Klarsicht, wieviel hoffnungslose Hoffnung im magischen Licht seiner klaren Prosa eingeschlossen sind. Daß er einer der größten Dichter finsterer Zeiten ist, war mir schon lange offenkundig. Als dann später Existentialismus und Strukturalismus, der Kult des Absurden oder der Grausamkeit, alle Formen des Konkreten, des Minimalen oder des sich einfach als »neu« Bezeichnenden über mich hinüberschwappten, mußte ich oft denken, wieviel davon, was wert ist erinnert zu werden, in den knappen Schriften dieses scheuen Mannes bereits enthalten ist.

Dann begannen die Wogen der Interpretation und der akademischen Ausschlachtung – erwartungsgemäß unbegleitet von verläßlicheren Ausgaben der Texte –, und ich hörte lange auf, Kafka zu lesen. Jetzt, da es stiller geworden ist, denn fast alles, was nicht verdient gesagt zu werden, ist schon gesagt worden, habe ich, was von ihm geblieben ist, nochmals in einem Zug gelesen, und der Eindruck war

folgenden Namen auf: Bosch, Breughel, Dürer, Hoffmann, Kafka. Übrigens lebte Claudel einige Zeit in Prag als französischer Konsul, und es ist möglich, daß Kafka seine Bekanntschaft gemacht hat. (5)

stärker als je. Daher beschloß ich, einen Text auszuwählen – eben den am Anfang zitierten – und an ihn einige durchaus nicht literarische Überlegungen anzuknüpfen. Das angeführte Fragment selbst ist also eine Art von *objet trouvé.*

IV

Die überlegene Stimme, leicht spöttisch, leicht mitleidig, spricht wie zu einem Kind oder vielleicht wie eine herablassende Katze zu einer Maus (vgl. »Kleine Fabel«), jedenfalls zu etwas, was von ihr, der Unentrinnbaren, weg möchte. »Du würdest nicht von mir fort wollen, wenn du mich nicht schon gefunden hättest«, könnte sie, Pascal abwandelnd, sagen. Aber das ist der Stimme gleichgültig; es ist eine Tatsache, daß man ihr nicht entrinnen kann. (Wobei die Kurzsichtige, ähnlich wie Wittgenstein, den Mond als das Unerreichbarste hinstellt. Wenn sie ein paar Jahre gewartet hätte, hätte es der Sirius sein müssen.) Auch würde es nichts nützen, der Stimme zu entkommen; der Sprecher bleibt, und schweigend ist er noch gefährlicher. Vorläufig fordert er das Angesprochene – das Opfer, den Angeklagten – auf, ruhig sitzen zu bleiben, wohl wissend, daß das Still-im-Winkel-Bleiben das Schwerste auf der Welt ist. Die Neigung, das zu tun, wird gewiß nicht erhöht durch den Hinweis der Stimme, daß es ohnedies keinen Ausgang gebe. Der Raum muß über die beiden gestülpt worden sein, und an eine Türe hat man dabei nicht gedacht. Die Partner sind also aneinandergebunden, und doch treibt es den einen weg vom andern. Der einzige, der das nicht als eine Kafkasituation bezeichnet hätte, wäre Franz Kafka selbst gewesen. Gelächter war jedoch nicht sein Lohn.

Wer ein Gleichnis anwendet, vernichtet es. Es hat nur die Aufgabe dazusein. Es muß schwebenbleiben wie eine Melodie, wie der Tonfall eines Gedichts; aber auch diese können einen auf Gedanken bringen, und so ist die angeführte Rede mir erschienen wie ein Monolog des Verhängnisses. Diese Ansprache an die stumm gewordene Gegenwart sollte vielleicht nicht unbeantwortet bleiben. Wie alles, wozu wir heute noch fähig sind, können die Erwägungen nur unter dem Motto »Trotzdem!« stattfinden. Selbst vor fünfzig Jahren wäre man beredter gewesen.

Wenn ich unsere Zeit mit der meiner Jugend, also den zwanziger und dreißiger Jahren, vergleiche, fällt mir zuerst das völlige Verschwinden von Vorbildern auf, zu denen aufgeblickt zu haben man sich nicht einige Jahre später schämen mußte. Ich will keine Namen anführen, aber es wäre leicht, sie auf allen Gebieten (außer in der Politik) zu finden: in der Philosophie, der Literatur, der Musik, der Kunst, den Wissenschaften. Natürlich florierte schon damals das öde, stumpfe Spezialistentum, dennoch gelang es einzelnen, darüber hinaus oder davon weg zu wachsen. Überhaupt gab es damals noch den Begriff des Einzelstehenden. Der über alle Umriß- und Grenzlinien hinwegfahrende Radiergummi der Massenmeinung war erst in den Anfängen.

Wenn ein junger Mensch sich Vorbilder aussuchte – oft war es mehr als eines –, muß man voraussetzen, daß er die Hoffnung haben konnte, es gebe einen Weg, sich ihnen zu nähern. Diese Hoffnung, ob berechtigt oder nicht, bestand, glaube ich, für meine Generation nicht mehr, wohl aber für die etwas früher Geborenen, denen es beschieden war aufzuwachsen, bevor der unsäglich schwere Bleideckel des Jahres 1914 sich auf alles senkte. Ich werde sicherlich auf allgemeinen Widerspruch stoßen, wenn ich sage, daß dieses Jahr für mich das Ende der westlichen Zivilisation bezeichnet. Wir wuchsen wirklich als erste im türlosen Zimmer auf, in dem allerdings noch immer ein dünner Schimmer von Licht weilte. In den Nachkriegsjahren schwand auch dieser, aber atmen, nicht zu reden von hoffen, hatte man schon lange nicht können.

Auch Kafka hatte es nicht vermocht. Von seiner Generation hebt er sich als ein wahrer Vorläufer und Seher kommender Dinge ab. Der Begriff der seligen Verzweiflung beschreibt ihn sowenig wie der des Stillen im Lande. Dieser Anachoret des Absurden fand den einzigen Ausdruck für die Ausweglosigkeit unserer Zeit. Dazu paßt, daß er Musik nicht ausstehen konnte, denn diese ist der letzte Umweg um das Chaos der Verstumpfung. Wo es keinen Willen gibt, gibt es immer noch Musik.

Das Absurde ist aber ein Hinweis auf eine Bruchstelle im fugenlosen Kontinuum der Unerträglichkeiten. Nur es vermag uns zu zeigen, daß selbst der türlose Raum einen Ausweg gestattet, wenn dieser auch in ein ähnliches Zimmer, wieder ohne Ausgang, führt. So stellt eigentlich das Labyrinth die einzige Flucht vor einer unerträglichen Wirklichkeit dar, und Kaskaden von Absurditäten sind unsere einzige Erfrischung. Um das Leben jetzt auszuhalten, muß man eine innige Liebe zum Grotesken besitzen. Die Laterne des Diogenes beleuchtet nur noch Karikaturen, die uns jedoch im Zerrspiegel unseres Alltags als normal erscheinen.

V

Ich weiß nicht, ob man im Falle Kafkas von Vorbildern sprechen kann, aber er bewunderte Hebel, Kleist, Flaubert und liebte jüdische Legenden und die oft sehr tiefsinnigen Aussprüche der chassidischen Rabbiner. Da er ganz und gar Schriftsteller war – in den seltenen Intervallen, von denen man sagen konnte, daß er lebte, schrieb er nur wenig –, waren die von ihm Bewunderten viel eher Leitsterne für das Handwerk als für das Leben. Auch Kafka würde ich zu denjenigen zählen, denen, wie später meiner Generation, wahre Vorbilder abhanden gekommen waren.

Das Verschwinden von Lebensmodellen hängt sicherlich mit der extremen Arbeitsteilung unserer Zeit zusammen. Daß ein junger Mensch Historiker werden will oder Arzt, Chemiker oder Philosoph, ist vorstellbar. Aber kann man sich jemanden denken, der davon träumt, Dermatologe zu werden und sich ein dementsprechendes Vorbild aussucht? Wenn es sich nur um die Entscheidung für eine Tätigkeit handelte, von der man leben kann und die einem nicht allzusehr zuwider ist, so wäre das vielleicht nicht schlimm; aber jetzt herrscht ein Anspruch auf Ausschließlichkeit, der die meisten zu Sklaven macht. In Amerika muß man jetzt nicht nur ein aggressiver Häuservermittler sein, sondern auch ein begeisterter. Unsere Welt erstickt an einem Professionalismus, der noch dazu seiner Aufgabe nur selten gerecht wird.

Seit dem Verschwinden der Stände haben die gesellschaftlichen Umstände immer mehr an Transparenz eingebüßt, aber so undurchsichtig wie jetzt waren sie, denke ich, noch nie. Ein völlig unenträtselbares Gewirr gegenseitiger Abhängigkeiten bedeckt die ganze Welt und leistet Gewähr dafür, daß auch die geringste Störung sich blitzschnell fortpflanzt und verschärft. Die einst so allgemeine Homöostase eines stillen Lebens ist fast ganz verschwunden. Die Menschen sind heimatlos geworden, nirgends, weil überall, zu Hause, und ihr Leben ist eine Art von Lumpentourismus, ihre Sprache die des Werbegebells. Nur im unmenschlichen Leben der Gestrauchelten und Verworfenen finden sich noch Reste des menschlichen Lebens.

Bis vor kurzem war das Technische noch das, was bewältigt werden konnte, jetzt hat es selbst die Gewalt übernommen. Es ist vielleicht das wichtigste Element des Netzes der kreuz und quer laufenden Abhängigkeiten; seine Funktion scheint darin zu bestehen, die Menschen aus den Tiefen der Welt an deren Oberfläche zu quetschen und sie von der Wirklichkeit nicht nur zu isolieren, sondern sie vergessen zu machen, daß es diese gibt. In dem Maße, wie die Automatisierung der Technik fortschreitet, benötigt sie immer weniger Menschen, trägt aber dazu bei, der Menschheit zu immer rascherer Vermehrung und längerer Lebensdauer zu verhelfen, so daß in den nächsten vierzig Jahren die Bevölkerung der Erde sich zwar verdoppeln mag, aber nicht mehr wissen wird, was mit sich anzufangen. Wir stehen vor dem Paradox: je später der Tod, desto überflüssiger das Leben.

Dabei ist das Leben viel bedrückender geworden, als es jemals war. Manche können in der Bedrückung leben, die meisten vermögen es nicht. Sie flüchten sich in eine Oberflächlichkeit, deren Leere alles Geistige verdrängt. Der jämmerliche Zustand der gegenwärtigen Dichtung, Kunst und Musik mag als Indiz gelten. Wie tief, wie eindringlich war doch in der Vergangenheit selbst die volkstümlichste Literatur! Einst gab es den Wandsbecker Boten, und von Johann Peter Hebels »Rheinländischem Hausfreund« wurden alljährlich 50000 Exemplare verkauft. Damals war noch das herrliche Lutherdeutsch der Bibel wirksam oder das frühbarocke Englisch der »Authorized Version«. Jetzt sind die mir zugänglichen Sprachen derart besudelt, mit Dreck und Blut verkrustet, daß, wer sie in ihrer Reinheit zu verwenden versucht, sich schon dadurch als irrelevanter Siebenschläfer enthüllt. Der Schnitt durch unsere Welt ist zu tief gegangen oder nicht tief genug. Weder kann er sie spalten, noch kann die Wunde verheilen. So verblutet die Welt als geteiltes Unteilbares.

VI

Wenn einer seit vielen Jahren die Welt betrachtet, wie die Geschlechter kommen, erwachen, verschwinden, wie das Volk der Menschen dem Pfeifen seiner Auserwählten lauscht, sie Künstler, Forscher, Staatsmänner nennt und dann vergißt; wenn einer seit vielen Jahren diese Welt betrachtet, mit Staunen, Wunder und Angst, wie der Weltgeist, hat er Hegel gelesen, fortschreitet, waren es aber die Reden des Erleuchteten, graue Schleier ausbreitet, die Welt und ihre Schönheit und Schrecken dem Nichts überantwortend; wenn einer, die Windungen der Parabel zurückverfolgend, zum Ursprung zu kommen hofft, ihn aber nie findet: so fragt er sich vielleicht, ob in der Geschichte die Tische der Verzweiflung immer gedeckt waren, immer bereit für die von ihnen zu essen Verdammten. Sie waren es immer; immer war aber auch die Verblendung mächtiger als die Verzweiflung, und die Warner und Propheten konnten nicht gehört werden, es sei denn durch ein Mißverständnis. Ihre verhallten Stimmen sind nur als Satzzeichen eines Textes übriggeblieben, den selbst sie nicht wiedererkennen könnten. Der Text war für eine Zukunft geschrieben, die es niemals geben sollte.

»Da haben wir es«, höre ich sagen, »es kommt eben immer anders als man denkt«. »Stimmt«, antworte ich, »anders als *man* denkt. Aber ein einzelner hat manchmal anders gedacht als ›man‹, und manches Mal hat er recht behalten. Genützt hat es natürlich niemandem, nicht ihm, nicht der Nachwelt, denn wer liest schon Warnungstafeln?« Außerdem ist einem jeden, der im Wien der zwanziger Jahre aufgewachsen ist, der an Karl Kraus gerichtete Vorwurf bekannt: »Er kann nicht aufbauen, er kann nur niederreißen!« Daß im menschlichen Leben dieses ein Korrelat von jenem ist, scheinen nur wenige einzusehen. Bezeichnete Léon Bloy sich nicht sogar als *entrepreneur de démolitions*?

Es hat sich ja unterdessen herumgesprochen: das einzige, was man aus der Geschichte lernen kann, ist, daß man aus ihr nichts lernen kann. (Das aber auf Tausenden von Seiten.) Diese Feststellung erinnert an die Zeit, da man von allem Anwendbarkeit zu erwarten anfing, also an die vor lauter praktischem Optimismus bitterernste Zeit eines Bentham oder Buckle. Allerdings fürchte ich, daß die angewandte Weltgeschichte ebenso schädlich sein kann wie die angewandte Chemie oder Physik.

Jedenfalls wünsche ich mich nicht als Gebrauchshistoriker aufzuspielen, wenn ich feststelle, daß der hervorstechendste Zug unserer Zeit die sogenannte Billigkeit des Menschenlebens zu sein scheint. Wann diese Preiswürdigkeit des Lebens angefangen hat, kann ich nicht sagen, noch auch denke ich, daß sie etwas mit dem steilen Anstieg der Zuwachsrate der Erdbevölkerung zu tun hat.* Auch die Zuflucht zur Geschichte der Vergangenheit hilft nicht; Hinweise auf Dschingis-Khan, Timur-Leng, die Inquisition, den Dreißigjährigen Krieg oder den Jakobinerterror verfehlen das Wesentliche: die vollkommene Bestialität inmitten hoher Kultur, die Auslöschung des Gewissens und seine Ablösung durch einen *furor mortis*, einen Drang zum Tod, zuerst aller anderen und dann seiner selbst. Es ist möglich, daß die Ausrottung der Albigenser ein kleiner, zierlicher Vorgeschmack der Greueltaten des Nationalsozialismus war, wobei sich dieser durch die Anwendung des Taylorsystems auf die Metzelei als ein echtes Kind unseres Jahrhunderts erwies. Nur die Mischung von phantasieloser Brutalität und Ordnungsfanatismus mag einzigartig gewesen sein; im allgemeinen läßt man die Leichen herumliegen.

Wer im Epizentrum des Verfalls lebt, also in den Großstädten Nordamerikas, weiß, wie wenig das Leben des Menschen jetzt wert ist, das schwer erworbene und leicht weggeworfene stumpfe Leben der um ihre Individuation gebrachten Ausgehöhlten. Wer hat sie ausgehöhlt? Wer hat die Hülse ihres Gesichts in eine Grimasse gezerrt? Wer hat das Menschenbild entweiht und entwürdigt? Ich wollte, ich hätte die Naivität sagen zu können, es sei der mit Wissenschaft und Technik durchtränkte Kapitalismus gewesen, die zu einer demokratischen Laienreligion emporgeschraubte institutionalisierte Habgier. Aber ich darf es mir nicht so einfach machen. Der Abfall und die Flucht sind dadurch so gräßlich geworden, daß niemand sagen kann, wovon er abgefallen ist, wovor er flieht. Er ist abgeschüttelt worden in der Nacht der Seele, und jetzt trippelt er wie ein mechani-

* Wenn, wie es vor ein paar Tagen in New York geschehen ist, ein Bub den von ihm Beraubten ersticht, mit dem Ausruf »I don't like your face!«, so bleibt er ein seltener Praktikant des *l'art pour l'art*-Prinzips. Er suchte die Schönheit, fand sie aber nicht.

scher Hase. Seelenärzte, die keine sind – sie sind nur Psychopraktiker, Psychomanten –, stehen überall bereit, ihn für Geld krank zu massieren.

VII

Wahrscheinlich haben die Völker immer miteinander um das Vorrecht gekämpft, von den Wanzen gebissen zu werden. Das Traumbild, das edle Ideal, einen ganzen Stamm ausrotten zu können, ist jedoch, so glaube ich, erst unserem wissenschaftlich gründlichen Jahrhundert vorbehalten gewesen. Die Vernichtung der Armenier durch die Türken mag als Vorversuch angesehen werden, die Abschlachtung der Juden, Zigeuner usw. durch das Dritte Reich als das endgültige Experiment. (Vielleicht war das aber auch nur ein Vorversuch, denn die Welt steht nicht still.)* Minoritäten sind, wie es sich herausgestellt hat, immer schädlich und daher wert, ausgerottet zu werden; und da eigentlich der Hauptteil der Erde von Minderheiten bewohnt wird, kann man einer freundlichen Zukunft entgegensehen. Wem eine solche Betrachtung der Zeitgeschichte zu zynisch erscheint, der kann Zuflucht nehmen zur kosmetischen Chirurgie der Statistik, die beweisen wird, daß es auch nach der Vernichtung aller Unsympathischen immer noch mehr Menschen geben wird als vorher.

Die Unfähigkeit, sich ein Zusammenleben der Menschheit zu vergegenwärtigen, wird durch den Druck der steigenden Bevölkerungszahl der Erde enorm erhöht. Dieser Druck macht sich in vielen Formen bemerkbar: im Wachstum der Riesenstädte, die allenthalben zu Reservoiren des Elends geworden sind, eines sprach- und widerstandslosen,

* Das Wort »Genozid« ist eines jener Wörter – ich habe schon früher auf andere hingewiesen: Holocaust, Armageddon usw. –, mit denen unsere verkommene Sprache ein unsagbares Gemetzel veredelt und tarnt.

erschöpften Elends;* in der allgemeinen Verachtung des Alters; in der Statistifizierung des einzelnen, dessen Leben eigentlich nur als Konsum- und Steuereinheit gewertet wird; im Versagen aller Dienstleistungen, einschließlich der wichtigsten, des Erziehungswesens; in der bereits erwähnten Wertlosigkeit eines Menschenlebens.

Ich denke, daß jeder Mensch, der alt genug geworden ist, um die Welt einige Jahrzehnte betrachtet zu haben, meinen Eindruck teilen wird, daß in unseren Tagen das Leben der Menschen viel zu beschwerlich, viel zu schwierig geworden ist, als daß sie ihm noch gewachsen wären. Vor vielen Jahren schrieb ich in einer Apostrophe an ein nicht näher definiertes Du: »Hast sie genommen, hast sie wilder gemacht, als diese Welt es tragen kann.« Jetzt würde ich wahrscheinlich sagen: »Hast sie verwirrter gemacht, als daß sie diese Welt noch tragen könnten.« Denn davon bin ich überzeugt: Ein jeder trägt die Welt, jeder einzelne muß sein eigener Riese Atlas sein. Wie er das tut, ist nicht leicht zu erklären. Vielleicht ist es genug, daß er jemanden liebt oder auch nur einem jungen Hündchen zulächelt, wie es über seine dicken Beine stolpert; andere wieder sitzen im Jardin du Luxembourg und sehen den Pariser Kindern, diesen Rentnern der Zukunft, zu, wie sie mit totenernstem Gesicht ihre sparsamen Sandbauten errichten. Wer die leider vergessenen wunderbaren Prosastücke von Peter Altenberg kennt, weiß, daß es noch vor siebzig oder achtzig Jahren eine Freude an der Welt gegeben hat, einen stillen Segen, den das verhängnisvolle Jahr 1914 endgültig erwürgt hat.

Es gibt nicht viele Aufzeichnungen Kafkas, die sich auf den Ersten Weltkrieg beziehen. Am 6. August 1914 schrieb er in sein Tagebuch: »Die Artillerie, die über den Graben zog. Blumen, Heil- und Nazdarrufe. Das krampfhaft stille,

---

*Ein in New York wohnender Chemiker muß das Gefühl haben, daß er in einer weit über ihren Siedepunkt überhitzten, am Übergang in die Gasphase gehinderten Flüssigkeit lebt, die nur auf das Hineinwerfen eines Scherbens wartet, um gewaltig überzukochen.

erstaunte, aufmerksame schwarze und schwarzäugige Gesicht.« (6) Dazu bemerkt der Literaturhistoriker Heinz Politzer: »Es war wohl die Menge, von deren Gesicht er hier sprach. Oder war es schon das Antlitz des Krieges, gezeichnet in einer mythischen Vision, die eines Georg Heym würdig gewesen wäre?« (7) Es war weder das eine noch das andere; es war das Gesicht eines einzelnen Menschen, der seine Welt fallenlassen mußte.

VIII

Wo also ist die Tür, die es nicht gibt? Die Antwort fällt kindisch aus, obwohl ich sie gerne kindlich gehalten hätte: im Herzen des Menschen. Der Ausweg muß also immer ein Einweg sein; nur im Privaten liegt die Rettung. Je mehr das Privatleben verkümmert, um so steinerner wird das Herz. In unserer Zeit ist aber alles nach außen gestülpt worden; man wurde gelehrt, sich seiner Gefühle zu schämen. Ein Kalk der Kälte hat alles verkleistert. Wir sind derart verwissenschaftet worden, daß nur das Wiederholbare gilt, und dieses wird durch Rundfragen und durch Marktforschung ermittelt.

Nichts aber ist dem Herzen des einzelnen so feindlich wie die Reklame, jener wahre Handlanger der Mächte, die uns regieren, und in manchen Fällen selbst eine der Mächte. Kein Hunne hat das Fleisch seines Nachtmahls so mürbe geritten wie wir es durch die Werbung sind. Mit einer Lüge stehen wir am Morgen auf und mit einer größeren gehen wir schlafen. Vor Lügen stirbt aber das Herz, nicht der Kopf. »Und werden sein wie Gott« – mit einer Lüge begann das Experiment, des Versuchers erster Versuch, und sogar Gott konnte sich nur Rat schaffen, indem er das Experiment abbrach und alle hinauswarf. Dann ging es langsam weiter.

Den Weg zu finden, den ich den Einweg genannt habe, ist jedoch den meisten fast unmöglich geworden, denn es liegt ein ungeheures Gerümpel herum. Trupps von Bessermachern und Alleswissern haben sich überall hingelagert und erwarten drohend ihren Zoll. Was der Mensch einst von seinen Vätern ererbte, ist jetzt als Genreservoir entlarvt worden. Da es aus Phosphor und Stick-, Kohlen-, Wasser- und Sauerstoff besteht, ist es der Analyse zugänglich, aber auch der Verkürzung, Verlängerung, Verbesserung. Das Leben als Kurz- und Schnittware – wer hätte das auch nur vor fünfzig Jahren gedacht? Selbst die Naturwissenschaften – wie friedlich zogen sie einst aus, um der Menschheit die Angst abzugewöhnen! – sind ein hauptsächliches Element der Verwirrung geworden.

Was immer wir als den Grund der Verwirrung und Abstumpfung angeben mögen, wir werden nie entscheiden können, ob wir es wirklich mit der Ursache zu tun haben oder mit einer Begleiterscheinung. Jede Schöpfung ist ja zugleich ein Symptom der Schöpferkraft. Jede sogenannte Aufdeckung eines sogenannten Naturgeheimnisses erschüttert den Vorsehungsgläubigen weniger als den Forscher, der noch in das vorletzte Naturgeheimnis versponnen ist. Selbst Naturgesetze sind verpflichtender für den, der sie enthüllt hat, als für den Gesetzgeber. Alles, was Archimedes verlangte, um die Erde aus den Angeln zu heben, war ein fester Punkt. Glücklicherweise war ihm dieser versagt, denn was hätte er schon mit der erschütterten Welt angefangen? Wahrscheinlich war es aber nur normale Naturforscherreklame, vielleicht eine Pressekonferenz zur Popularisierung des Hebelprinzips, die übliche Selbstaufsetzung des Lorbeerkranzes.

Wo aber ist unser fester Punkt? Früher gab es ihn im Gemüt des einzelnen. »Üb' immer Treu und Redlichkeit« – Generationen haben darüber gelacht, sich jedoch eher daran gehalten. Jetzt, da kommerzielle A-cappella-Chöre riesige Tonbandspulen mit ähnlichem moralischen Zeug füllen, sind eigentlich nur die geständigen Gauner ehrliche Leute.

Obwohl es mir also verwehrt ist, den wahren Ursprung des Verfalls zu nennen oder zu umreißen, würde ich doch sagen, daß die Schwäche der Menschen begann, als sie anfingen, sich ihrer Stärke bewußt zu sein, als sie sich anschickten, gegen die Natur zu leben anstatt in ihr. »Renaissancen« und »Aufklärungen« hat es wahrscheinlich in der Weltgeschichte zu verschiedenen Zeiten und in verschiedenen Formen gegeben, aber ich denke nicht, daß sie von der enormen technischen Entwicklung und Entwurzlung begleitet waren, wie es in den letzten drei- oder vierhundert Jahren der Fall war. So schlau, so dummschlau, war Dädalus in seinen früheren Verkörperungen nicht gewesen. Was der Menschheit dieses Mal glückte, war, eine mechanische Schlinge zu erfinden, die sie auch ohne ihr Zutun erwürgte. Wer die Geschichte der Käfer oder Schmetterlinge zu schreiben vermöchte, würde zum Beispiel zeigen können, daß es nie vorher in der Welt so giftig zugegangen ist.

Unter den Denkern unserer Zeit, die einiges von dem, was ich hier vorstammle, klar ausgesprochen haben, mit der jetzt verschwundenen französischen Klarheit, fällt mir nur der Name der Simone Weil ein. Sie hat auch als einzige gezeigt, daß eine der hauptsächlichen Komponenten des Ruins darin gelegen ist, daß wir den Wert des Menschen an seiner Produktionsfähigkeit messen.

IX

Kein Fluch ohne Erlösung, kein Urteil ohne Barmherzigkeit. Kafka wäre damit nicht einverstanden gewesen, er glaubte an die unbedingte Verdammnis. Er stellte höhere Anforderungen an die Schöpfung, als ich es wage, denn er vertrat Adam vor dem Sündenfall oder er war ein Adam, der den Sündenfall nicht zur Kenntnis nahm. Ich kann mir jedoch den Stand der Unschuld, bevor die Schuld auf die Welt kam, überhaupt nicht vorstellen, ebensowenig, wie ich mir eine Welt ohne Musik und lyrische Dichtung vorstellen kann.

Niemand hat die Ausweglosigkeit des menschlichen

Lebens so herzzerreißend beschrieben wie Franz Kafka; seine Werke sind die einzige Satire auf die Schöpfung, die ich kenne. Es könnte jedoch sein, daß, was sich in seinen Werken spiegelte, ein Vorgefühl einer neuen, noch nie dagewesenen Ausweglosigkeit ist; und da muß ich ihm recht geben. Ich höre es manchmal sagen, es sei statistisch unwahrscheinlich, daß gerade wir berufen sind, dem Untergang der Menschheit beizuwohnen. Aber nichts war statistisch unwahrscheinlicher, als daß die Spaltung des Atomkerns gerade in unserer Zeit glücken würde. (Leider gibt es nicht das Verbum »unglücken«.) Diese unheilvolle Entdeckung war jedoch nur das erste Glied einer Kettenreaktion, deren Ablauf und endgültiges Ergebnis noch nicht vorauszusehen sind. Ich brauche die vielen Errungenschaften, die uns in den letzten vierzig Jahren beschert worden sind, nicht aufzuzählen; sie sind uns leider wohlbekannt. Ob es sich um Kernreaktoren handelt oder um Transistoren, um Computer oder Mikroprozessoren, um Gentechnologie oder Nervengase, um Laser oder Kunststoffe: was wir nicht schon am eigenen Leibe zu spüren bekommen haben, das wartet um die Ecke. Die Zersprengung der Wirklichkeit hat die Ausmaße eines allgemeinen Irrsinns angenommen. Nichts ist aber gefährlicher als der Wahnsinn der Schlaumeier.

Das Seltsame daran ist, daß, kaum daß eine neue Errungenschaft enthüllt worden ist, man überall hört, man könne ohne sie nicht leben. Dabei ist es ein Jahr vorher doch gegangen. Zwischen der Entdeckung Amerikas und seiner Erfindung als Ersatzparadies mußten einige Jahrhunderte vergehen; jetzt aber wird ein trügerisches Amerika jeden Tag erfunden, und Einwanderer, die nirgendswo anders leben zu können behaupten, finden sich auch sofort. Jedes Gift und jeder Mist, jede neue Beleidigung der Menschenseele: alles findet unverzüglich eine Interessengemeinschaft, die es deckt, da sie von ihm lebt. Kein Lärm und kein Gestank, der nicht der Verteidigung des Vaterlandes zu dienen vorgibt, und da es viele Vaterländer gibt, gibt es viel Lärm und Gestank.

Der Ausbruch kann nur durch viele einzelne erfolgen. Wo der Ekel wächst, wächst die Rettung. Wenn viele Millionen Seelen beschließen auszusteigen, wird sich die Welt vielleicht ändern. Andernfalls wird sie eine Welt wachsender Verstumpfung und Verzweiflung sein. Der Gott in aller Form ausgestellte Totenschein hat uns die Ausweglosigkeit als einziges Ideal hinterlassen. Was haben wir aus einer Welt gemacht, in der einst ein Mozart lebte?

X

Ein Begriff, zu dem es einen Gegenbegriff gibt, ist ohne diesen nicht denkbar. Was ist das Gute ohne das Böse, die Freiheit ohne die Sklaverei? In der Welt, in der ich lebe, wird mit dem Begriff der Freiheit geludert, und man macht es sich leicht, indem man die Unfreiheit bei den sogenannten Feinden ansiedelt. So einfach ist es aber nicht, denn in der Vorstellung der öffentlichen Meinung ist die »freie Welt« – »free world« heult es alltäglich aus meinem Radio – bloß eine, in der man alles kaufen kann. Von Jugend an wird es uns eingebleut, daß wir frei sind, frei, eine Türe, die es nicht gibt, nicht zu suchen. Freiheit beginnt aber damit, daß der Mensch einsieht, daß er sie nicht hat. Es ist wahrscheinlich der Fluch der Naturwissenschaften, daß sie den Menschen ein irrtümliches Gefühl des Freiseins eingeflößt haben, das sie nur mehr versklavt. Das ist aber eine Gefahr, der Kafka nicht ausgesetzt war, denn, hätte er das Studium der Chemie, das er zwei Wochen betrieb, fortgesetzt, so wäre er vielleicht zu dem Schluß gekommen, daß er ein Sklave des periodischen Systems der Elemente geworden sei. Ohne die Logik des menschlichen Herzens kann selbst die Logik des Gehirns nicht auskommen, und Kafka wußte ebensogut wie Pascal, daß jene eine ganz andere Art von Logik ist: sie stammt von jenem λόγος, der am Anfang war.

In Kierkegaards Tagebüchern aus dem Jahre 1846 gibt es eine merkwürdige Stelle (8):

> Die ganze Frage über das Verhältnis von Gottes Güte und Allmacht zu dem Bösen kann vielleicht (an Stelle der Distinktion, daß Gott das Gute bewirkt und das Böse bloß zuläßt) ganz simpel so gelöst werden. Das Höchste, das überhaupt für ein Wesen getan werden kann, höher als alles, wozu einer es machen kann, ist, es frei zu machen. Eben dazu gehört Allmacht, um das tun zu können. Das scheint sonderbar, da gerade die Allmacht abhängig machen sollte. Aber wenn man die Allmacht denken will, wird man sehen, daß gerade in ihr die Bestimmung liegen muß, sich selber so wieder zurücknehmen zu können, in der Äußerung der Allmacht, daß gerade deshalb das durch die Allmacht Gewordene unabhängig sein kann. Darum geschieht es, daß der eine Mensch einen andern nicht ganz frei machen kann, weil der, welcher die Macht hat, selbst gefangen ist darin, daß er sie hat, und darum doch beständig ein verkehrtes Verhältnis bekommt zu dem, den er freimachen will ... Gottes Allmacht ist darum seine Güte.

Ich denke nicht, daß Kafka, einer der frühen Leser Kierkegaards, diesen Entwurf zu einer Dialektik der Macht gekannt haben kann. Selbst wenn es der Fall gewesen wäre, weiß ich nicht, ob er darin die Möglichkeit gesehen hätte, dort eine Türe zu finden, wo keine ist. Als sie sich ihm sechs Jahre später zum ersten Mal öffnete und schloß, war es zu spät.

Anmerkungen

(1) F. Kafka, Hochzeitsvorbereitungen auf dem Lande (Schocken Books, New York, 1953) S. 128.
(2) Vergleiche allerdings das Zitat aus einem Kraus-Brief des Jahres 1933, in P. Schick, Karl Kraus (Rowohlt Taschenbuch, Reinbek, 1965) S. 133.
(3) Siehe (1), S. 255.
(4) Siehe (1), S. 42.
(5) F. Kafka, Tagebücher, 1910–1923 (Schocken Books, New York, o. J.) S. 24f.
(6) Siehe (5), S. 419.
(7) H. Politzer (Hrsg.), Das Kafka-Buch (Fischer Taschenbuch Verlag, Frankfurt am Main, 1973) S. 152.
(8) S. Kierkegaard, Die Tagebücher. Ausgewählt und übersetzt von Theodor Haecker (Brenner-Verlag, Innsbruck 1923), 1. Bd., S. 291.

[10]

SIMONE WEIL: WISSENSCHAFT ALS TEILNAHME AN DER GELIEBTEN WELT

I

In der Naturforschung kommt zuerst der Fachmann, dann das Fach. Einer mag als Physiker oder Chemiker oder Botaniker angefangen haben, aber lange bevor er die Höhe der Naturweisheit erklommen hat, wird er sich ein kleines Fach geschaffen haben, das ihn völlig beherbergt. Drin findet er alles, was er zum Leben und Gedeihen braucht, und er wird den Unterstand nur verlassen, um zu einer Tagung zu reisen, an der die Fachleute nahe verwandter Branchen sich beteiligen. Im Gegensatz zum Vogel, der sein Nest verlassen muß, um Nahrung zu finden, wird diese dem Fachmann direkt an das Fach gebracht, denn die Welt ehrt diejenigen, die sich höheren Aufgaben widmen. Wenn er sich keine extrakurrikulären Gedanken macht, ist ihm die Wissenschaft, was dem Papageno seine Papagena, und wie diese beiden lebt er glücklich in seinem hohlen Baumstamm, auch er ein Kind der Natur.

Allerdings ist die Natur – oder was unter diesem Namen geht – jetzt schon fast völlig in Fächer aufgeteilt, und neu beginnende Konquistadoren müssen sich immer mehr auf Raubzüge und Invasionen spezialisieren. Aber das macht nichts, denn wenn sie einmal ihr Fach erobert haben, dekorieren sie es so, daß es wie neu aussieht. Darauf, könnte man sagen, beruht der sogenannte Fortschritt der Naturwissenschaften. Später kommt der darauf spezialisierte Zweig der Philosophie und sanktioniert die Geschichte, indem er sie seinerseits unterteilt und das, was geschehen ist, in Ordnung bringt.

Um so verlegener sind wir, wenn wir einem Menschen

begegnen, der in die öde Tastatur nicht hineinpaßt. Dieses Kapitel geht von einem solchen Menschen aus, einer Frau, deren unglaublich weitgespannte Interessen, deren vielfältige Bildung, deren intellektuelle, moralische und religiöse Intensität den Fachmann völlig verwirren müssen. Ich bin nicht berechtigt, das Leben der Simone Weil zu schildern, 1909 bis 1943, jenes kurze Leben, das sich liest wie eine Heiligenvita aus einer modernisierten *Legenda aurea;* nur hat sich das Gold in Blut verwandelt. Diese *Legenda sanguinea* muß von Greuel und Martern unerhört berichten, denn sie spricht von unsrer Zeit, einem Zeitalter, das vielleicht das brutalste und blutigste aus der langen Menschengeschichte ist. Auch ist es noch nicht zu Ende.

Ich habe den Eindruck, daß es der Kirche nie leichtgefallen ist, mit Heiligen umzugehen, solange sie am Leben waren. Ein wirklich helles Licht unter einem wirklich undurchsichtigen Scheffel, ekstatische Inbrunst und Unweltlichkeit, Güte ohne Hintergedanken, Barmherzigkeit ohne Zuschauer: all das hat etwas Unbequemes und muß manchem scharfen Geist der Kurie ein »Cretino!« (oder wie es auf Polnisch heißen mag) entlockt haben. An Schärfe des Geistes war Simone Weil freilich schwer zu übertreffen. Bis zum Ende ihres Lebens blieb der kartesische Stil ihrer mystischen Überlegungen etwas Einzigartiges, war vielleicht die Logik ihrer Denkprozesse das einzige Opfer, das sie nicht bringen konnte. Sie hielt sich für unwürdig, die Taufe zu empfangen, und ist, soviel ich weiß, als Jüdin gestorben.

Es gibt eine lesenswerte, ausführliche Schilderung des kurzen Lebens der Simone Weil, von einer Freundin verfaßt (1). In Paris geboren, völlig agnostisch erzogen, trat sie mit neunzehn Jahren in die *École normale* ein, wo der berühmte Philosoph Alain einen großen Einfluß auf sie ausübte, schrieb ihre Dissertation über Descartes und erhielt 1931 die *agrégation.* Zu jener Zeit, bevor der Intellekt von ihnen abfiel und durch eine undurchdringlich dicke Haut ersetzt wurde, war das Leben der Intellektuellen Europas durch eine besondere Ruhelosigkeit gekennzeichnet. Daran hatte auch sie teil, aber ihre Vorstöße in alle Richtungen können nicht mit so einfachen Etiketten bezeichnet werden wie »links« oder »rechts«. Die meisten von uns befanden sich damals in der Lage des Tamino, dem aus allen Toren ein barsch melodisches »Zurück!« erscholl.

Sie arbeitete mehrere Jahre als Mittelschullehrerin für Philosophie – ihre Vortragsnotizen sind, wie fast alle ihre Schriften postum, als Buch erschienen (2) –, stand einige Zeit den Syndikalisten und den Trotzkisten nahe und versuchte, auf seiten der Loyalisten am Spanischen Bürgerkrieg teilzunehmen, wofür ihre Ungeschicklichkeit sie bald disqualifizierte. Nach dem Zusammenbruch Frankreichs ging sie mit ihrer Familie nach Marseille und 1942, nach einem kurzen Aufenthalt in New York, nach England, wo sie für de Gaulle zu arbeiten versuchte. Sie wurde aber immer kränker und starb mit 34 Jahren, am 24. August 1943 in Ashford, Kent. Während der letzten Jahre ihres kurzen Aufenthalts auf Erden hatte sie aus eigenem Antrieb ein Leben des Elends, der Armut, der selbstauferlegten Entbehrung geführt. In Frankreich hatte sie einige Zeit als Fabrikarbeiterin verbracht, bei Renault und anderswo, und Landarbeit verrichtet. Sie wollte nach außen wirken, aber sie vermochte das nur, indem sie nach innen, auf sich selbst wirkte. Sie konnte nur leuchten, indem sie verbrannte. Es war ein schwerer Weg zu Gott, denn es bedarf unendlicher Mühe, den geistigen Ballast unsrer Zeit loszuwerden; auch hatte sie nicht die stahlgeschmeidige Festigkeit, die entrückte Robustheit einer Katharina von Siena oder Theresia von Avila.

II

Französisch, die erwachsenste Sprache der Welt, ist nicht nur die Sprache von Descartes, Voltaire, Diderot, es ist auch jene von François de Sales, Bossuet, Fénélon. Es ist nicht nur die Sprache des Pascal der »Provinciales«, es ist auch die

Sprache des Pascal der »Pensées«. Es kann Pomp mit Innigkeit verbinden, Klarheit mit Tiefe. Jetzt ist es leider so wie die meisten Sprachen sehr heruntergekommen. Selbst zu der Zeit, als Rivarol die Klarheit des Französischen pries, hatte man schon angefangen, zweitrangige Gedanken in einem erstrangigen Stil auszudrücken. Das ist natürlich nicht ein Vorwurf, den man den Schriften der Simone Weil machen kann: ihre Gedanken und die Art, in der sie ihnen Ausdruck gibt, sind von hohem Rang. Allerdings bestehen die Bücher, die nach ihrem Tod veröffentlicht wurden, teils aus flüchtigen Notizen, die nicht für den Druck bestimmt waren, oder aus Brieffragmenten, teils aus größeren, nicht abgeschlossenen und nicht revidierten Arbeiten. In dieser Beziehung ist das Schicksal ihrer Schriften dem der Werke von Novalis ähnlich, außer daß es zur Zeit des Novalis keine Gestapo gab, um Menschen wie Schriften systematisch zu vernichten.

Das Schicksal der Schriften der Simone Weil zeigt, was für ein unüberwindlicher, lästiger Stein des Anstoßes der einzelne, unkonventionelle Denker in unserer Zeit geworden ist. Sie sind wahrhaft verzettelt worden, und obwohl die meisten Bücher und Büchlein wahrscheinlich nicht vergriffen sind, ist es nicht leicht, sich einen hinreichenden Überblick über ihr Werk zu verschaffen. Ich zähle sechzehn Bücher in drei Verlagen, möchte aber nicht behaupten, daß ich alle in der Hand gehabt habe, noch auch, daß ich das eine oder andere nicht übersehen habe. Selbst die große Biographie (1), 960 Seiten, enthält weder Bibliographie noch Werkregister. Hier beschränke ich mich darauf, die wichtigsten Schriften und insbesondere diejenigen aufzuzählen, aus denen ich zitieren will (3–10).

Ihr erster größerer Versuch, datiert 1934, ist eine scharfsinnige Kritik des Vulgärmarxismus (3). Es handelt sich um eine klare, kartesische und für mich überzeugende Beweisführung, daß der Mensch, lediglich als Produzent betrachtet, durch eine Veränderung der Eigentumsverhältnisse von seinen Ketten nicht befreit wird. Ihr ging es um eine andere als die bloß formale Freiheit. Simone Weils Lehrer Alain hatte eine hohe Meinung von dieser Abhandlung, die er jedoch als unvollendet betrachtete, und riet ihr, einen Plan zur weiteren Ausarbeitung aufzustellen ((1), Bd. 2, S. 29). Sie aber war zu jener Zeit schon weitergegangen. Wer jung sterben soll, hat nicht viel Zeit.

Sie schrieb viele Aufsätze, die sich mit sozialen, politischen und historischen Fragen befassen. Manche wurden in kleinen Zeitschriften veröffentlicht, viele erst nach ihrem Tode gesammelt (9, 11, 12). Besonders bemerkenswert ist der lange Essay »Quelques réflexions sur les origines de l'Hitlérisme«, der wegen des Einspruchs der französischen Zensur nur zum Teil gedruckt werden konnte ((9), S. 11 bis 60). Als am Anfang des Zweiten Weltkriegs dieser Aufsatz, der die Ähnlichkeit zwischen dem alten Rom und dem Hitlerstaat betonte, geschrieben wurde, konnte man nicht wissen, daß dieses Tausendjährige Reich soviel weniger Zeit haben werde als jenes.

Ein anderer langer Aufsatz aus dem Jahre 1940 »L'Iliade ou le poème de la force« ist von einer an Walter Benjamin erinnernden Eindringlichkeit und Schärfe (13). Er ist mir aus einem besonderen Grunde denkwürdig, denn durch eine Übersetzung dieses Aufsatzes, die während des Krieges in einer kleinen amerikanischen Zeitschrift erschien, begegnete ich zum ersten Male dem Namen der Simone Weil. Aber erst in den letzten Jahren habe ich ihre Schriften mit Aufmerksamkeit lesen können.

Homer und Hitler, Karl Marx und San Juan de la Cruz, Platon und die Upanischaden, höhere Mathematik und die Lyrik der Troubadours: was hat nicht alles Spuren hinterlassen in den Notizbüchern, die von ihr übriggeblieben sind! (4, 8) Sie besaß eine unglaublich weitreichende Bildung in den antiken und modernen Sprachen und brachte sich Sanskrit und theoretische Physik bei, so daß Planck und die Bhagavadgîtā nebeneinander vorkommen ((4), Bd. 1, S. 112f.). Ihre Lieblingsdichter waren Sophokles, Villon,

Maurice Scève, Théophile de Viau, der Racine der »Phèdre« und George Herbert. Einmal gibt sie eine Liste der großen Franzosen, die weder Diener noch Anbeter der Gewalt waren: Villon, Rabelais, La Boétie, Montaigne, Maurice Scève, Agrippa d'Aubigné, Théophile, Retz, Descartes, Pascal ((9), S. 54).

In den Marseiller Notizbüchern (4) wird die mystische Abkapselung, die sanfte Flucht nach innen, immer deutlicher. Ihr Lieblingsgedicht wurde Herberts Gedicht »Love« – es beginnt mit den Worten »Love bade me welcome« – ein in Tonfall und Rhythmus unvergeßliches religiöses Lied (14). Sie hat dieses Gedicht viele Male abgeschrieben und ausgeschickt; es steht in Verbindung mit dem geheimnisvollen Tag der Erleuchtung – November 1938* –, als Jesus in das Zimmer der Simone Weil kam. »Christus selbst ist herabgestiegen und hat mich genommen« ((6), S. 45). Sie hat niemals darüber gesprochen, aber die rührenden Seiten am Ende der Marseiller Notizbücher beziehen sich vielleicht darauf ((4), Bd. 3, S. 291 f.).

Gott, Liebe, Schönheit, Leere: immer wieder kommen diese Worte vor, aber es sind nicht Synonyme und auch keine Gleichnisse. Hier ist eine Stelle aus »Attente de Dieu« ((6), S. 152):

> Comme Dieu se précipite en toute âme dès qu'elle est entrouverte pour aimer et servir à travers elle les malheureux, de même aussi il s'y précipite pour aimer et admirer à travers elle la beauté sensible de sa propre création. (15)

Viele Leute, die Simone Weil kennenlernten, haben sie eine Heilige genannt. Dabei dachten sie wahrscheinlich nicht an das offizielle Attribut, das eine Art von Recht auf Daueranstellung im Paradies bescheinigt; sie meinten die Selbstauf-

---

* November ist vielleicht ein guter Monat für Erleuchtungen: Pascals berühmtes »Mémorial« ist datiert: 23. November 1654.

opferung, das Selbstvergessen, die Fähigkeit zu tätigem Mitleid. Manche meinten vielleicht auch ein unbeschreibliches Brennen und Strahlen, worin sie sich verzehrte, einen sanften Starrsinn, eine unbeirrbare Gefügigkeit. Sie eröffnete sich nur wenigen und bestimmte, soviel ich weiß, keinen ihrer religiösen Texte für die Veröffentlichung.

Daß manche sie als Heilige erkannten, würde mich allerdings daran zweifeln machen. Tatsächlich könnte ein übelwollender Beobachter sagen, daß Simone Weil der Heiligkeit zustrebte wie eine Vorzugsschülerin, eine wahre *normalienne,* der religiösen Versenkung. Mit großer Bestimmtheit grub sie nach allen Quellen: Gilgamesch und Gnosis, Rigveda und Zenbuddhismus. In vieler Beziehung war sie eine Forschernatur. Gäbe es einen Nobelpreis für Heiligkeit – eine grauenhafte Vorstellung! –, sie hätte ihn vielleicht bekommen können. Allerdings wäre ihr rastloser Geist wahrscheinlich zur Ruhe gekommen, wenn ihr ein längeres Leben beschieden gewesen wäre. Wer weiß, was noch alles hätte werden können?

Ich kann mir keinen für unsre Zeit gültigen Nachweis der Heiligkeit vorstellen, außer daß der oder die Heilige dem Teufel verhaßt sein muß. (Von diesem stammt wahrscheinlich der vorige Absatz.) Wenn ich einer gewissen Form von mitleidig verächtlichem Hohn begegne, in der Politik und besonders in der Presse, so horche ich auf, denn ich denke mir: an dem oder an der muß doch etwas daran sein, wenn diese Kerls sich so zu ihnen benehmen. Natürlich ist das kein hinreichendes Indiz. In diesem Sinne halte ich es für möglich, daß Georges Bataille in seinem Roman »Le Bleu du Ciel« in der Figur der Lazare das Äußere der Simone Weil beschreibt, allerdings noch in ihrer politisch entflammten Periode. Da er kein schlechter Schriftsteller war, wird es schon so gewesen sein, und dabei doch ganz anders. Jedenfalls kann ich mir gut vorstellen, daß ein begabter Rapporteur der Hölle einem Unterteufel einen ähnlichen Bericht hätte erstatten können.

III

Bis in ihre letzten Jahre hat Simone Weil auch über die Naturwissenschaften und die Naturforschung nachgedacht. In ihren Notizbüchern wie auch in ihren mehr ausgearbeiteten Schriften finden sich viele darauf bezügliche Stellen. Als ich vor sieben oder acht Jahren zuerst auf einige dieser Sätze stieß, war ich erstaunt festzustellen, daß ihre Erkenntnisse manches davon vorweggenommen haben, wozu ich vierzig Jahre mühevoller Erfahrung gebraucht hatte. Die erste Stelle, die ich erwähnen will – sie stammt aus den Marseiller Notizbüchern ((4), Bd. 3, S. 73) –, habe ich schon früher kurz kommentiert (16):

> L'intérêt de la science. Il ne peut y en avoir que trois: 1) applications techniques – 2) jeu d'échecs – 3) chemin vers Dieu. (Le jeu d'échecs est agrémenté de concours, prix et médailles.) (17)

Da sie immer wieder die Vorsokratiker, Platon und Aristoteles las, kontrastierte sie häufig die Naturwissenschaften der Griechen mit denen der Gegenwart. Ich führe zwei Stellen an ((4), Bd. 3, S. 186 und Bd. 1, S. 136):

> La science grecque était à base de piété. La nôtre est à base d'orgueil. Il y a un péché originel de la science moderne. (18)

> Chez les Grecs la science de la nature était elle-même un art, avec le monde pour matière et l'imagination pour instrument, consistant, comme les autres arts, en un mélange de la limite avec l'illimité. De là l'accord entre la science et l'art. Chez nous, opposition, parce que notre science analyse. Faire de l'univers l'oeuvre de Dieu. Faire de l'univers une oeuvre d'art. C'est l'objet de la science grecque. (19)

Eingedenk einer vielleicht nicht ganz mit Recht postulierten Hierarchie beschränken sich die Philosophen, die über Naturforschung nachdenken, meistens auf die Mathematik und die Physik. Simone Weil bildet keine Ausnahme, obwohl sie an einer Stelle der Notizbücher ((4), Bd. 3, S. 59) schreibt, daß es sich darum handelt, alle Wissenschaften, von der Mathematik bis zur Psychologie und Soziologie, zu ihrem Ursprung und zu ihrer wahren Bestimmung als Brücke zu Gott zurückzuführen. Nun ist die Mathematik meiner Meinung nach überhaupt keine Naturwissenschaft, wenn sie auch die Grundlage aller sich als exakt bezeichnenden Naturwissenschaften ist; und für viele Wissenschaften, zum Beispiel die biologischen, ist die Chemie wichtiger als die Physik. Oder um es anders zu sagen: die Chemie, die am wenigsten schwätzende der Wissenschaften, hilft den andern den festen Boden des Stofflichen zu finden, während die Physik sie oft zwischen Gesetze zwängt, in denen sie sich verlieren.

»Weg zu Gott«, »Brücke zu Gott«? Wann haben die Forscher aufgehört, in solchen Kategorien zu denken? Der einzige Gott, zu dem heutzutage eine Brücke führt – und sie ist klar sichtbar, von keinen Nebeln des Geistes und der Gedanken verhangen –, ist der Gott des Geldes. Dieses ist leider, wie auch die meisten Triumphe der Wissenschaften, nur aus Papier. Vielleicht hätte Empedokles, vielleicht noch Albertus Magnus verstanden, was hier gemeint ist. Aber wenn Simone Weil die glattgeschniegelten Würdenidole ihrer Umgebung betrachtete, wie konnte sie glauben, daß es je gelingen könnte, die auf der Unterseite der Natur festgeklemmten Kleinbeobachter über solche Brücke auf solchen Weg zu senden? Auch ich lebte damals in Paris, aber unter den wenigen Gedanken, die mir kamen, war dieser nicht vertreten.

Die hervorstechendsten Merkmale der Gelehrten meiner Zeit waren Neugier und Ehrgeiz. Jene konnte mit kleinen Entdeckungen leicht befriedigt werden, dieser hat mit dem zu tun, was Simone Weil das Schachspiel nennt. Manchmal war es aber auch nur ein Pokerspiel mit der Natur. Jedenfalls, dachte ich mir, kann nicht viel Schlimmes geschehen, denn die Natur ist so unbeschreiblich groß, und wir Forscher sind so winzig. Laßt hundert Blumen blühen in diesem Jahrmarkt der Eitelkeiten, sie werden den Urwald nie verdecken. Wenn man einen Hund sieht, wie er ein auf einen hohen Zweig entwischtes Eichhörnchen wütend anbellt, findet man das vielleicht komisch oder possierlich, denn es kann ja nichts geschehen. Hätte sich aber der Hund mit einer mechanischen Leiter versehen, um dem Eichhörnchen auf den Leib zu rücken und ihm den Garaus zu machen, so würde man vielleicht sagen: »Dieser ekelhafte Hund benimmt sich wie ein Mensch. Pfui Teufel!« Ähnlich stand es mit den Naturwissenschaften. Erst zu meiner Zeit – Simone Weil war gerade gestorben – begannen sie, sich sozusagen die ersten mechanischen Leitern anzuschaffen. Es war, was ich den Verlust der Unschuld genannt habe (20).

Simone Weil, deren Überlegungen von einer ganz andern Tiefe und Intensität waren als meine, spricht von der »Erbsünde der modernen Wissenschaft«, und sie meint damit den Ersatz der *pietas* durch *superbia*. Das hatte schon im sechzehnten und siebzehnten Jahrhundert angefangen. Mit Recht betrachtet sie Galilei und seine Verfolgung als einen Wendepunkt ((4), Bd. 3, S. 18 und Bd. 2, S. 68):

> L'Église avait raison au fond en condamnant Galilée; c'est pourquoi il est si lamentable qu'elle ait eu tellement tort dans la forme. (21)

> *Lire les nombres dans l'univers et aimer l'univers; cela est lié.* La science antique était plus propre à cette lecture que la moderne. L'Église a peut-être eu raison contre Galilée. . . . Une science qui ne nous approche pas de Dieu ne vaut rien. (22)

IV

Wie jeder von Gott überwältigte, von ihm trunkene Mensch, erkannte Simone Weil im Kosmos die Ordnung und in der Ordnung die Schönheit des Weltalls. Ganz ohne dialektische Spielchen dachte sie über den Zusammenhang von Kunst und Wissenschaft nach – eine Verbindung, die sie in der griechischen Kultur verwirklicht fand (19) – und über die Rolle der Einbildungskraft in beiden Tätigkeiten. »Der Gegenstand der Wissenschaft ist die Erforschung des Schönen *a priori*« lautet ein Satz in den Notizbüchern ((4), Bd. 3, S. 58); am gleichen Ort schreibt sie, es sei ihr früher schwergefallen zu verstehen, wie Kunst und Wissenschaften zusammenhängen, jetzt aber habe sie Mühe zu verstehen, wie sie sich unterscheiden. Heutzutage, fürchte ich, wäre ihr die Unterscheidung leichter gefallen; vielleicht in dem Sinne, daß die Kunst versiegt ist und die Wissenschaft verwildert.

Wahrheit, Schönheit, Wirklichkeit, Liebe – welcher Naturforscher würde jetzt in diesen Herzworten der Simone Weil eine Beschreibung seiner eigenen Tätigkeit erkennen? Er würde zwar behaupten, daß er nach der Wahrheit strebt, aber in Wirklichkeit sind es nur Wahrheiten, also etwas ganz

anderes Niedriggeartetes. Noch eher findet er Wahrscheinlichkeiten, die nichts anderes sind als die von der Tagesmode vorgeschriebene Kleiderlänge. Er hält sich für einen Wal im Ozean, ist aber nur ein Zierfisch in einem von der öffentlichen Meinung beäugelten Aquarium. Ich hätte gedacht, daß die Ausartung der Naturwissenschaften erst später, nach dem Tod der Simone Weil, offenkundig geworden ist. Jedenfalls brauchte ich viel mehr Zeit dazu. Wer jedoch in »L'Enracinement« (7) – einem ihrer größeren, wie alle andern unvollendeten Bücher – die Seiten 319–328 liest, wird sehen, wie klarsichtig sie schon in den dreißiger Jahren war. Die Stelle ist zu lang, um zitiert zu werden. Wenn ich sie richtig verstehe, wendet sie sich gegen die oft behauptete Wertfreiheit der Forschung und betont, daß man nicht forschen

kann, ohne zu lieben, und nicht lieben, ohne die Schönheit der Welt erkannt zu haben. Darauf folgt eine scharfsinnige und kühle Beschreibung der verschiedenen modernen Forschertypen, viele Dinge, die sich erst später ergeben haben, vorwegnehmend. Auch sonst scheut die Mystik keine Konsequenzen, nur wird es selten vorgekommen sein, daß sie sich mit so mundanen Dingen abgibt. Besonders die ausführliche Schilderung der sozialen Beweggründe, die den Forscher vorantreiben, entbehrt nicht einer erfrischenden Offenheit.

Die Wissenschaftskritik der Simone Weil wurzelt in einem christlichen Glauben, zu dem sich durchzukämpfen sie im Begriffe war. Die Vorbilder, die sie als Kontrast unsrer Zeit vorhält, kommen fast alle aus dem griechischen Altertum, welches selbstverständlich auch das Neue Testament einschließt. »Seit dem Verschwinden Griechenlands hat es keinen Philosophen gegeben.« ((7), S. 324) Meine Kritik darf sich nicht so erhabener Gewährsleute bedienen: ich sehe den Baum vor lauter Blattläusen nicht. Mancher Leser wird daher den Eindruck gewinnen, daß ich mehr die Wissenschafter kritisiere als die Wissenschaft. Das kommt aber nur von minderer Begabung und auch von einer Hoffnungslosigkeit, gegen die Simone Weil gefeit war. Seit ich die Augen auftat, habe ich alle Räder nur in eine Richtung gehen sehen, und es war keine wünschenswerte.

Trotzdem möchte ich versuchen, die Art von Wissenschaft zu betrachten, die Simone Weil im Auge hat. Bevor ich das tue, will ich noch einige Stellen aus ihren Schriften hersetzen, denn sie ist unbegrenzt zitierbar.

> La science, l'art et la religion se rejoignent par la notion *d'ordre du monde,* que nous avons complètement perdue. (23)

> La science doit être une participation au monde et non un voile. (24)

> Si, en une matière quelconque, on connaît trop de choses, la connaissance se change en ignorance – ou il faut s'élever à une autre connaissance. (25)

> On se porte vers une chose parce qu'on croit qu'elle est bonne, et on y reste enchaîné parce qu'elle est devenue nécessaire. (26)

Seltsamerweise finde ich gerade in dem Buch mit dem spezifischen Titel »Sur la science« (10) nicht allzuviel, was hierhergehört. In diesem Buch sind zwei Aufsätze sehr lesenswert: ein nicht beendeter Aufsatz »Die Wissenschaft und wir« (S. 121–176) und die Besprechung eines Buches von Max Planck über die Quantentheorie (S. 187–209). Daraus zu zitieren, würde jedoch zu viel Raum erfordern.

V

Die Kritik an den modernen Naturwissenschaften, wie sie Simone Weil gegen das Ende der dreißiger Jahre übte, erfolgte einige Jahre vor dem Zeitpunkt, als die verhängnisvolle Proliferation der Naturforschung einsetzte. Diese geht noch immer weiter, mit allen ihren Folgen für die Verelendung der Menschheit. Darüber habe ich schon früher mehrmals gesprochen. Sie war vielleicht die erste, welche die Erbsünde der modernen Wissenschaft erkannte, obwohl sich schon bei Pascal einiges findet. Früher schimpfte man vielleicht, hoffnungs- und erfolglos, auf die Technik, aber die Forschung, diesen edlen Drang, pries man in alle Himmel. In den letzten Jahren hat das werbeträchtige Triumphgeschrei vielleicht etwas nachgelassen, aber noch immer folgen alle Völker, geduldige Herden, dem Schall der Schalmeien, der ihnen etwas vorspielt von einem himmlischen Jerusalem auf Erden, ganz ohne Klagemauer.

Dennoch häufen sich in den letzten Jahren die Anlässe, an

Symposien und Konferenzen teilzunehmen, mit solchen Titeln wie »Fortschritt ohne Maß?« (27) oder »Brauchen wir eine andere Wissenschaft?« (28) Die Fragezeichen in diesen Titeln deuten eine echt philosophische Wartestellung an, denn beim geringsten Zittern der Paradigmennadel muß der jetzt induktiv gewordene Philosoph bereit sein, seine Haltung zu verändern, ein schmetterndes Tedeum anstimmend auf das, was wir haben: maßlosen Fortschritt, die beste aller möglichen Wissenschaften.

Das Bestehende hat einen großen Vorzug vor dem Möglichen: dieses ist vielfach und wird meistens nicht verwirklicht, jenes ist einzig und existiert. Da wir in einer Zeit ohne Alternativen leben – vielleicht dem ersten derartigen Zeitalter in der Geschichte –, nimmt alles Nachdenken über Auswegsmöglichkeiten einen rührend sinnlosen Charakter an. Siehe das Kapitel KAFKA.) Von den Narren, die sich damit befassen, sagt man, was man früher nur den Nornen zuschrieb: sie spinnen. Manchmal kommt allerdings ihr Gespinst einer spätern Zeit gerade zurecht.

Wenn die Veranstalter solcher Tagungen, wie der soeben erwähnten, von einer andern Wissenschaft sprechen, denken sie sicherlich nicht an einen Ersatz für die griechische Philologie oder die Paläontologie. Sie denken an die wichtigtuenden Wissenschaften, die sich in vieles hineinmengen, was sie nichts angeht: die Physik, die Chemie, die Molekularbiologie, die Genetik. Bei diesen zu vielfachen Metastasen neigenden Wissenschaften ist es nicht mehr leicht, zwischen geschäftig und geschäftlich zu unterscheiden. Nicht alles, was Gewinn bringt, ist der Menschheit nützlich; viel eher ist das Gegenteil wahr. Daß wir die Ausbeuter für ihren frechen Griff in das Innere der Natur noch ehren, ist eine unserer Dummheiten. Den eigentlichen Hexensabbat hat Simone Weil nicht erlebt; aber in einigen ihrer Bücher (7, 10) zeigen manche Seiten, daß sie ihn kommen sah.

VI

Es gibt eine Mythologie der Wissenschaftsfeindlichkeit, als deren Begründer ich Jean-Jacques Rousseau bezeichnen würde. Dieser größte und verhängnisvollste Hysteriker der Literatur* betrachtete Kunst und Wissenschaft als die Verderber des Menschen, die das arglose Kind der Natur durch den Luxus des Schönen und des Wissens vom Wege robuster Gutmütigkeit und Erdverbundenheit weggelockt haben. »Die Menschen sind verderbt; sie wären noch ärger, hätten sie das Unglück gehabt, als Gelehrte geboren zu werden.« (29)** Das ist natürlich nicht die Art von Vorstellung, die für Simone Weil maßgebend war. Trotzdem spricht sie von der Erbsünde der modernen Wissenschaft und sieht in dieser den völligen Gegensatz zur antiken (18, 19). Es ist also nicht die Tatsache der Wissenschaft, die sie beklagt, sondern die Richtung, die diese eingeschlagen hat. Frömmigkeit gegenüber Stolz, Phantasie gegenüber Analyse. Wissenschaft darf kein Schleier sein über der Wirklichkeit, sondern eine Beteiligung an einer Welt, die man lieben muß.

Das erste, was man erkennt, ist, daß das eine Wissenschaft ergibt, von der man nicht leben kann. Forscher werden nicht dafür bezahlt, daß sie die Natur lieben. Im Gegenteil! Ehrfurcht vor der Natur, Verehrung der Natur, Liebe zu ihr: diese Gaben standen wahrscheinlich nicht an der Wiege der Naturwissenschaften, wie wir sie kennen. Kann man untersuchen, was man verehrt? Jedenfalls kann man es genau

---

* Vielleicht hätte ich sagen sollen: einer der größten Hysteriker. Soeben läuft eine Beschwerde ein von Dostojewski.

** Die Überzeugung von der Güte des Menschen, die Jacob Burckhardt Rousseau so übelnahm, scheint diesem erst etwas später gekommen zu sein. In der »Dernière réponse« (1751) spricht er schon von dem Menschen als »naturellement bon« (30). Übrigens ist mir nicht klar, was Rousseau mit »als Gelehrter geboren werden« meint. Bevor man sich des Schnullers entledigt, hat man ja wenig Gelegenheit, Gelehrtheit zu entfalten. Jedenfalls zeigten die mir bekannten Neugeborenen wenig Gelehrtheit, und eigentlich auch wenig Verderbtheit.

beschreiben und darüber nachdenken; nur bleibt man auf diese Weise ein Amateur – im eigentlichen und im übertragenen Sinne des Wortes –, denn wir haben allen Menschen die Monturen der Professionalität angezogen. Sie leben nicht nur in der Uniform, sie leben von ihr. Es handelt sich also darum, ihnen diese auszuziehen; und dabei, fürchte ich, würde die Haut mitgehen.

Simone Weil legt großen Wert auf die Einbildungskraft als die Triebkraft des Forschens. Nun kann man leider über die Valenz des Eisens nicht phantasieren, noch auch das Herz im Kopf des Tieres ansiedeln. Sie ist, wie sie ist; es ist, wo es ist. Man kann natürlich das Ganze annullieren, indem man sagt, daß uns das nicht mehr interessiere; wir hätten besseres zu tun. Diese Art von Kulturrevolution steht aber nicht vor den Toren, denn sie kann nicht von oben dekretiert werden. Oder besser gesagt, dieses »oben« müßte so unermeßlich hoch oben liegen, daß der kulturelle Umschwung einer sehr viele Menschen erfassenden religiösen Erleuchtung gleichzusetzen wäre. Dafür sehe ich keine Anzeichen.

Die Art von Wissenschaft, die in Simone Weils Worten ein Weg zu Gott, eine Brücke zu Gott ist, muß eine Wissenschaft einzelner Menschen, weniger Menschen sein. Ein Heer von Gottsuchern wäre überaus totschlägerisch; ein heiliger Krieg für die Natur würde einer fürchterlichen Zerstörungsaktion gleichkommen. Das ist es sicherlich nicht, woran Simone Weil dachte. Sie suchte eine aus dem Herzen kommende Inspiration, deren früher vielleicht manche Dichter fähig waren. Unsere Welt kann sich jedoch zu einer derartigen halluzinatorischen Erkenntnis des Naturgeschehens nicht mehr aufraffen. Dazu ist sie viel zu erschlafft und verödet. Wenn ihr noch eine Brücke aus dem Elend geblieben ist, ist es die Musik. Mozart ist noch immer ein besserer Gottesbeweis als der Zweite Lehrsatz der Thermodynamik. Da den meisten Menschen das Gefühl für die Rätselhaftigkeit der Welt verloren gegangen ist, stochern sie lieber an der Oberfläche herum, und manchmal verletzen sie die Tiefe. Das ist zu meinen Lebzeiten zweimal erfolgt; und wenn diese Errungenschaften bis zur letzten Konsequenz vorangetrieben werden, wird es keines dritten Mals bedürfen.

VII

Wenn ich also, sehr widerstrebend, zu dem Schluß komme, daß die von Simone Weil ersehnte Wissenschaft undenkbar geworden ist, muß ich mich fragen, wie es weitergehen soll. An den ungeraden Tagen des Monats bin ich schwarzer Pessimist und sage, daß es genauso weitergehen wird wie bisher, nur ärger. Da die Völker zahlreicher, ärmer und müder werden, wird vielleicht weniger Geld für die so überaus teuer gewordene Forschung übrigbleiben, und das mag zu einer Abkühlung des überhitzten Rummels führen. Selbst darauf besteht wenig Hoffnung, denn einerseits haben die Völker gelernt, wie tödlich Wissenschaft sein kann, und da sie nichts inniger wünschen, als einander umzubringen, sind sie bereit, ihr letztes Geld für die Naturforschung auszugeben; und andererseits hat sich die Börsenspekulation mit der Forschung amalgamiert, und jene ist weniger am Wohl der Menschheit als an dem ihrer Geldbeutel interessiert. Manche werden dieses ächzende Imkreislaufen als Fortschritt bezeichnen, aber sie werden sich irren. Auch dazu hat Simone Weil etwas zu sagen (31):

> On croit que, marchant horizontalement, on avance. Non. On tourne en rond. On ne peut avancer que verticalement.

Und an den geraden Tagen? An den geraden Tagen des Monats – sie werden aber immer weniger als der Kalender voraussagt — träume ich von dem Goldenen Zeitalter eines wirklichen vertikalen Fortschritts. Wie sie aussehen wird, diese Erhebung, kann ich mir allerdings nicht ausmalen.

Werden wir an klaren Bächen sitzen und den Fischen zusehen, unter Bäumen liegen und das Lob des schöngefügten Laubes singen oder am Strand geometrische Figuren in den Sand zeichnen? Aber mit der Attrappe eines Vorsokratikers ist der Welt auch nicht geholfen. Oder werden die Menschen unter dem Vorantritt der Vatikanischen Akademie der Wissenschaften – in der vorläufig noch einige der übelsten Gen-Malträtierer sitzen –, gelernt haben, wie man Kernreaktoren zu Pflugscharen und Raketen zu Sicheln macht? Leider, das muß ich bald einsehen, ist es mit den geraden Tagen nicht weit her; wann immer ich mir das Reich der Liebe und der Phantasie ausmale, einer zum Ruhme Gottes strebenden Wissenschaft, einer über alle banalen Erklärungen hinausreichenden Klarheit, einer nie zuvor erfaßten Wirklichkeit, wird mir eine furchterregende Vision zuteil: das paradiesische Licht täuscht, ich sehe den letzten Menschen, nicht den ersten. Der zweite Adam ist schwer strahlenkrank, und Eva kriegt keine Kinder.

Mit andern, weniger apokalyptischen Worten: da es niemals in der Geschichte gelungen ist, etwas zustandezubringen – die träge Lava fließt, und niemand weiß wohin –, wird eine Reform der Wissenschaften auch nicht gelingen. Daß mit ihnen etwas wird geschehen müssen, was späterer Historie als Reform erscheinen mag, ist zweifellos. Wenn, zum Beispiel, auf der ganzen Welt nur die Bibliotheken von Auckland und Magadan übriggeblieben sind, wird das allein schon mehr Reform sein als notwendig. Niemand wird leugnen, daß das eine sehr grausame Art von Reform ist.

VIII

Das einzige mir denkbar erscheinende Verfahren zur Einschränkung der ungeheuren Inflation sogenannter wissenschaftlicher Tatsachen – davon habe ich schon in andern Kapiteln dieses Buches gesprochen –, sehe ich in meinem schon früher gemachten Vorschlag einer Rückkehr zur kleinen Wissenschaft (32). Dieser Vorschlag hat mir den Vorwurf der Phantasielosigkeit und Kleinmütigkeit eingetragen; und ich gebe zu, es hat etwas Lächerliches, wenn ein kleiner alter linkischer David eine Armee von vor Jugendkraft und Riesenkrediten strotzenden Goliaths angreift. Ich gehe davon aus, daß unsere Naturwissenschaften an Elefantiasis zugrunde zu gehen im Begriff sind; daß der Wert jeder Forschung im Kopfe und im Herzen des einzelnen Forschers gegründet ist; daß Forschung nicht von der Marktgängigkeit ihrer Produkte leben soll, noch auch davon, daß die Geldgeber – sei es der Staat, sei es das Privatkapital – sie als ein »gutes Risiko« betrachten. Angesichts der jetzt immer häufiger werdenden wissenschaftlichen Publikationen, die von zehn, ja von zwanzig Autoren gezeichnet sind, frage ich mich, ob solche Mammutwissenschaft nicht einen ganz andern Schlag von Menschen anzieht, als es diejenigen waren, die die Wissenschaften groß gemacht haben. Ich sehe das Elend unserer Wissenschaften in ihrer Riesengröße, in ihrer schamlosen Kostspieligkeit, in ihrem rohen Raubzug in das Innere der Natur. Und ich versuche, phantasielos, kleinmütig, einen Weg zu schildern, der dazu führen könnte, den einzelnen kleinen Forscher zu unterstützen. Ich habe das schöne Wort aus Jacob Böhmes Werken schon früher zitiert ((16), S. 220): »Die Forschung muß von innen im Hunger der Seelen anfangen.« Obwohl damit nicht unsre Art von Forschung gemeint ist, denke ich, daß alles Suchen – und Forschen heißt Fragen, heißt Suchen – nicht anders beginnen kann.

Schlechtes Geld vertreibt das gute. Ob Greshams Theorem auch für Institutionen gilt, weiß ich nicht. Ist das der Fall, so ist mein Vorschlag zum Scheitern verurteilt. Er ist es wahrscheinlich auch aus vielen andern Gründen. Einrichtungen können nur sich selbst begraben, und vielleicht sollte man die verschiedenen Gesellschaften zur Förderung der Wissenschaften nicht daran hindern, das Gegenteil ihres

Zieles zu erreichen. Wenn die edle gregorianische Musik schließlich untergegangen ist, wird es der soviel weniger edlen Molekularbiologie auch nicht besser ergehen. Dazu braucht man aber Geduld und Zeit – es ist das Motto des Fürsten Kutusow in »Krieg und Frieden« –, und die hat der einzelne nicht, außer im Roman.

IX

An dieser Stelle sollte eine ganz andere Art von Warnungstafel errichtet werden, in der die alte Gegenwart zur jungen spricht. Was in diesem Buch geschrieben ist und auch in meinen frühen Büchern, ist die Meinung eines einzelnen Menschen, der das Recht nicht beansprucht, darauf zu pochen, daß er fast sein ganzes Leben als Naturforscher verbracht hat. Man kann ja alt und blöd geworden sein, und alle vertrauenerweckenden biographischen Atteste helfen da nicht. Jedenfalls bin ich davon überzeugt, daß eine Rundfrage bei allen mehr oder weniger verehrungswürdigen Forschern nicht einen ergeben wird, der meine Meinung teilt. In dieser Beziehung, und in vielen andern, gibt es keine marxistische Naturwissenschaft und keine katholische. Die Welt ist nämlich voll von Vögeln, die nur ihr eigenes Nest nicht beschmutzen.

Ich spreche die Warnung aus, um vielleicht doch dem sonst wohlverdienten Schierlingsbecher zu entgehen: Die Jugend möchte ich nicht verderben. Sie soll sich nicht durch das Gewicht meiner Erfahrung und durch mein bis vor kurzem günstiges Leumundszeugnis beeindrucken lassen und soll nur das annehmen, was zu ihrem eigenen Herzen spricht.

Das Bild, das sich auftat vor einem jungen Menschen, der sich anschickte ins Leben einzutreten, war zur Zeit meiner Jugend ganz anders als jetzt. Sich seinen wahren Neigungen zu widmen, war auch damals nicht leichter, denn die meisten

Menschen haben keine wahren Neigungen. Sie sind zu vielem halbwegs geeignet und zu nichts ausschließlich. Irgendwie fehlte aber das Gigantische, den Menschen Zermalmende, das allen Institutionen jetzt anhaftet. Wenn man das Universitätsstudium wählte, gab es die Geistes- oder die Naturwissenschaften, Jus, Medizin, Ingenieurwesen usw. Als Jurist oder Arzt sah man im allgemeinen einem freien Beruf entgegen, in fast allen anderen Fächern wurde man Gehaltsempfänger. In den Wissenschaften konnte man Lehrer werden, an den Hoch- oder Mittelschulen, in manchen Naturwissenschaften auch Industrieangestellter. Forschung als Beruf gab es eigentlich nicht, sie war gleichsam die Apanage des Universitätsprofessors. Für viele Wissenschafter begann und endete die Forschung mit der Doktorarbeit, mit Ausnahme der sehr wenigen, die in den vom Staat oder der Industrie unterhaltenen Forschungsinstituten Platz fanden.

Es bedurfte nicht einer Kondottierenatur, um seinen Weg zu machen, denn der Weg schien endlos vor einem offen zu sein. Das mag eine Täuschung gewesen sein, aber wenig schien abgegrast: die verbitterte und erbarmungslose Großproduktion von »Wissen« hatte noch nicht eingesetzt. Dafür trat eine andere Entscheidung in den Vordergrund: anläßlich der nach dem Ersten Weltkrieg beginnenden Massenflucht und Massenumsiedlung suchten viele einen Beruf, den sie mit sich nehmen konnten in ferne Länder. Ich denke, daß das eine Entscheidung ist, die auch jetzt an Wichtigkeit nichts eingebüßt hat.

An den Geisteswissenschaften hat sich wenig verändert, bis darauf, daß vielleicht jetzt mehr Trivialitäten erzeugt werden als zuvor. Auch ist das Hungertuch, an dem sie immer genagt haben, etwas schmäler geworden, und auch sie sind jetzt auf ein enges Fachpublikum beschränkt. Die Naturwissenschaften hingegen sind nicht wiederzuerkennen. Vielleicht gilt das nicht für alle: Zweige der Botanik, Zoologie, Anatomie, Paläontologie und einige andere Fächer –

insbesondere diejenigen, die mehr beschreiben als erklären – sind noch nicht ganz denaturiert. Aber auch sie sind von dem großen Dilemma der völligen Mechanisierung der Erforschung des Lebendigen nicht verschont worden. Wer sich jetzt der Naturforschung widmet, muß sich dessen bewußt sein, daß er in eine Wissensfabrik eintritt, in eine Riesenindustrie, die sich mit der Erzeugung einer leicht verderblichen, wenig haltbaren, nur frisch zu genießenden Ware befaßt. Über den Sinn des Wissens und das große Dilemma habe ich im Kapitel LUKIAN dieses Buches und in früheren Büchern (16, 33) viel mehr gesagt.

Dort habe ich auch zu zeigen versucht, daß der verhängnisvolle Umschwung während des Zweiten Weltkriegs begann und sich in den darauffolgenden Dekaden fortsetzte. Er ist noch nicht zu Ende; aber schon jetzt kann man sehen, daß die Kernphysik, die chemische Industrie, die Molekularbiologie wahrlich keinen Montsalwatsch in dieser völlig verwahrlosten Welt errichtet haben. Die Brücke, die sie bauen, führt sicherlich nicht zu Gott.

X

Das aber war die innige Hoffnung der Simone Weil. Wer diese Brücke hätte bauen können und aus welchen Materialien, hätte auch sie nicht sagen können. Zu ihrer Zeit waren die Naturwissenschaften noch verhältnismäßig dünn besiedelt, und man konnte einzelne Forscher an der Arbeit sehen. Ich habe den Eindruck, daß sie große Physiker wie Planck oder Einstein bewunderte. Daß aus solchen Forschungen eine annehmbare Philosphie, oder gar eine Theologie, herauswachsen könne, hat sie gewiß nicht erwartet. Vielleicht bestand für sie die Erbsünde der modernen Wissenschaft gerade in der mechanistischen Exaktheit, die es unmöglich machte, die *gesta Dei per naturam,* das Wirken Gottes durch die Natur, deutlich zu machen. Ich, für mein Teil, sehe die

Sünde nicht in der Exaktheit, die man allerdings nicht übertreiben darf, denn vielleicht hat der Schöpfer die Schöpfung abgerundet, sondern in dem Anspruch, daß die Summe aller Exaktheiten, wenn wir sie einmal beisammen haben, uns die Welt verstehen machen werde. Tatsächlich ist das alles nur eine Ablenkung, ein *divertissement,* eine Tätigkeit, die nur denen Freude macht, die sie betreiben. Ein Schimmer des Verstehens kann nur von einer ganz andern Seite kommen, aus einer Tiefe, zu der hinabzustoßen unsrer Zeit die Kraft verlorengegangen ist. In den vielen Jahren experimenteller Arbeit habe vielleicht ich selbst es hie und da versucht, jedoch ganz ohne Erfolg. Die breite, bequeme Chaussee der Induktion verläuft zwischen Mauern, die ein einzelner nicht durchbrechen kann. Die bewußte Brücke kann nicht gebaut werden, wenn nur der eine oder andere bereit ist, sie zu überschreiten.

Unsere Wissenschaften sind dazu verurteilt, den Teil für das Ganze zu nehmen, denn für dieses haben sie kein Organ. Sie können summieren, nicht integrieren. Sie sind sehr genau, wo sie beiläufig sein dürften, und beiläufig, wo eine geradezu religiöse, höchste Genauigkeit am Platze wäre. Daher muß der Mystiker vor ihnen verzagen, ebenso wie der analytische Chemiker versagen muß vor der Entstehung des Lebens. Ich fürchte, auf diesem Wege wird die ersehnte Brücke niemals erreicht werden. Wenn es nicht die Habgier ist, die den Forscher antreibt, so ist es die Neugier; und daß diese nicht die edelste der menschlichen Leidenschaften ist, hat schon Eva, rückblickend, zugeben müssen. Aber da war es zu spät.

Uns allen ist das Gefühl für das Wunder der Welt, für das Geheimnis des Lebendigen, abhanden gekommen. Wer an die Automatik glaubt, wird allmählich selbst ein Automat. Jeder Mensch, auch wenn er ihrer nicht gewahr ist, beherbergt in seinem Innern eine Scheu vor dem Unerforschlichen, vor dem, was nicht angerührt werden darf, ob wir jene nun Gottesbewußtsein nennen oder namenlos lassen. Ist unsre Zeit wirklich die erste, in der dieses Attribut der Menschwerdung erstorben ist? Haben wir uns wirklich einlullen lassen von den exakten Hymnen der Naturwissenschaften, die uns das Kleinste im Kleinern zeigen können, nie aber das Höchste im Höhern?

Meistens ruht dieses unbeschreibliche Gefühl dumpf und unerweckt, manchmal bricht es sich plötzlich eine Bahn, als ein Aufreißen des Innern, als eine Überwältigung durch ein Unnennbares. Wie es selbst ein Kind überkommen kann, davon kenne ich keine schönere Schilderung als die von Ernst Barlach in »Ein selbsterzähltes Leben« (34). Er spielte mit Freunden Indianer im Wald:

> Beim Streifen durchs Fuchsholz aber fiel mir die Binde von den Augen, und ein Wesensteil des Waldes schlüpfte in einem ahnungslos gekommenen Nu durch die Lichtlöcher zu mir herein, die erste von ähnlichen Überwältigungen in dieser Zeit meines neunten bis zwölften Jahres, das Bewußtwerden eines Dinges, eines Wirklichen ohne Darstellbarkeit – oder wenn ich es hätte sagen müssen, wie das Zwinkern eines wohlbekannten Auges durch den Spalt des maigrünen Buchenblätterhimmels.

Das war eine von mehreren Erschütterungen, die Barlach in seiner Jugendzeit widerfuhren. Immer wieder spricht er von der Nichtdarstellbarkeit, der Sinn- und Gegenstandslosigkeit des Erlebnisses. Es waren die achtziger Jahre des vorigen Jahrhunderts, und doch befinden wir uns mitten im Buche Genesis: der große Namen, der unnennbare, war über ihn gekommen. Er, auf dessen Haupt Abraham oder Isaak hätten ihre Hände legen können, mußte sich später um einen Ahnennachweis bekümmern, um zu beweisen, daß er nicht von ihnen abstamme.

Gut, wird man sagen, das ist eben ein Künstler, und wenn er eine Brücke zu Gott baut, tut er das mit den ungreifbaren Stoffen der Phantasie. Wäre er, seinem Vater folgend, Arzt geworden, so hätte naturwissenschaftliches Besserwissen ihm schon die Flügel gestutzt. Aber jener andere Arztessohn, Georg Büchner, dessen Tod mit 23 Jahren vielleicht den größten Verlust der deutschen Literatur bedeutet, war ein gelernter Naturforscher, mit einem Doktorat in Anatomie. Der blutjunge Privatdozent der Zürcher Universität wäre bald als eine Leuchte der Naturwissenschaften erkannt worden. Das ist es aber, was man ihn auf seinem Sterbebette sagen hörte (35):

> Wir haben der Schmerzen nicht zu viel, wir haben ihrer zu wenig, denn durch den Schmerz gehen wir zu Gott ein! – Wir sind Tod, Staub, Asche, wie dürfen wir klagen?

Die Erleuchteten der Vergangenheit hätten diese beiden als Brüder wiedererkannt. Wo aber gibt es jetzt Erleuchtete, wo Vergangenheit? Mit ewig erneuerten Tonnen von Schundwissen haben wir eine Hölle aus Papier erbaut – ach, wäre sie nur aus Papier! –, auf der das Schild sagt »Paradies«. In dem Jahrhundert der Bewußtseinsverdrehung, in dem wir leben, wird die Hölle zum Paradies, Krieg heißt Friede, und die Stimme des Versuchers sagt die Wahrheit.

Anmerkungen

(1) Simone Pétrement, La vie de Simone Weil, 2 Bde. (Fayard, Paris, 1973).
(2) Simone Weil, Leçons de philosophie, éd. Anne Reynaud (Éditions 10/18, Paris, 1966).
(3) Simone Weil, Réflexions sur les causes de la liberté et de l'oppression sociale (Gallimard, Paris, 1980).
(4) Simone Weil, Cahiers, nouvelle édition, 3 Bde. (Plon, Paris, 1970, 1972, 1975).
(5) Simone Weil, La pesanteur et la grâce (Union Générale d'Éditions, Paris, 1967).
(6) Simone Weil, Attente de Dieu (Fayard, Paris, 1966).
(7) Simone Weil, L'Enracinement (Gallimard, Paris, 1962).
(8) Simone Weil, La connaissance surnaturelle (Gallimard, Paris, 1950).
(9) Simone Weil, Écrits historiques et politiques (Gallimard, Paris, 1960).
(10) Simone Weil, Sur la science (Gallimard, Paris, 1966).
(11) Simone Weil, La condition ouvrière (Gallimard, Paris, 1951).
(12) Simone Weil, Oppression et liberté (Gallimard, Paris, 1955).
(13) Simone Weil, La source grecque (Gallimard, Paris, 1953).
(14) G. Herbert, Poems, S. 180 (World's Classics, Oxford, 1961).
(15) »Wie Gott sich in jede Seele stürzt, sobald sie offen genug ist, um zu lieben und durch sie den Unglücklichen zu dienen, so stürzt er sich auch in sie, um durch sie die fühlbare Schönheit seiner eigenen Schöpfung zu lieben und zu bewundern.«
(16) E. Chargaff, Unbegreifliches Geheimnis (Klett-Cotta, Stuttgart, 1980) S. 207.
(17) »Das Interesse der Wissenschaft. Es kann nur drei geben: 1) technische Anwendungen – 2) Schachspiel – 3) Weg zu Gott. (Das Schachspiel ist verziert mit Wettbewerben, Preisen und Medaillen.)«
(18) »Die griechische Wissenschaft war auf Frömmigkeit gegründet. Die unsere ist auf Stolz gegründet. Es gibt eine Erbsünde der modernen Wissenschaft.«
(19) »Bei den Griechen war die Naturwissenschaft selbst eine Kunst, mit der Welt als Stoff und der Phantasie als Werkzeug; sie bestand wie die andern Künste aus einer Mischung des Begrenzten und des Grenzenlosen. Daher der Einklang von Wissenschaft und Kunst. Bei uns, Gegensatz, denn unsre Wissenschaft analysiert. Aus dem Weltall ein Kunstwerk machen. Das ist das Ziel der griechischen Wissenschaft.«
(20) E. Chargaff, Building the Tower of Babble, Nature, *248,* 776 (1974).
(21) »Die Kirche hatte im Grunde recht, als sie Galilei verurteilte; darum ist es so bedauernswert, daß sie in der Form derart im Unrecht war.«
(22) *»Des Weltalls Ziffern zu lesen und das Weltall zu lieben; das hängt zusammen.* Die antike Wissenschaft war für diese Lektüre geeigneter als die moderne. Die Kirche war vielleicht im Recht gegen Galilei. . . . Eine Wissenschaft, die uns nicht nahe zu Gott bringt, ist nichts wert.«

(23) Siehe Anm. (4), Bd. 2, S. 142. – »Die Wissenschaft, die Kunst und die Religion treffen zusammen durch die uns völlig verlorengegangene Idee von *der Ordnung der Welt.«*

(24) Siehe Anm. (4), Bd. 1, S. 192. – »Wissenschaft soll eine Teilnahme an der Welt sein und nicht ein Schleier.«

(25) Siehe Anm. (4), Bd. 1, S. 206. – »Wenn man von irgendeinem Gegenstand zu viele Dinge weiß, ändert sich das Wissen in Unwissenheit – oder man muß sich zu einem andern Wissen emporheben.«

(26) Siehe Anm. (4), Bd. 3, S. 201. – »Man wendet sich einer Sache zu, weil man glaubt, sie sei gut, und man bleibt an sie gekettet, weil sie notwendig geworden ist.«

(27) Fortschritt ohne Maß?, Hrsg. R. Löw, P. Koslowski, P. Kreuzer (Piper, München, 1981).

(28) Brauchen wir eine andere Wissenschaft?, Hrsg. O. Schatz (Styria, Graz, Wien, Köln, 1981).

(29) J. J. Rousseau, Discours sur les sciences et les arts, 1ère partie, in Oeuvres complètes, Hrsg. B. Gagnebin und M. Raymond (Pléiade, Gallimard, Paris, 1964) Bd. 3, S. 15.

(30) Siehe Anm. (29), S. 80.

(31) Siehe Anm. (4), Bd. 3, S. 125. – »Man glaubt, daß man fortschreitet, wenn man horizontal marschiert. Nein. Man dreht sich im Kreis. Man kann nur vertikal fortschreiten.«

(32) E. Chargaff, In Praise of Smallness – How Can We Return to Small Science?, Perspectives Biol. Med., *23,* 370 (1980).

(33) E. Chargaff, Das Feuer des Heraklit (Klett-Cotta, Stuttgart, 1979).

(34) E. Barlach, Die Prosa I (Piper, München, 1958) S. 20.

(35) Aufzeichnungen aus dem Tagebuch der Charlotte Schulz, in: Georg Büchner, Werke und Briefe, Hrsg. F. Bergemann (Insel Verlag, Wiesbaden, 1958) S. 580.

NAMENSVERZEICHNIS

Von Erwin Chargaff sind bereits erschienen:

Das Feuer des Heraklit

Skizzen aus einem Leben vor der Natur
290 Seiten, Leinen, ISBN 3-12-901611-2

»Zwei verhängnisvolle wissenschaftliche Entdeckungen habe mein Leben gekennzeichnet: erstens die Spaltung des Atoms, zweitens die Aufklärung der Chemie der Vererbung. In beiden Fällen geht es um Mißhandlung des Kerns: des Atomkerns, des Zellkerns. In beiden Fällen habe ich das Gefühl, daß die Wissenschaft eine Schranke überschritten hat, die sie hätte scheuen sollen.«
Erwin Chargaffs Autobiographie ist die Selbstdarstellung eines gläubigen Zweiflers: er glaubt an die Natur, aber er zweifelt an den Naturwissenschaften, wie sie heute betrieben werden, und zwar radikal. Sie sind zu mächtig geworden, zu sehr den Forderungen der Technologie unterwürfig, zu unübersichtlich und zu undurchsichtig. Da er selbst Naturwissenschaftler ist – er hat bedeutende Beiträge zur biochemischen Forschung geleistet – weiß er, wovon er redet.

Unbegreifliches Geheimnis

Wissenschaft als Kampf für und gegen die Natur
230 Seiten, Leinen, ISBN 3-608-95452-X

Erwin Chargaff, einer der führenden Biochemiker unserer Zeit, unterzieht in diesem Buch den Wissenschaftsbegriff und den Wissenschaftsbetrieb einer unnachsichtigen Analyse. Er verwirft die beruhigenden Abstraktionen, mit denen der moderne Forscher sich für seine weitgehend sinnlose Arbeit doch noch einen Sinn zu erschleichen sucht; er weist mit größtem Nachdruck auf die Gefahren hin, die die unkontrollierte Anwendung von Forschungsergebnissen vor allem auf dem Gebiet der Gen-Manipulation mit sich bringt. Wenn Objektivität das Gleiche bedeuten soll wie Neutralität, Sachlichkeit das Gleiche wie das Hantieren mit Fakten um ihrer selbst willen, dann ist Chargaff weder objektiv noch sachlich. Wenn Sachlichkeit aber bedeuten soll, daß es um die Sache, die Hauptsache, das Wesentliche geht, dann verdient Chargaff wie wenige dieses Beiwort, und das gerade dort, wo er anscheinend am subjektivsten ist, nämlich in seiner Polemik, die ihre Legitimation aus seinem immensen Fachwissen, aber auch aus seinem Umgang mit den großen Denkern und Schriftstellern der Vergangenheit schöpft.

Bemerkungen

192 Seiten, engl. brosch., ISBN 3-12-901631-7

Der Aphorismus – »ein zum Bleistiftspitzen verwendeter Damaszenerdolch« – begünstigt Chargaffs Vorliebe für das provozierende Paradox, für die Weisheit ohne Lehre: An der Schärfe des Gedankensplitters zerplatzt so mancher prachtvolle Ballon technischer Klugheit, so manche Seifenblase eitlen, eingebildeten Herrschaftsglaubens – »Seit dem Anfang der Welt hat man Veränderung mit Fortschritt verwechselt.«

Zeugenschaft

Essays über Sprache und Wissenschaft
239 Seiten, Leinen , ISBN 3-608-95373-6

Die in diesem Buch gesammelten Essays führen die Besichtigung unseres Zeitalters fort: Sie verdeutlichen, welche Grenzen mit dem Fortschreiten der Gen-Technologie unwiderruflich überschritten sind; sie diagnostizieren unser heilloses Verhältnis zur – uns und von uns – »aufgegebenen Schöpfung«; sie gehen mit polemischer, unnachgiebiger Schärfe den Spuren des zivilisatorischen und kulturellen Verfalls, den Anzeichen für die Möglichkeit der Apokalypse nach. Aufgenommen wurden Aufsätze über die Sprache, das Lesen, die klassische Literatur.

Kritik der Zukunft

Essay
142 Seiten, Pappband, CB 18, ISBN 3-608-95217-9

»Die ganze Welt ist zur Arena geworden, in der zwei torkelnde, verzweifelte Teufel miteinander kämpfen. Worum es geht, ist nicht wirklich feststellbar. Der eine schreit ›Freiheit!‹ und meint Besitz, der andere schreit ›Fortschritt!‹ und meint Diktatur. Beide berufen sich auf Verträge, an deren Gültigkeit sie selbst nicht glauben; beide sehen verzweifelt auf die Uhr, ob die Atombombe nicht schon kommt; beide wissen, daß sie kommen wird.«

Klett-Cotta